असग़र वजाहत

विख्यात साहित्यकार असग़र वजाहत बहुआयामी व्यक्तित्व हैं जिनके अनेक उपन्यास, नाटक, निबन्ध, कहानी-संग्रह और यात्रा-वृत्तान्त प्रकाशित हो चुके हैं। लम्बे अरसे तक वे जामिया मिल्लिया विश्वविद्यालय के हिन्दी विभाग में प्रोफ़ेसर और अध्यक्ष के पद पर कार्यरत रहे। 2009-10 में हिन्दी अकादमी ने उन्हें 'श्रेष्ठ नाटककार' के सम्मान से सम्मानित किया और 2012 में 'आचार्य निरंजननाथ सम्मान' से नवाज़ा गया। गहरी सांस्कृतिक चिन्ताओं से उपजा असग़र वजाहत का लेखन कला की कसौटी पर आलोचकों द्वारा खूब सराहा गया है।

बाक़रगंज के सैयद

असग़र वजाहत

राजपाल

₹ 195

ISBN : 9789350643730

प्रथम संस्करण : 2015, प्रथम आवृत्ति : 2016

© असग़र वजाहत

BAQAR GANJ KE SAYYAD by Asghar Wajahat

मुद्रक : जी.एच. प्रिन्ट्स प्रा. लि., नयी दिल्ली

राजपाल एण्ड सन्ज़

1590, मदरसा रोड, कश्मीरी गेट-दिल्ली-110006

फोनः 011-23869812, 23865483, फैक्सः 011-23867791

website : www.rajpalpublishing.com

e-mail : sales@rajpalpublishing.com

www.facebook.com/rajpalandsons

जुस्तुजू जिसकी थी उसको तो न पाया हमने
इस बहाने से मगर देख ली दुनिया हमने
—'शहरयार'

ऐतिहासिक दस्तावेज़ों से...

फतेहपुर (युनाइटेड प्राविंस) डिस्ट्रिक्ट गज़ेटियर, सम्पादक एच. आर. नेविल इलाहाबाद, सन् 1906

ज़िले में एक दूसरा पदवी प्राप्त परिवार फतेहपुर के नवाब अली हुसैन ख़ाँ का है। वे सैयद इकरामुद्दीन अहमद को अपना पूर्वज मानते हैं, जो ईरान से सम्राट हुमायूँ के दल (सेना) में हिन्दुस्तान आये थे। उन्हें दरबार में कोई पद मिला था, यद्यपि उनका नाम मनसबदारों की सूची में नहीं है। उनके बेटे और पोते उनके उत्तराधिकारी थे। उनके पोते के बेटे मुहम्मद तक़ी औरंगज़ेब के शासन में उच्च प्रशासनिक पदों पर थे। इसके अतिरिक्त उन्हें कश्मीर, लाहौर और दूसरी जगहों पर बड़ी जागीरें मिली थीं। यह सब उनके पुत्र शाह क़ुली ख़ाँ को उत्तराधिकार में मिला था। इनके बेटे ज़ियाउद्दीन अपने पद और जागीरों से इस्तीफ़ा देकर एकाकी जीवन गुज़ारने लगे थे। वे नवाब ज़ैनुलआब्दीन के पिता थे, जो अवध आये थे और उन्हें नवाब की पदवी और कोड़ तथा कड़ा की 'सरकारें' मिली थीं। उनकी जागीर टप्पाज़ार परगने के बिन्दौर ताल्लुके में थी। उनके नौ बेटे थे, जिनमें दो सबसे बड़े नवाब बाक़र अली ख़ाँ और नवाब जाफ़र अली ख़ाँ थे, जिन्होंने अपने नाम से जाफ़रगंज बसाया था। दूसरे की हुकूमत कड़ा से पाण्डु नदी तक थी, जिसका क्षेत्रफल वर्तमान ज़िले के बराबर है और वे अपना मुख्यालय कोड़ा जहानाबाद से फतेहपुर ले आये थे। पाण्डु नदी से भोगनीपुर तक, ज़िले का दूसरा भाग जाफ़र अली ख़ाँ के पास था। 1801 में ज़िले का विलय (ईस्ट इण्डिया कम्पनी राज्य) होने के बाद बाक़र अली ख़ाँ को ही कम्पनी ने नौ साल के लिए ज़िले का प्रभारी नियुक्त किया

था। इस दौरान कमो-बेश ग़ैरक़ानूनी तरीक़े से तथा दूसरे ज़मींदारों की क़ीमत पर बाक़र अली ख़ाँ बहुत सी दूसरी जागीरों के मालिक बन गये थे। उनके मरने के बाद उनकी निजी जागीर उनके छोटे भाई नवाब सैयद मुहम्मद ख़ाँ को देने के बाद दूसरी सम्पत्तियाँ पुराने मालिकों को लौटा दी गयी थीं, जिसके लगान का आकलन 1840 में किया गया था। मुहम्मद ख़ाँ के वारिस उनके बेटे अहमद हुसैन ख़ाँ थे जो वर्तमान नवाब के पिता थे जिनका जन्म 1855 में हुआ था। दस गाँव जो मूल रूप से परिवार के पास थे, उनमें से चार गाँव निकल चुके हैं और वर्तमान में सम्पत्ति बिन्दौर, मंसूरपुर, भीकमपुर, दरौता, लालपुर, मंडरांव गाँव या उनके हिस्से खजुहा और फतेहपुर तहसीलों में हैं। सम्पत्ति की लगान देनदारी रुपये 13,560/- है।

गोल्डेन बुक ऑफ इण्डिया, सम्पादक सर रोपरे लेथब्रिज, मैक्मिलन एण्ड कम्पनी, लंदन 1893

अहमद हुसैन ख़ाँ, फतेहपुर के नवाब। जन्म 1826। पदवी वंशागत है। परिवार मूलतः तेहरान से। इनके पूर्वज सैयद इकरामुद्दीन अहमद सम्राट हुमायूँ के साथ आये थे जब वह ईरान से लौटा था। उन्हें मुग़ल सम्राट अकबर ने मनसबदार नियुक्त किया था। उनके पोते मुहम्मद तक़ी औरंगज़ेब के समय उसके दरबार में थे। उनके बेटे शाह क़ुली ख़ाँ ने अपने पिता का स्थान लिया। उनके पोते नवाब ज़ैनुलआब्दीन ख़ाँ अवध आये थे और अवध की सरकार ने उनको कोड़ा और कड़ा का चकलेदार नियुक्त किया था। उन्हें नवाब आसिफ़ुद्दौला ने फतेहपुर ज़िले में जागीर भी दी थी। उनके पुत्र नवाब बाक़र अली ख़ाँ थे जो अपना मुख्यालय कोड़ा जहानाबाद से फतेहपुर ले आये थे। उनके उत्तराधिकारी उनके भाई नवाब सैयद मुहम्मद ख़ाँ थे जो वर्तमान नवाब के पिता थे। नवाब के दो बेटे अली हुसैन ख़ाँ और बाक़र हुसैन ख़ाँ हैं। निवास-बाक़रगंज, फतेहपुर, उत्तर पश्चिम प्रदेश।

मिफ्ताहुत-तवारीख़, टॉम्स विल्यम बेल, मुंशी नवल किशोर प्रेस, लखनऊ

मीर ज़ैनुलआब्दीन ख़ाँ पिसर मीर शुजाउद्दीन इब्ने मीर शाह क़ुली ख़ाँ वल्द मीर मुहम्मद तक़ी, जो शहज़ादा मुहम्मद अकबर इब्ने आलमगीर के वज़ीर थे। शहज़ादा अपने बाप से बग़ावत करके ईरान चला गया

था और वहीं उसकी मौत हुई। जब मुख़्तारुद्दौला, जो नवाब आसिफ़ुद्दौला के ज़माने 1190 हिजरी में मारे गये तो उनकी जगह पर सरफ़राजुद्दौला हसन रज़ा ख़ाँ को रखा गया। लेकिन ख़ाँ साहब को मुक़द्दमात और सरकारी हिसाब की जानकारी न थी, इसलिए एक दूसरे आदमी को उनकी मदद के लिए रखने की ज़रूरत महसूस हुई। लिहाज़ा इस काम के लिए मुनीरुद्दौला हैदर बेग ख़ाँ को मुकर्रर किया गया। और इस न्याबत के ज़माने में हैदर बेग ख़ाँ ने मुल्क के ज़रूरी कामों को अंजाम देते हुए एक करोड़ चंद लाख रुपये जमा करके अल्मास अली ख़ाँ ख़्वाजासरा को दिए। अल्मास अली ख़ाँ मुरव्वत और सख़ावत में बेमिसाल थे। लिहाज़ा ज़ैनुलआब्दीन ख़ाँ को उनकी तरफ़ से दोआबा की मिल्कियत में चंद परगने दिए गये। उनकी वफ़ात के बाद 1207 हिजरी, रजब के महीने में उनकी बीवी ने, जिनका नाम मिसरी बेगम था, एक दरख़ास्त रुकनुद्दौला अल्मास अली बेग को लिखी कि सत्तर लाख रुपया इस कनीज़ के पास है, जिसे मेरे शौहर सरकारी पैसा समझ कर सरकार में पहुँचाना चाहते थे। अब जैसा भी हुक्म हो, उसके हिसाब से काम किया जाये। रुकनुद्दौला अल्मास अली बेग इस ख़त को पढ़ते ही गुस्से में आ गये और उसके टुकड़े-टुकड़े कर दिए और कहा कि मिसरी बेगम मुझे इस क़दर बुरा समझती हैं! उनके शौहर ने जो पैसा जमा किया है, उससे मुझे क्या मतलब? पैसा वे अपने बच्चों में क्यों नहीं तक़सीम कर देतीं? चुनांचे इस सख़ावत की बिना पर इनके (ज़ैनुलआब्दीन ख़ाँ) बेटे मालामाल हो गये। बाक़र अली ख़ाँ और जाफ़र अली ख़ाँ फतेहपुर और बिन्दौर चले गये।

तारीख़े अवध-हिस्सा सोम (तीसरा), जनाब मौलाना मौलवी हकीम नज्मुलग़नी ख़ाँ साहब रामपुरी, मुंशी नवल किशोर प्रेस, 1919

इस दौरे हुकूमत (शासन) में म्यान-व-दोआब का तमाम मुल्क रुकनुद्दौला अल्मास अली ख़ाँ ख़्वाजासरा को एक करोड़ और कई लाख रुपये पर ठेके में मिला। मीर ज़ैनुलआब्दीन ख़ाँ मारूफ ब (उर्फ) कौड़ीवाला उसकी तरफ़ से म्यान व दोआब में कई परगनों पर हुकूमत रखता था और अल्मास अली ख़ाँ की रफ़ाक़त (दोस्ती) में बड़े एजाज़ (प्रतिष्ठा) से रहता था और इस तरह लाखों रुपये का सरमाया (धन) बहम (प्राप्त) पहुँचा कर बिठूर (कानपुर) में एक इमामबाड़ा और मस्जिद

लबे दरिया (नदी के किनारे) 1203 हिजरी में तामीर (बनवाई) कराई और 1207 हिजरी में जाफ़र गंज में एक मस्जिद तैयार कराई। माह शाबान 1207 हिजरी (1792 ई.) में मीर ज़ैनुलआब्दीन ने इंतिक़ाल किया। बाज़ (कुछ) तो ये कहते हैं इल्लते मुहासिबा (हिसाब-किताब की इल्लत) में गिरफ़्तार होकर क़ैदे हस्ती (जीवन का बंदीगृह) से रिहाई पाई। मौलवी फ़ायक़ ने उसकी वफ़ात (मृत्यु) की तारीख़ इस तरह लिखी है—ज़ैनुलआब्दीन की वफ़ात (मृत्यु) के बाद उसकी ज़ौजा (पत्नी) मिसरी बेगम के हाथ कई लाख रुपये का तरका (मृत व्यक्ति की सम्पत्ति) नक़द-ओ-जिन्स (रुपया और सामान) आया। यहाँ तक कि बाज़ (कुछ) ने सत्तर लाख रुपये का तरका बताया है। मिसरी बेगम ने अल्मास अली ख़ाँ से कहा कि इस क़दर (मात्रा) नक़द-ओ-जिन्स (रुपया और सामान) शौहर (पति) के तरके के मेरे पास हाज़िर हैं। उस ख़्वाजासरा-ए-सेरचश्म (पूरी तरह संतुष्ट) आली हिम्मत (बड़ी हिम्मतवाले) ने जवाब दिया मुर्दे का माल मुर्दे के पीछे जाना चाहिए। इसलिए मुनासिब (उचित) ये है कि लड़कों को तक़सीम (बाँट) कर दो। मैं मोहताज (किसी पर आश्रित) और कोताह हिम्मत (कम हिम्मतवाला) नहीं कि उसको लूँ। मिसरी बेगम ने वह तमाम तरका अपने बेटों को तक़सीम (बाँट) कर दिया। सैयद ज़ैनुलआब्दीन ख़ाँ कसीरुल औलाद (अधिक संतानवाला) था। उसके बाज़ (कुछ) बेटों ने वह ज़रे-नक़द (पैसा) आलमे शबाब (जवानी) में उड़ा दिया और बाज़ औलाद निहायत (बहुत) रशीद (सीधे सही ढंग) नामवर (विख्यात) हुईं। उनको नवाब वज़ीर की सरकार से निज़ामतें (इलाक़े, जागीरें) मिलीं। उनमें से सैयद काज़िम अली और मीर हादी अली ख़ाँ और मीर बाक़र अली ख़ाँ थे।

बाक़र गंज के सैयद

समझदार लोग कहते हैं, "रात गयी, बात गयी। जो हो गया वह अतीत के गहरे समन्दर में डूब गया। 'तुम नाहक़ टुकड़े चुन-चुनकर दामन में छिपाये बैठे हो।' भूल जाओ वह सब जो गुज़र गया है। आज को देखो, आज को।" लेकिन मेरा मानना है कि वर्तमान तो बहुत घटिया चीज़ है। कौन है जो उससे खुश है? सबको शिकायत ही नहीं बड़े-बड़े शिकवे हैं। लोगों का बस नहीं चलता कि वर्तमान का गला घोट दें। जो है, वह उस पर थूकता है। उससे चिढ़ता है। दुःखी रहता है। और भविष्य? उसके बारे में कोई नहीं, यहाँ तक कि भगवान भी नहीं जानता। जब हम किसी के बारे में कुछ जानते ही नहीं तो उसमें हमारी क्या दिलचस्पी हो सकती है! उसका होना या न होना हमारे लिए बराबर है। उसकी चिंता करने का कोई सवाल ही नहीं पैदा होता। अब बचता है, अतीत। कुछ लोग अतीत का मज़ाक उड़ाते हैं और कहते हैं, यह तो गड़े मुर्दे उखाड़ने वाला काम है। लेकिन सच्चाई कुछ और है। जो हो चुका है वही सत्य है न? मतलब, हमें विश्वास है कि जो हो चुका है, वह हो चुका है। उसे कोई बदल नहीं सकता। सच्चाई की तरफ़ झुकना तो आदमी की फ़ितरत है। इसलिए हम उसे गले लगाते हैं। ट्रेन स्टेशन से गुज़र चुकी है ज़्यादा पक्की बात है बनिस्बत इसके कि ट्रेन स्टेशन से गुज़रने वाली है। इसलिए हमें वर्तमान का नहीं, भविष्य का नहीं, बल्कि अतीत का गुणगान करना चाहिए। गुज़रे हुए ज़माने के गीत गाने चाहिए। वर्तमान के दुःख हमें झेलने पड़ते हैं। भविष्य की आशंकाएँ हमें परेशान करती हैं। लेकिन अतीत हमें कभी तंग नहीं करता। बल्कि अतीत के दुःख हमें सुन्दर लगते हैं क्योंकि न तो वे हमें झेलने पड़ते हैं और न झेलने की आशंका होती है। कहते हैं, सुन्दर अतीत का जितना बड़ा भंडार जिसके पास है वह उतना ही सौभाग्यशाली है। बड़ी दुनिया होने के सुख से तो सभी वाक़िफ़ होते हैं। बड़ी दुनिया तक जाने के कई रास्ते हैं। एक रास्ता चौड़ी सड़क है तो दूसरा रास्ता गलियों और पगडण्डियों का रास्ता है। शाहराह पर सभी चलते हैं और उसे जानते हैं, लेकिन पतली गलियों

और खेतों की मेड़ों के रास्ते ज़्यादा मज़ेदार होते हैं। अतीत की दुनिया को बड़ा बनाने के लिए इस रास्ते से गुज़रना अच्छा है।

मैं यह तो नहीं कह सकता कि बाक़र गंज के सैयद अतीत-जीवी थे, लेकिन उनके वर्तमान में अतीत इस तरह झलकता था जैसे साफ़ पानी की तह में पड़े पत्थर झलकते हैं। बाक़र गंज के कुछ बुज़ुर्ग गुज़रे ज़माने को बड़े शौक़ से याद किया करते थे। उनकी याददाश्तें अच्छी थीं। जहाँ कुछ भूलते थे वहाँ अपने आप कुछ जोड़ लिया करते थे। अगर कोई इसकी शिकायत करता था तो बिगड़ जाते थे। उन्हें इस बात पर बड़ा फ़ख़्र था कि वे एक बहुत बड़े घराने में पैदा हुए हैं जिसका बड़ा शानदार अतीत है। अक्सर मौक़ा मिलते ही वे ख़ानदान के पुराने क़िस्से सुनाने लगते थे। इन पुराने क़िस्सों में कुछ तो ऐसे थे जिन पर यक़ीन नहीं आता था, लेकिन यह बात कोई उनके सामने ज़बान से निकाल नहीं सकता था। वे बताते थे कि परदादा जिन के बच्चों को क़ुरान-शरीफ़ पढ़ाया करते थे। पूरा मक़तब लग जाता था। बहुत सी आवाज़ें आती थीं, लेकिन कोई दिखाई न देता था। एक दिन जिन के बच्चे दादा को जब वे बच्चे थे, तो उठा ले गये थे। कुछ देर बाद वे वापस अपने बिस्तर पर पाये गये थे और बराबर में मिठाई का एक टोकरा रखा था जो जिनों ने भेजा था। वे यह भी बताते थे कि उन्होंने एक बार जिन को देखा था जिसका सिर आसमान में और टाँगें ज़मीन में धँसी हुई थीं। भूतनियों को देखने के किस्से तो आम थे और कोई नौक़र ऐसा न था जिसने भूतनियों को न देखा हो। लेकिन बात हो रही थी पुराने ज़माने के क़िस्सों की। तो बुज़ुर्ग बताते थे कि ख़ानदान के पुरखे जिनका नाम सैयद इकरामुद्दीन अहमद था, ईरान से आये थे। वे सूफ़ी और सिपाही थे। उन्हें ईरान के बादशाह ने मुग़ल बादशाह हुमायूँ के साथ हिन्दुस्तान भेजा था। वे जब मैदाने-जंग में तलवार चलाते थे तो लगता था सैकड़ों तलवारें चल रही हैं। सैयद इकरामुद्दीन अहमद ईरान के ख़ुरासान सूबे के ख़ाफ़ नामक गाँव से आये थे। मैं कुछ साल पहले इस गाँव गया था और लोगों से बातचीत की थी। यह पता लमाने की कोशिश की थी कि क्या हक़ीक़त में सैयद इकरामुद्दीन अहमद नाम के कोई आदमी यहाँ से हुमायूँ के साथ हिन्दुस्तान गये थे। मुझे बड़ा ताज्जुब हुआ था जब खुरासान के इतिहासकारों ने यह बताया था कि यह सच है। उन्होंने "तारीख़े दिज़ाले शारख़े ख़ुरासान" खण्ड-2 किताब के पेज नम्बर 174-76 पर सैयद इकरामुद्दीन अहमद का उल्लेख होने की बात बताई थी।

बाक़र गंज के सैयदों के सिलसिले में फतेहपुर डिस्ट्रिक्ट गज़ेटियर इस परिवार के पूर्वज का नाम सैयद इकरामुद्दीन अहमद ही बताता है। इसलिए खोज का पहला पड़ाव यही नाम होना चाहिए। नाम के साथ गज़ेटियर एक सूत्र और देता है। ये

मुग़ल सम्राट हुमायूँ के साथ ईरान से हिन्दुस्तान आये थे। ज़ाहिर है कि हुमायूँ के साथ हज़ारों लोग आये होंगे और उनमें सैयद इकरामुद्दीन की तलाश एक मुश्किल काम है, लेकिन जुस्तुजू कहाँ-कहाँ नहीं ले जाती।

~   ~   ~

कन्नौज की लड़ाई में शेरशाह सूरी से हार जाने के तीन साल बाद 11 जुलाई, 1543 ई. को हुमायूँ हिन्दुस्तान से अपनी सारी आशाएँ समेट कर कंधार की तरफ़ रवाना हुआ, जो उसके भाई कामरान के अधिकार में था। पाँच महीने की लम्बी और थका देने वाली यात्रा में हारे हुए सम्राट का कारवाँ जंगलों, रेगिस्तानों और नदियों को पार करता क्योटा पहुँचा तो एक रात अचानक वहाँ जयबहादुर उज़्बेक, जिसे चुली बेग भी कहा जाता था, आ गया। चुली बेग हुमायूँ की सरकार में काम कर चुका था। अब हुमायूँ के भाई कामरान के साथ था। चुली बेग को कामरान ने यह जानकारी लेने के लिए भेजा था कि हुमायूँ का दल अब कहाँ है और हुमायूँ को धोखा देकर कैसे गिरफ़्तार किया जा सकता है। चुली बेग ने हुमायूँ का नमक खाया था। कैम्प में आते ही उसने बैरम बेग को यह खबर दे दी कि कामरान के मन में हुमायूँ को गिरफ़्तार करने की इच्छा है, इसलिए हुमायूँ को कंधार न जाकर फौरन सिस्तान की तरफ़ निकल जाना चाहिए।

बैरम बेग जल्दी-जल्दी कूच की तैयारियाँ कराने लगे। हमीदा बानो बेगम को तो घोड़े पर बैठा दिया गया, लेकिन बालक अकबर को ले जाना मुश्किल था इसलिए वह अपने चाचा कामरान की दया पर छोड़ दिया गया। जल्दी की वजह से कुछ लोग, ख़ज़ाना और कुछ सामान भी छोड़ दिया गया। लुटे-पिटे सम्राट के साथियों में से बहुतेरे उसका साथ छोड़ कर पहले ही जा चुके थे। चालीस मर्दों और दो औरतों का यह कारवाँ रातों-रात निकल गया। पराजय का बोझ उठाये, महीनों की तोड़ देने वाली दौड़-भाग, ज़रूरी चीज़ों का अभाव और अब मौत के डर से भयभीत यह कारवाँ आगे बढ़ने लगा। इस कारवाँ में कौन सम्राट था और कौन दरबारी, इसका अन्दाज़ा इस बात से लगाया जा सकता है कि अपने घोड़े के सुस्त पड़ जाने की वजह से जब हुमायूँ ने अपने एक दरबारी तर्दी बेग से उसका घोड़ा माँगा था तो तर्दी बेग ने इनकार कर दिया था।

दिसम्बर की बर्फ़ीली रात में चारों तरफ़ अँधेरा था। बर्फ़ीले तूफ़ान की आवाज़ों के अलावा और कुछ न सुनाई देता था। बर्फ़ में घोड़ों के पैर इस तरह धँस जाते थे कि उन्हें निकालने में काफ़ी वक़्त लग जाता था। आसमान भी स्याह था और कभी-कभी कुछ दिखाई देता था तो तेज़ी से गिरते बर्फ़ के फूल ही फूल। कपड़ों,

घोड़ों और सामान गाड़ियों को इन फूलों ने पूरी तरह ढँक लिया था। जब तक जिसकी साँसें चल रही थीं, वह अपने को ज़िन्दा समझ रहा था। ज़िन्दा था तो उम्मीदें थीं। आशा थी कि जल्द से जल्द सिस्तान पहुँच जायेंगे। लेकिन कामरान ने यह इंतिज़ाम पहले ही कर रखा था कि हुमायूँ सिस्तान न पहुँचने पाये।

अगले दिन यह कारवाँ बिलोचिस्तान की हदों में दाख़िल हो गया। गुलबदन बेगम ने 'हुमायूँनामा' में इस यात्रा का वर्णन करते हुए लिखा है—पूरी रात बर्फ़बारी होती रही और जलाने के लिए न तो लकड़ी थी और न खाना था। जब भूख बर्दाश्त से बाहर हो गयी तो सम्राट ने एक घोड़ा ज़िब्ह करने का हुक्म दिया। खाना पकाने के बर्तन भी नहीं थे इसलिए ख़ोद (लोहे की टोपी जो सिपाही पहनते हैं) में कुछ मांस उबाला गया और कुछ भूना गया,...सम्राट कहा करते थे—"खुद मेरे हाथ सर्दी की वजह से जम गये थे।" अगली रात कुछ बिल्लोचियों ने कारवाँ को घेर लिया। पूरे कारवाँ में बिल्लोची ज़बान हसन अली इश्क़ आग़ा की बीवी के अलावा कोई न जानता था। उन्होंने बातचीत करके बिल्लोचियों को समझाया और तय पाया कि जब तक बिल्लोचियों का सरदार मलिक हाती नहीं आ जाता तब तक कारवाँ आगे नहीं बढ़ेगा।

अगले दिन मलिक हाती आया और उसने बताया कि तीन दिन पहले ही कामरान का आदेश आया था कि हुमायूँ को किसी भी कीमत पर आगे न बढ़ने दिया जाये। कामरान ने बिल्लोची सरदार को यह लालच भी दिया था कि वह अगर हुमायूँ को गिरफ़्तार करके कंधार ले आयेगा तो उसे सम्राट का पूरा ख़ज़ाना दे दिया जायेगा। लेकिन हुमायूँ की क़िस्मत के सितारे बुलंद थे। बिल्लोची सरदार मलिक हाती ने सम्राट और उसके कारवाँ की जो हालत देखी वह इतनी दयनीय थी कि उसे तरस आ गया। सम्राट के ख़ज़ाने का लालच भी उसके दया भाव को न दबा सका। मलिक हाती ने न सिर्फ़ हुमायूँ को आगे जाने दिया बल्कि उसकी सहायता भी की। हुमायूँ के कारवाँ को मलिक हाती अपने इलाक़े की सीमा तक छोड़ने भी गया। अब हुमायूँ का कारवाँ गर्मसीर में दाखिल हो गया था जो कंधार और ख़ुरासान के बीच है। यहाँ से और आगे बढ़ कर कारवाँ हाजी बाबा के क़िले पहुँचा। यह इलाका भी उसके भाई कामरान के अधीन था और यहाँ कामरान की तरफ़ से ख़्वाजा जलालुद्दीन महमूद लगान वसूल करने आया था। वह हुमायूँ के साथ हो गया और उसने वह सब सामान उपलब्ध कराया जिसकी लम्बे सफ़र के लिए दरकार थी। हुमायूँ बहुत ख़ुश हो गया। इस वक़्त उसके पास न तो एक इंच ज़मीन थी और न कोई अधिकार थे, लेकिन उसने ख़ुश होकर ख़्वाजा जलालुद्दीन को 'ख़्वाजासरा' का खिताब दे दिया।

बैरम ख़ाँ ने हुमायूँ को सलाह दी कि ईरान में दाख़िल होने से पहले ईरान के शाह तहमास्प सफ़वी को एक पत्र भेजना चाहिए ताकि आगे की भूमिका बन सके। हुमायूँ ने शाहे ईरान को लिखा–

'दोपहर के सूरज जैसे प्रतापी, शाही तेज के स्वामी, अल्लाह की प्रतिछाया, सबके जानकार, अल्लाह के गुणों से सम्पन्न मैं आपके सामने एक ज़र्रे (कण) की तरह हूँ। आप जैसे बविक़ार (प्रतिष्ठित) बादशाह के ख़ादिमों (सेवकों) में मुझे जगह नहीं मिली लेकिन मैं आपके इख्लासो–मुहब्बत (अनुकम्पा और प्रेम) से बँधा हुआ हूँ और मेरे जिस्म में जो ख़ून दौड़ रहा है उसमें आपकी मोहब्बत है। आपकी ज़ात (व्यक्तित्व) की करामातें (करिश्मे) और सआदतें (शुभकारिता) हासिल (प्राप्त) भी हैं और महसूल (लाभप्रद) भी। और हर वक़्त आपके ख़ूबसूरत चेहरे की तवज्जो (ध्यान) से और आपकी गुफ्तगू (बातचीत) से लोग शहद जैसी लताफ़त (मज़ा) चखते हैं। इस बुरी दुनिया में, आसमान की गर्दिश (घूमना) जो लोगों को बर्बाद करने पर तुली रहती है वह हिन्दुस्तान के खित्ते सिन्ध (हिन्द) की तरफ़ चली गयी है। क्या पहाड़ों, क्या जंगलों, क्या रेगिस्तानों में मुझ पर जो गुज़री है, सो गुज़री है। अब तो मैं, सूरज की तरह चमकती हुई अज़मत (महानता) आपके पुरइक़बाल (प्रतिष्ठापूर्ण) जलाल (प्रताप) की कशिश (आकर्षण) और अल्लाह से पुरउम्मीद (आशावान) हूँ...'

हिन्दुस्तान का बादशाह ईरान के शाह के संरक्षण में आया है। मदद माँग रहा है। साम्राज्य में आने की विनती कर रहा है। ईरान का शाह तहमास्प सफ़वी इतना खुश हो गया कि उसने तीन दिन तक नक्कारख़ाने को लगातार नगाड़े और बाजे–ताशे बजाने का आदेश दे दिया। उसने हुक्म दिया कि हुमायूँ का हर स्थान पर राजकीय सम्मान किया जाये। वही आदर–सम्मान दिया जाये जो ईरान के शाह को दिया जाता है। ईरान की जनता हुमायूँ के आदेशों का उसी तरह पालन करे जैसे ईरान के शाह के आदेशों का किया जाता है। यही नहीं, ईरान के शाह ने अपने सूबेदारों को बहुत विस्तार से यह लिखा कि हुमायूँ का आदर–सत्कार कैसे किया जाये। उसने हिरात के सूबेदार को लिखा कि हुमायूँ को शाही आवभगत के दौरान जो राजकीय भोज दिया जाये उसमें अलग–अलग तरह के तीन हज़ार खाने, मीठा मांस, शरबत, मेवे और फल हों। हिरात के सूबेदार को ईरान के शाह ने हुमायूँ की खातिरदारी के संबंध में जो फ़रमान भेजा था वह ब्रिटिश म्यूजियम में सुरक्षित है।

हिरात में हुमायूँ ने ईरान के राष्ट्रीय त्योहार नौरोज़ में भी हिस्सा लिया था। अनगिनत उपहारों के अलावा उसे आठ हज़ार तूमान भी पेश किए गये थे। उसे हिरात की सबसे शानदार इमारत मंज़िले–बेगम में ठहराया गया था।

हुमायूँ ने शाह तहमास्प के दरबार में जाने से पहले अपने विशेष दूत बैरम बेग को शाही दरबार में भेजा था। शाह ने बैरम बेग को देख कर यह आदेश दिया था कि उसे अपने बाल कटवा कर फ़ारसी ढंग की टोपी लगानी चाहिए। इस आदेश पर बैरम बेग ने जवाब दिया था कि वह किसी दूसरे सम्राट का नौकर है और जब तक उसका सम्राट उसे ऐसा आदेश नहीं देगा वह यह नहीं करेगा। इस बात पर शाह तहमास्प नाराज़ हो गया था और उसने बैरम बेग को डराने के लिए उसके सामने कुछ अपराधियों को मृत्यु दण्ड दिए जाने का आदेश दिया था।

आखिरकार हुमायूँ की शाह तहमास्प से मुलाकात हुई। हुमायूँ अपने घोड़े से उतर कर बैरम बेग और साम मिर्जा के साथ शाह के दरबार की तरफ़ बढ़ा। शाह तहमास्प अपनी मसनद से उठ कर बस दो कदम आगे बढ़ा और हुमायूँ को गले से लगा लिया। औपचारिक बातचीत के बाद शाह ने फिर अपनी सांस्कृतिक श्रेष्ठता, पहचान और महत्ता सिद्ध करने के लिए हुमायूँ से कहा कि वह ईरानी टोपी लगाये। हुमायूँ तैयार हो गया। शाह ने अपने हाथों से हुमायूँ को ईरानी टोपी पहना दी।

दो बादशाहों की दोस्ती लम्बी न चल सकी क्योंकि छोटी-मोटी शिकायतों के अलावा बड़ा फ़र्क़ यह था कि शाह तहमास्प शिआ मत का ज़बर्दस्त समर्थक था और सुन्नी मत के बहुत खिलाफ था। हुमायूँ सुन्नी था। कुछ ही दिन बाद हुमायूँ को शाह ईरान का संदेश मिला कि वह अपना मत परिवर्तन करके शिआ हो जाये वरना उसे आग में झोंक दिया जायेगा। हुमायूँ ने जवाब दिया कि वह अपने धार्मिक विश्वास में अडिग है। उसे साम्राज्य की कोई लालसा नहीं। वह बस इतना चाहता है कि उसे मक्का जाने की अनुमति दे दी जाये जिसके लिए वह निकला है। इसके जवाब में शाह तहमास्प ने उसे संदेश भेजा कि वह जल्दी ही सुन्नी मत के विरुद्ध युद्ध की घोषणा करने वाला है और यह अच्छा है कि एक सुन्नी बादशाह अपने आप उसके अधिकार में आ गया है। इस तरह बात और आगे बढ़ गयी। शाह तहमास्प ने हुमायूँ के पास काज़ी जहान को भेजा ताकि उसे शिआ मत स्वीकार करने पर तैयार किया जा सके। काज़ी जहान ने हुमायूँ को समझाया कि ऐसी स्थिति में उसके लिए यही अच्छा है कि वह शिआ मत स्वीकार कर ले। आख़िरकार हुमायूँ ने कहा कि पूरा मामला उसके सामने लिखित रूप में रखा जाये। काज़ी ने उसके सामने तीन लिखित कागज़ रखे। हुमायूँ ने दो पर हस्ताक्षर कर दिए, लेकिन तीसरे कागज़ पर दस्तखत करने से इनकार कर दिया। जब काज़ी ने हुमायूँ पर ज़ोर डाला तो हुमायूँ ने कहा कि क्या ईरान के शाह को यह मालूम नहीं है कि धर्म के मामले में ज़ोर-ज़बर्दस्ती नहीं करनी चाहिए। लेकिन हालात से मजबूर होकर उसने

तीसरे कागज़ पर भी दस्तखत कर दिए।

हुमायूँ के शिआ हो जाने के बाद भी दोनों बादशाहों के दिल साफ़ नहीं हुए। हुमायूँ के खिलाफ़ कुछ दरबारी अफवाहें फैलाते रहे। दूसरी तरफ़ हुमायूँ के दिल में भी शको-शुब्हात उभरते रहे। कभी-कभी उसने अपमानित भी महसूस किया, लेकिन यह सब एक ऐसा ज़हर था जिसे पिए बग़ैर ज़िन्दगी मिलना मुश्किल थी। बहरहाल किसी तरह दोनों के दिल साफ़ हुए। इस काम में शाह तहमास्प की बहन सुल्ताना बेगम ने बड़ी भूमिका निभाई। शाह को समझाया कि उसका हित हुमायूँ की मदद करने में है न कि उसकी हत्या करने में या उसे अपमानित करने में। सुल्ताना बेगम ने शाह को हुमायूँ की एक काव्य रचना भी दिखाई जिसमें उसने हजरत अली और उनके वंश पर अपनी आस्था और श्रद्धा को बहुत शानदार और प्रभावशाली ढंग से प्रगट किया था। शाह तहमास्प के दीवान काज़ी जहान ने भी शाह के मन में हुमायूँ के लिए जो ग़लत भावनाएँ थीं, उन्हें साफ़ किया। यह बात शाह की समझ में आ गयी कि उसके कुछ अमीरों ने हुमायूँ के खिलाफ़ भड़काया था। शाह इन अमीरों को उनके घृणित काम के लिए दण्ड देना चाहता था, लेकिन हुमायूँ के कहने पर उन्हें माफ़ कर दिया था।

~ ~

दो बादशाहों के जुदा होने की बेला आ गयी। भव्य विदाई समारोह शुरू हो गये। शिकार अभियान आयोजित किए गये जिनमें हज़ारों सैनिक शामिल होते थे। दिन जंगली जानवरों का पीछा करने और रातें शराब और संगीत की शानदार महफिलों की नज़्र हो जाती थीं। शाह तहमास्प ने हुमायूँ के जश्न-ए-बिदाई को सात दिन तक मनाने का आदेश दिया था।

ज़मीन पर हर तरफ़ ईरानी कालीन नज़र आते थे। छः सौ शाही ख़ेमे लगाये गये थे। युद्ध संगीत बजाने वालों की बारह टोलियाँ हुमायूँ को विदाई देने के लिए अपने वाद्यों को पुरजोश तरीके से बजा रही थीं। चारों तरफ़ कतारबद्ध सैनिक खड़े थे। उपहार और ख़िलद देने के सिलसिले जारी थे। शाह तहमास्प ने हुमायूँ को बताया कि "उसको दी जाने वाली सहायता और सेना तैयार है।" शहज़ादा मुराद बारह हज़ार घुड़सवारों के साथ विदाई समारोह में हाज़िर हुआ। हवा में दूर-दूर तक ईरानी परचम लहरा रहे थे। विदाई समारोह के अंतिम दृश्य को इतिहासकार जौहर ने इस तरह लिखा है—'शाह तहमास्प अपने हाथों में हीरे जवाहरात जड़ा एक चाकू और दो सेब लेकर खड़ा हुआ और उसने कहा, "हुमायूँ, ख़ुदा हाफ़िज़।" हुमायूँ ने अपने हाथ आदर से फैलाये और शाह से कहा, "स्वीकार किया।" शाह ने अपने हाथों

की उँगलियों को सीधा किया और उपहार हुमायूँ के हाथों में आ गया। शाह तहमास्प ने कहा, "अल्लाह तुम्हारे ऊपर हमेशा मेहरबान रहे... ख़ुदा हाफ़िज़।"

~ ~ ~

शाह तहमास्प ने हुमायूँ को जो बारह हज़ार घुड़सवार दिए थे उनके अफ़सरों की सूची में इतिहासकार बैज़ाद के अनुसार अट्ठारह नाम हैं जबकि अबुल फ़ज़ल ने जो सूची दी है उसमें आठ नाम ज़्यादा हैं। इन दोनों सूचियों में सैयद इकरामुद्दीन अहमद का नाम नहीं है। इसलिए अब इस नाम के सहारे आगे बढ़ने का कोई तुक नहीं है। अगर इस नाम का कोई आदमी रहा भी होगा तो मामूली सिपाही होगा।

~ ~ ~

बाक़र गंज के सैयदों के पूर्वजों में दूसरा नाम मुहम्मद तक़ी का आता है जिनके बारे में लिखा गया है कि वे मुग़ल सम्राट औरंगज़ेब के मनसबदार थे और उन्हें लाहौर, कश्मीर तथा दूसरे इलाक़ों में बड़ी जागीरें मिली थीं। अब मुझे मुहम्मद तक़ी की खोज में औरंगज़ेब के युग को खंगालना पड़ेगा।

औरंगज़ेब बहुत कट्टर मुसलमान था। हम उसे कट्टर मुसलमान भी कह सकते हैं। वह रोज़े नमाज़ का पाबंद था। क़ुरान की प्रतियाँ लिख कर और टोपियाँ सी कर जो पैसा कमाता था उससे अपना निजी खर्च चलाता था। उसने अपनी वसीअत में भी निर्देश दिए हैं कि उसकी बनाई टोपियों के बेचे जाने से जो पैसा मिलता है उससे उसे कफ़न दिया जाये।

औरंगज़ेब मुग़ल सम्राटों में सबसे बड़ा सम्राट इस रूप में कहा जाता है कि उसका साम्राज्य अकबर महान से भी बड़ा था। वह मुग़ल बादशाहों में सबसे ज़्यादा धनवान था। उसने साम्राज्य का क्षेत्रफल 32 लाख वर्ग किलोमीटर में फैला दिया था और वह पन्द्रह करोड़ लोगों पर राज करता था। उसकी सेना उस समय विश्व की सबसे बड़ी सेना थी। उसके तोपख़ाने में लाजवाब तोपें थीं जिनमें सबसे बड़ी तोपें ज़फ़रबख़्श और इब्राहीम थीं। उसने अपने पिता शाहजहाँ को क़ैद कर लिया था। उसका पूरा जीवन युद्धों में बीता था। राजपूतों और मराठों के अलावा उसने अपने समय की मुस्लिम सल्तनतों आदिलशाही, क़ुतुबशाही और अहमदनगर को मिट्टी में मिला दिया था। औरंगज़ेब ने छब्बीस साल मुसलमानों से युद्ध किया था जिसमें लाखों मुसलमान भी मारे गये थे। उसकी फ़ौजी छावनी चलती-फिरती राजधानी हुआ करती थी जो तीस मील की लम्बाई-चौड़ाई में फैली होती थी। उसमें ढाई सौ बाज़ार होते थे। पचास हज़ार ऊँटों और तीस हज़ार हाथियों वाली इस सेना में 15 लाख सिपाही और दूसरे

काम करनेवाले होते थे। दक्षिण में छब्बीस साल तक चले इन युद्धों के कारण न केवल अकाल पड़ा था बल्कि प्लेग जैसी महामारी भी फैली थी।

~ ~ ~

सन 1661 में एक ऐसा ख़ौफ़नाक़ दिन आया जब दिल्लीवासियों ने मौत का ताण्डव देखा था। कहा जाता है सूफ़ी संत सरमद काशानी को औरंगज़ेब ने मृत्यु दण्ड इसलिए दिया था कि वह आधा कलमा पढ़ता था। वह सिर्फ़ ''ला इलाहा इल्लिल्लाह'' कहता था—मतलब, नहीं है कोई अल्लाह, अल्लाह के अलावा। जब उससे पूछा जाता था कि वह आगे ये क्यों नहीं कहता कि ''मुहम्मदुन रसूल इल्लाह'' (मुहम्मद अल्लाह के रसूल हैं) तो उसका जवाब हुआ करता था कि अभी तक मैं ''ला इलाहा इल्लिल्लाह'' का ही अर्थ नहीं समझ पाया हूँ, जब इसका अर्थ समझ लूँगा तो पूरा कलमा पढ़ूँगा।

लेकिन सरमद का बड़ा जुर्म यह था कि वह दारा शिकोह का समर्थक था। दूसरा जुर्म एक प्रचलित कहानी के रूप में है। कहानी यह है कि सरमद रास्ते में नंगा बैठा था। उसके पास ही एक काला कम्बल पड़ा था। उधर से औरंगज़ेब की सवारी गुज़री और सम्राट ने उसे नंगा देख कर कहा कि ''सरमद, तुम अपने जिस्म को ढँक क्यों नहीं लेते। तुम्हारे पास ही कम्बल पड़ा है।'' सरमद ने कहा, ''मुझ पर इससे कोई फ़र्क़ नहीं पड़ता। अगर तुम्हें बुरा लगता है तो मेरे जिस्म को ढँक दो।'' औरंगज़ेब हाथी से उतरा। सरमद के पास गया और कम्बल उठाया। लेकिन फिर फौरन ही कम्बल रख दिया और हाथी पर जाकर बैठ गया। सरमद हँसा और उसने कहा, ''औरंगज़ेब क्या छुपाना ज़्यादा ज़रूरी है? मेरा जिस्म या तुम्हारे गुनाह?'' कहा जाता है जब औरंगज़ेब ने कम्बल उठाया था तो उसके नीचे उसे अपने भाइयों के कटे सिर दिखाई दिए थे जिनकी उसने हत्या कराई थी।

शाही सिपाही सरमद को घसीटते हुए ले गये थे। उन्होंने सरमद को घुटने के बल बैठा कर हाथ और पैर बाँध दिये थे। सिर झुका कर नीचे कर दिया था। एक तेज़ धारदार तलवार चमकी थी और सरमद का सिर उड़ गया था। उसका सिर कटा शरीर भयानक नृत्य करने लगा था। यह ताण्डव नृत्य जैसा था।

आज भी जामा मस्जिद के पूर्वी गेट के नीचे यह कहानी ज़िन्दा है।

अपने भाइयों, सरमद और गुरु तेग़ बहादुर की निर्मम हत्या कराने वाला औरंगज़ेब रोज़ क़ुरान शरीफ पढ़ता था। पता नहीं औरंगज़ेब कौन-सा क़ुरान शरीफ पढ़ता था।

~ ~ ~

अबुल मुज़फ़्फ़र मोहीउद्दीन मुहम्मद औरंगज़ेब आलमगीर जवानी के दिनों में दक्षिण का सूबेदार बनकर जा रहा था। रास्ते में वह किसी रिश्तेदार के यहाँ ठहरा। क़िले के महल के पीछे आम का बाग़ था। सुबह पौ फटने से पहले शहज़ादे की आँख खुल गयी। सुहानी सुबह थी, उसकी ज़िन्दगी का पहला प्रेम उसे बाहर आने के संकेत दे रहा था। वह अकेला ही आम के बाग़ में आ गया। आत्मा को विभोर कर देने वाली हवा थी। आकाश में बादल छाये थे। वह धीरे-धीरे संगेमरमर की सीढ़ियाँ उतर कर बाग़ में पहुँचा। यहाँ उसने एक अद्‌भुत नज़ारा देखा। एक लड़की आम तोड़ने की कोशिश कर रही थी। आम तक लड़की का हाथ नहीं पहुँच रहा था। लेकिन वह आम तोड़ने की हर मुमकिन कोशिश कर रही थी। जिस तरह शहज़ादा सलीम अनारकली के कबूतर उड़ा देने की अदा पर मर मिटा था उसी तरह शहज़ादा औरंगज़ेब इस लड़की के आम तोड़ने की अदा पर दीवाना हो गया। लड़की ने शहज़ादे को देखा और डर कर आम के पेड़ के पीछे छिप गयी, फिर वह किसी परी की तरह गायब हो गयी। शहज़ादा उसे आम के बाग में तलाश करता रहा। बाद में पता चला कि वह ज़ैनाबांदी है। शहज़ादा उसके प्यार में दीवाना हो गया था। ज़ैनाबांदी को जब यह पता चला कि शहज़ादा उससे प्रेम करने लगा है तो उसे विश्वास नहीं हुआ और उसने कहा, ''इसका क्या सुबूत है कि शहज़ादा मुझसे प्रेम करने लगा है? क्या शहज़ादा अपने प्रेम की परीक्षा देने के लिए तैयार है?'' शहज़ादे के दिल में तो आग भड़क रही थी। उसने कहा, ''हाँ, किसी भी तरह की परीक्षा देने के लिए मैं तैयार हूँ।'' ज़ैनाबांदी ने बड़ी कठिन परीक्षा लेने की ठानी। उसे मालूम था कि शहज़ादा कट्टर मुसलमान है और शराब नहीं पीता। ज़ैनाबांदी ने कहा, ''अगर शहज़ादा मेरे हाथ से शराब पी लेगा तो मैं मानूँगी कि मुझसे प्रेम करता है।'' हैरत की बात यह है कि शहज़ादा तैयार हो गया। ज़ैनाबांदी ने जाम तैयार करके शहज़ादे को दिया। शहज़ादे ने जाम हाथ में लिया। वह जाम को अपने होंठों से लगाने ही वाला था कि ज़ैनाबांदी ने हाथ मारकर जाम गिरा दिया और शहज़ादे के आग़ोश में चली गयी। ज़ैनाबांदी ने शहज़ादे से कहा, ''मेरा मक़सद तुम्हारा इम्तिहान लेना था। तुम्हारे विश्वास को तोड़ना नहीं था।''

~ ~ ~

उम्र की आखिरी मंज़िल में औरंगज़ेब ने, जब वह नब्बे साल का हो रहा था, अपने बेटे आज़म से कहा था—'मैं अकेला आया था और अजनबी की तरह जा रहा हूँ। मैं नहीं जानता मैं कौन हूँ या मैं क्या कर रहा था?' मरने से पहले फरवरी, 1707 में औरंगज़ेब के ये शब्द बहुत कुछ कहते हैं।

एक बहुत अजीब समानता औरंगज़ेब के इन शब्दों और मुहम्मद अली जिन्ना (1876-1948) के अंतिम समय में कहे गये शब्दों में देखी जा सकती है। जिन्ना ने अपने डॉक्टर इलाहीबख़्श से कहा था—''डॉक्टर, पाकिस्तान मेरी ज़िन्दगी की सबसे बड़ी भूल है।'' दोनों में यही साम्य था कि वे अपनी सबसे बड़ी 'उपलब्धियों' से संतुष्ट नहीं थे।

~ ~ ~

'मुग़ल नोबेलिटी अण्डर औरंगज़ेब' में बाक़रगंज के सैयदों के एक पुरखे मुहम्मद तक़ी का नाम मनसबदारों की सूची में है। उनके नाम के साथ दर्ज़ है कि वे दो हज़ार ज़ात (आदमी) और डेढ़ हज़ार सवार (घोड़े) के मनसबदार थे। उनका जन्म हिन्दुस्तान में ही हुआ था और उनका ताल्लुक दरबार के ईरानी समूह से था। उनके पिता भी शाही नौकरी में थे। 'स्टोरिया डो मोगोर' (Storio Do Mogor) के लेखक निकोला मानुसी (Niccolao Manucci 1652-1680) ने मुहम्मद तक़ी की उपस्थिति को औरंगज़ेब की कश्मीर यात्रा के दौरान दर्ज किया है।

''राज ज्योतिषी ने औरंगज़ेब की कश्मीर यात्रा के शुरू करने के लिए 6 दिसम्बर, 1660 ई. तीन बजे दिन का शुभ समय निश्चित किया। यात्रा पर जाने से पहले सम्राट ने आगरा का सूबेदार होशयार ख़ाँ को नियुक्त किया क्योंकि आगरे के क़िले में सबसे बड़ा और महत्त्वपूर्ण क़ैदी मतलब औरंगज़ेब का पिता शाहजहाँ क़ैद था। सम्राट ने ख़्वाजासरा ऐतबार ख़ाँ को शाहजहाँ के संबंध में निर्देश दिए। आगरे की छावनी का मुखिया मुर्तुज़ा ख़ाँ को बनाया गया। दिल्ली से कश्मीर के सफ़र में कम-से-कम एक साल या कुछ ज़्यादा वक्त लगता था। इसलिए पूरी तैयारी के साथ शाही सवारी आगे बढ़ी। अफवाह ये गर्म थी कि औरंगज़ेब कश्मीर के सफ़र पर नहीं बल्कि कंधार पर चढ़ाई करने जा रहा है जो ईरानियों के कब्ज़े में आ गया था।

''बादशाह और दूसरे बड़े दरबारियों के ख़ेमों और शामियानों के दो सेट होते हैं। एक में वे ठहरते हैं और दूसरा आगे बढ़ जाता है ताकि जब शाही सवारी वहाँ पहुँचे तो रहने-सहने के लिए ख़ेमे और शामियाने तैयार मिलें। शाही ख़ेमे उठाने और लगाने के लिए दो सौ ऊँटों और पचास हाथियों के अलावा दो सौ लोग तैनात रहते हैं। नियम के अनुसार तोपख़ाना पहले और सबसे आगे चलता है। तोपख़ाने के लिए रास्ता बनाने वाले जो रास्ता बनाते हैं उस पर ही शाही सवारी आगे बढ़ती है। तोपख़ाने के पीछे बड़ी-सी गाड़ी पर एक शाही बजरा चलता है ताकि अगर कहीं नदी पार करनी पड़े तो बादशाह के लिए बजरा हाज़िर हो। इसके पीछे सामान चलता

है। ये सब रात में ही आगे निकल जाते हैं। सुबह होते-होते घुड़सवार और पैदल फौज आगे बढ़ती है।

''सफ़र ख़र्च के लिए फ़ौज के पीछे, दो सौ ऊँटों पर चाँदी के सिक्के, एक सौ ऊँटों पर सोने के सिक्के लदे हैं। बड़े-बड़े कटहरों में शिकारी चीते हैं जो शाही शिकार के वक्त इस्तेमाल किए जाते हैं। इसके पीछे पूरा शाही दफ़्तर है। शहंशाह को पता नहीं किस वक्त कौन-सा फरमाया या दरबार में की गयी कौन-सी कार्यवाही देखने की ज़रूरत पड़ जाये इसलिए मुंशियों की एक छोटी-सी फ़ौज दस्तावेज़ों के साथ हमेशा मौजूद रहती है। मीर मुंशी अपने अमले के साथ उस वक्त दरबार में मौजूद रहता है जब सम्राट दरबांर करता है, दूर-दराज़ से आई डाक देखता है और अहकामात देता है, जिन्हें फौरन दर्ज किया जाता है ताकि उन पर अमल किया जा सके। अस्सी ऊँटों पर लदा शाही दफ़्तर हर वक़्त मुस्तैद रहता है। इसके पीछे पचास ऊँटों पर आबदारख़ाना चलता है। पीतल के बड़े-बड़े मटकों में शाही परिवार के लिए पानी मौजूद रहता है। इसके पीछे शाही परिवार के लोग हस्बे हैसियत आगे-पीछे चलते हैं। हर शहज़ादे और शाही ख़ानदान के दूसरे लोगों के चलने की जगहें तय हैं और कोई उसकी खिलाफ़वर्ज़ी नहीं कर सकता। बादशाह के साथ आठ खच्चरों पर शाही ख़ेमे चलते हैं ताकि अगर कहीं भी बादशाह आराम करना चाहे तो ख़ेमे लगा दिए जायें। इसके बाद शाही तोशाख़ाना चलता है जिसमें ज़रूरत की तमाम चीज़ों के साथ तरह-तरह के इत्र और तेल भी होते हैं।

''नियम यह है कि जब बादशाह को अगले दिन सफ़र करना होता है तो शाही बावरचिख़ाना के साथ-साथ दूध देने वाली पचास गायें और बावरचिओं की फ़ौज और दीगर सामान पहले ही रवाना कर दिया जाता है ताकि अगले पड़ाव पर सम्राट को सही वक़्त पर नाश्ता-खाना दिया जा सके। दो सौ कुली बर्तन उठाने पर तैनात रहते हैं।

''शाही ख़ज़ाने का क़ीमती सामान जैसे हीरे-जवाहरात तीस हाथियों पर लदा होता है जो बहुत विशेष और विश्वसनीय गारद के साथ चलते हैं। शाही सिंहासन बारह लोग उठाते हैं। पाँच विशेष प्रकार के हाथियों के साथ तरह-तरह की पालकियाँ भी चलती हैं ताकि बादशाह जब चाहे पालकी में बैठ जाये।

''शाही सवारी रवाँ है। शहंशाह की सवारी के सामने हिरावल दस्ता शेख मीर के नेतृत्व में आगे बढ़ रहा है जिसमें आठ हज़ार घुड़सवार हैं। दाहिने बाज़ू की फ़ौज हसन अली ख़ाँ के अधीन है। ये हसन अली ख़ाँ अलीवर्दी ख़ाँ के बेटे हैं, जिन्होंने खजुआ (फतेहपुर) की लड़ाई में शाह शुजा से ये कहा था, ''बंदापरवर, आप लड़ाई जीत चुके हैं और अब आपका हाथी पर बैठना खतरनाक है। पता नहीं

कहाँ से कोई तीर आ जाये और हुज़ूर को कोई नुक़सान पहुँच जाये। इसलिए सरकार आप हाथी से उतरकर घोड़े पर बैठ जायें।'' शाह शुजा अलीवर्दी ख़ाँ के इस षड्यंत्र को समझ नहीं पाया था। वह हाथी से उतर गया था। उसकी फ़ौज ने अपने सालार के हाथी का हौदा खाली देखा था तो यह अनुमान लगाते देर नहीं लगी थी कि शाह शुजा मारा गया और शाह शुजा की फ़ौज भाग खड़ी हुई थी। औरंगज़ेब जीत गया था। हसन अली ख़ाँ आठ हज़ार घुड़सवारों की फ़ौज का सिपहसालार है। बायीं तरफ़ मुहम्मद अमीन ख़ाँ के आठ हज़ार घुड़सवार हैं। इन फ़ौजों के पीछे शिकारी चल रहे हैं।

''शहंशाह के बिलकुल सामने नौ हाथियों पर मुग़ल झण्डे लहरा रहे हैं। इनके पीछे घोड़े पर एक नक़्क़ारख़ाना है जो एलान कर रहा है कि शहंशाह की सवारी आ रही है। फ़ौज के पीछे अनगिनत लोग चल रहे हैं। ये सब छोटे-मोटे काम करने वाले हैं। कोई नाई है, कोई साइस, कोई धोबी है तो कोई कहार, कोई मज़दूर है तो कोई कारीगर। भिश्ती लगातार रास्ते में पानी का छिड़काव कर रहे हैं ताकि धूल न उड़े।

''शहंशाह के तख़्त के साथ वे अहलकार चल रहे हैं जिनके पास उस जगह से मुताल्लिक पूरी मालूमात हैं जहाँ से शहंशाह की सवारी गुज़र रही है। अगर शहंशाह पूछे कि इस इलाके से कितनी आमदनी होती है? यहाँ कौन-कौन सी फसलें होती हैं? यहाँ कौन लोग बसते हैं? यहाँ का मौसम कैसा रहता है? यहाँ की ज़मीन कैसी है? तो इन सवालों के जवाब दिए जा सकें। इनके साथ ही कुछ लोग एक रस्सी लिए यह नाप कर रहे हैं कि शहंशाह ने कितने कोस का सफ़र तय कर लिया है और कितना सफ़र बाक़ी है। इन्हीं के साथ एक और गिरोह है जो वक़्त की नाप करता है और हर घड़ी और हर पहर के बदलने पर उसकी घोषणा करता है।

''सबसे पीछे हिफ़ाज़त के लिए राजा जयसिंह दस हज़ार घुड़सवारों के साथ चला आ रहा है। उसके पास छः सौ हाथी और अनगिनत पैदल सिपाही हैं। जयसिंह के झण्डे भी हवा में लहरा रहे हैं और ऊँचे हरे पेड़ों से दो-दो बातें कर रहे हैं।

''तख़्ते ताऊस रौशनी में दमक रहा है। सामने दाहिनी तरफ़ शहज़ादे और वज़ीर हाथ बाँधे खड़े हैं। बायीं तरफ़ मनसबदार अपनी-अपनी हैसियत के मुताबिक सिर झुकाए हाज़िर हैं। एक भारी आवाज़ गूँजी—''बाअदब, बामुलाहिज़ा, होशियार! आली जनाब, अबुल मुज़फ़्फ़र मोहीउद्दहीन मुहम्मद औरंगज़ेब आलमगीर, शहंशाहे हिन्दुस्तान आली मुक़ाम, ज़िल्ले सुब्हानी, सिकन्दरे सानी, तशरीफ़ लाते हैं।'' तख़्ते ताऊस हीरों और जवाहरातों से और रौशन हो गया। दरबारी कमर तक झुक गये। शहंशाह के बैठ जाने के बाद नक़्क़ारे पर चोट पड़ी। एलान हो गया कि दरबार शुरू

हो चुका है। कार्यवाही शुरू हो गयी। सल्तनत के अतराफ़ से आई डाक सुनाई जाने लगी। उसके बाद आदेश जारी होने लगे। मुग़मल ख़ाँ को मालवा का सूबेदार बनाया गया। उसे ख़िलअत और ज़ुल्फ़िक़ार नाम का एक हाथी इनायत हुआ। सआदत ख़ाँ को मोअज़्ज़म ख़ाँ का ख़िताब दिया गया। दाराब ख़ाँ के बेटे मुहम्मद तक़ी को ख़िलअत दी गयी।

"दाराब ख़ाँ का ताल्लुक़ बनी मुख़्तार ख़ानदान से है जो बहुत मशहूर और पवित्र परिवार माना जाता है।"

~ ~ ~

इतिहास के इन पृष्ठों में मुहम्मद तक़ी दिखाई पड़ते हैं। उनके पिता का नाम 'दाराब ख़ाँ' पता चलता है। दाराब ख़ाँ के पिता का नाम शाहनवाज़ ख़ाँ है। शाहनवाज़ ख़ाँ के वालिद अब्दुल रहीम ख़ाने-ख़ाना थे जो आज अकबर के नवरत्न होने के कारण नहीं बल्कि दोहों की वजह से लोगों की ज़ुबान पर हैं।

इस तरह मुहम्मद तक़ी के परदादा अब्दुल रहीम ख़ाने-ख़ाना थे जिससे यह बात साफ़ हो जाती है कि इन मुहम्मद तक़ी का संबंध भी बाक़र गंज के सैयदों से नहीं है। लेकिन खोज में मज़ा आ रहा है। देखिए कहाँ-कहाँ भटकते हैं और कहाँ पहुँचते हैं? कहीं पहुँचते भी हैं या नहीं?

~ ~ ~

बाक़र गंज के सैयदों की वंशावली में मुहम्मद तक़ी के बाद उनके बेटे शाह क़ुली ख़ाँ के नाम का उल्लेख है। 'आइन-ए-अकबरी' के अलावा अकबरकालीन इतिहास के दूसरे ग्रंथों में भी शाह क़ुली ख़ाँ के बारे में विस्तार से जानकारी मिलती है। शाह क़ुली ख़ाँ भी ईरानी ग्रुप से संबंध रखते थे और बैरम ख़ाँ के निकट के लोगों में माने जाते थे। सम्राट अकबर ने उन्हें नारनौल, हरियाणा का सूबेदार नियुक्त किया था। शाह क़ुली ख़ाँ का बनवाया मक़बरा (1574-75) आज भी नारनौल में देखा जा सकता है। यह मक़बरा उन्होंने अपने पिता के लिए बनवाया था, लेकिन इसमें शाह क़ुली ख़ाँ भी दफ़न हैं। मक़बरे के अलावा उनका बनवाया 'जल महल' जिस विशाल तालाब पर बनवाया गया था, वह सूख चुका है, लेकिन महल खड़ा है। शाह क़ुली ख़ाँ की देख-रेख में नारनौल की टकसाल में सिक्के ढालने का काम भी होता था। सम्राट अकबर अपने नवरत्न राजा टोडरमल के साथ यहाँ आया था। नारनौल में अकबर के दूसरे नवरत्न बीरबल की छतरी भी इस बात का सबूत है कि बीरबल भी यहाँ आये थे।

शाह क़ुली ख़ाँ को नारनौल जैसे सूबे का सूबेदार बनाने की एक बड़ी वजह थी। बल्कि यह उनका इनाम था जो सम्राट अकबर ने उनकी एक विशेष सेवा से खुश होकर दिया था।

~ ~ ~

सम्राट हुमायूँ की बेवक़्त मौत के बाद मुग़लिया सल्तनत डावाँडोल हो रही थी। तेरह साल का सम्राट काबुल में बैठा था और उसकी सेनाएँ दिल्ली और आगरा में धूल चाट रही थीं। बड़े-बड़े योद्धा जैसे तिरदी बेग वग़ैरह हेमचन्द्र उर्फ़ हेमू, जो बाद में हेमचन्द्र विक्रमादित्य बना, के ख़ौफ़ से बिना लड़े भाग रहे थे। हेमू ने अफ़गान पठानों के साथ मिल कर मुग़लों के ख़िलाफ़ एक बड़ा मोर्चा खोल दिया था। उस समय तक हिन्दुस्तान में पठानों को देशी और मुग़लों को विदेशी माना जाता था।

हेमू का ख़ौफ़ मुग़लों के दिलों में बैठा हुआ था। इसकी वजह भी थी। हेमू कभी किसी लड़ाई में न हारा था। उसने अपने जीवन में बाइस युद्ध लड़े थे और सभी में वह विजयी हुआ था। मुग़लों को उसने दिल्ली और आगरा के युद्धों में करारी शिकस्त दी थी। एक साधारण पुरोहित परिवार में जन्मा और रिवाड़ी (हरियाणा) में पला-बढ़ा हेमू अनोखी प्रतिभा और अद्वितीय क्षमता से सम्पन्न था। व्यापारी के रूप में अपना काम शुरू करने वाला हेमू शेरशाह सूरी की सेना को राशन और बारूद सप्लाई किया करता था। व्यापारी होने की वजह से उसकी जानकारियाँ व्यापक थीं। वह राजनीतिक उतार-चढ़ाव और सामरिक ताक़तों पर गहरी नज़र रखता था। उसके संबंध उस युग के पुर्तगाली व्यापारियों से भी थे जिन्होंने गोवा में तोप ढालने के बड़े कारखाने लगाये थे और वे दक्षिण भारत की सल्तनतों के बीच चलने वाले युद्धों में विजय नगर साम्राज्य को तोपें बेचा करते थे। सेनाओं के लिए तोपों की बढ़ती हुई माँग के मद्देनज़र हेमू ने पुर्तगालियों की मदद से रिवाड़ी में भी तोपें ढालने का एक कारखाना लगाया था। वह केवल तोपें ढालने ही नहीं बल्कि उनको चलाने और बारूद विज्ञान में भी दक्ष हो गया था। शेरशाह सूरी के बेटे इस्लाम शाह ने हेमू की प्रतिभा और योग्यता को पहचान कर उसे 'शहंगे-बाज़ार' अर्थात 'बाज़ार का शहंशाह' की उपाधि दी थी। कुछ साल बाद हेमू को अपने दरबारियों में शामिल कर लिया था। इसके बाद हेमू के सितारे नित नयी ऊँचाइयाँ छूते रहे। उसे अच्छे और ऊँचे पद मिलने लगे। इस्लाम शाह ने उसे पंजाब का सूबेदार बनाया ताकि काबुल में बैठे मुग़लों से साम्राज्य की रक्षा की जा सके। इस्लाम शाह के मरने के बाद उसका बारह साल का लड़का फीरोज़ ख़ाँ (1553) गद्दी पर बैठा। यह भी रोचक तथ्य है, उधर मुग़ल साम्राज्य के सिंहासन पर तेरह वर्षीय अकबर (1556)

बैठा था। अकबर के संरक्षक बैरम ख़ाँ थे तो फीरोज़ ख़ाँ के संरक्षक हेमू थे। दोनों ही अनुभवी, चतुर, सैन्य कला और कूटनीति में दक्ष थे। दोनों बालक सम्राटों के सामने दरबारी दाँव-पेंच, झूठ-फरेब, मक्कारी, चालाकी, गिरोहबंदी और षड्यंत्रों के जाल बिछे थे। फीरोज़ ख़ाँ के सितारे अकबर की तरह बुलंद नहीं थे। गद्दी पर बैठने के तीसरे ही दिन उसकी हत्या आदिल शाह सूरी ने कर दी और ख़ुद गद्दी पर बैठ गया। लेकिन चार साल बाद एक युद्ध में पराजित होने के कारण उसकी हत्या बंगाल के सुल्तान ग़यासुद्दीन बहादुर शाह ने कर दी थी जो अपने एक चाचा की हत्या करने के बाद बंगाल का सुल्तान बना था।

आदिल शाह सूरी की हत्या हो जाने के बाद सूरी साम्राज्य पर हेमू का एक-छत्र अधिकार हो गया था। हुमायूँ की मौत की ख़बर सुनने के बाद वह सीधा आगरा आया और यहाँ उसने मुग़लों को हरा दिया। इसके बाद दिल्ली आया था। यहाँ उसने फिर मुग़लों को पीट दिया था। यह उसकी लगातार जीती जाने वाली बाइसवीं लड़ाई थी। दिल्ली विजय के बाद पुराने क़िले में हेमू का पारम्परिक ढंग से राज्याभिषेक हुआ था। 7 अक्तूबर, 1556 को उसने विक्रमादित्य की उपधि धारण की थी और हिन्दुस्तान का सम्राट बन गया था। कुछ पठान सरदार किसी हिन्दू के सम्राट बन जाने से ख़ुश नहीं थे। हेमू जानता था कि उनके मुँह कैसे बन्द हो सकते हैं। हेमू ने बड़े-बड़े पद, सम्मान और हीरे जवाहरात से उनके मुँह बन्द कर दिए थे। सामंती समाज में स्वार्थ किसी भी मूल्य पर भारी पड़ता है।

~ ~ ~

हेमू से भयभीत मुग़ल अमीर ये चाहते थे कि हेमू को न छेड़ा जाये और मुग़ल साम्राज्य काबुल और पंजाब के क्षेत्रों तक सीमित रहे। लेकिन मुग़ल बहुमत से अलग सम्राट के संरक्षक और कार्यकारी सम्राट बैरम ख़ाँ की गय यह थी कि हेमू से निपटने का यही वक़्त है। समय बीतने के साथ-साथ उसकी ताक़त बढ़ती जायेगी और फिर मुग़लों के लिए हिन्दुस्तान सपना बन कर रह जायेगा। बाबर और हुमायूँ की कुर्बानियाँ बेकार चली जायेंगी। बहरहाल बड़े विचार मंथन के बाद मुग़ल इस नतीजे पर पहुँचे कि हेमू से दो-दो हाथ करने ही पड़ेंगे।

हेमू और उसकी सेना में अपार आत्मविश्वास था। लेकिन ज़िन्दगी में कोई लड़ाई न हारने वाला और मुग़लों को कई बार मैदाने जंग में हरा देने वाला हेमू सिर्फ़ आत्मविश्वास के सहारे ही युद्ध करने नहीं निकला था। उसके पास मुग़लों से दुगुनी सेना थी। भारी तोपख़ाने के अलावा हेमू के पास डेढ़ हज़ार जंगी हाथियों का जत्था था जिसकी ताकत हेमू जानता था और उस पर गर्व करता था। हिरावल

दस्ते के अलावा तीस हज़ार अनुभवी और दक्ष घुड़सवारों की सेना थी। पैदल सैनिकों की भारी संख्या थी जो घुड़सवारों के पीछे टिड्डी दल की तरह छायी हुई थी। हेमू के साथ पठानों और राजपूतों की अपार ताक़त थी। युद्ध से पहले भी हेमू ने सभी सरदारों को अच्छी तरह नवाज़ा था। उन्हें विश्वास था कि मुग़लों से यह लड़ाई जीत जाने के बाद उन्हें और मिलेगा। हेमू लड़ाई के मैदान के बीच अपने हीरे जवाहरात और सोने-चाँदी से सज्जित हाथी पर बैठा था। पाँच नवम्बर, 1556 की एक सुबह पानीपत का मैदान दूसरी बार हिन्दुस्तान की क़िस्मत का फ़ैसला करने के लिए चुना गया था। हेमू ने फ़ौज का मरक़ज़ और सिपहसालार की ज़िम्मेदारी सँभाली थी। दाहिना बाजू हेमू की बहन के बेटे और अनुभवी सेनापति रमइया के पास था। बायें बाजू की सेना का संचालन विख्यात पठान सेनापति और हेमू का विश्वसनीय शादी ख़ाँ खक्कर कर रहा था।

मुग़लों को यह डर था कि वे हेमू से हार भी सकते हैं। बैरम ख़ाँ ने तेरह साल के सम्राट को युद्ध में भाग लेने से रोक दिया था। अकबर युद्ध क्षेत्र से आठ मील पीछे एक छावनी में था जिसकी पाँच हज़ार अति-विश्वसनीय घुड़सवार सुरक्षा कर रहे थे। बैरम ख़ाँ ने अकबर से यह तक कह दिया था कि अगर मुग़ल सेना हार जाये तो वह वापस काबुल चला जाये। कुछ इतिहासकार कहते हैं कि बैरम ख़ाँ ने इस लड़ाई में हिस्सा नहीं लिया था। कुछ का मानना है कि हिस्सा लिया था।

बैरम ख़ाँ ने मुग़ल सेना को परम्परागत तरीके से सजाया था। सामने सबसे आगे क़रावल दस्ता था जिसका काम दुश्मन के सही ठिकाने बताना, रास्ता दिखाना और फिर वापस हिरावल दस्ते में मिल जाना था। हिरावल दस्ते के बायें बाजू घुड़सवारों के दस्ते थे। दाहिनी तरफ़ फ़ौज में अन्य घुड़सवार दस्ते तैनात थे। हिरावल दस्ते के पीछे फ़ौज का मरकज़ था जहाँ दस हज़ार घुड़सवारों के बीच एक विशाल हाथी पर बैरम ख़ाँ विराजमान था। मरकज़ के दाहिने और बायें फ़ौज के दो दूसरे दस्ते थे। मरकज़ के पीछे घुड़सवारों की वह सेना थी जो पीछे से किए जाने वाले हमलों को रोकने का काम करती है। तोपख़ाना हिरावल दस्ते के पीछे था। तोपों के सामने मिट्टी की एक मोटी दीवार बनाई गयी थी और तोपों को लोहे की मोटी ज़ंजीरों से बाँध दिया गया था। तोपों के पीछे पानी के बड़े-बड़े हौज़ थे जिनमें भिश्तियों ने पानी भर दिया था। तोपख़ाने की हिफाज़त के लिए दो सौ घुड़सवार तैनात थे।

पानीपत के मैदान में हम शाह क़ुली ख़ाँ को भी देखते हैं जो पूरा ज़िरह बख़्तर पहने अरबी घोड़े पर सवार हिरावल दस्ते में सबसे आगे खड़ा है। शाह क़ुली का

साफ़ रंग धूप में चमक रहा है। उसके खोद पर 'अल फतेह' खुदा है। मुग़ल सेना में मरकज़ को सँभाले हुए हैं अबदतला ख़ाँ उज़्बेक। दाहिनी तरफ़ की फ़ौज सिकन्दर ख़ाँ की कमान में है और बायाँ बाजू लतीफ ख़ाँ सरहदी के पास है।

दूर-दूर तक दोनों फौजें सजी खड़ी थीं। इधर और उधर झण्डे लहरा रहे थे। हथियार धूप में चमक रहे थे। हाथियों के चिंघाड़ने और घोड़ों के हिनहिनाने की आवाज़ें युद्ध संगीत में दब गयी थीं जो धीरे-धीरे अपने उफान पर आ रहा था। पता नहीं वह कौन-सी घड़ी थी जब हेमू की सेना का तोपख़ाना दहाड़ने लगा। पुर्तगालियों की मदद से बनी तोपें मुग़ल सेना पर आग बरसाने लगीं। मीर आतिश के आदेश पर मुग़ल तोपची भी हाथ में लम्बी-लम्बी जलती छड़ें लिए तोपों के फलीतों में आग लगाने लगे। आग लगाने के बाद तोपची तेज़ी से कानों पर हाथ रखकर पीछे भागते थे और भयानक आवाज़ के साथ गोले दुश्मन की फ़ौज पर गिरते थे। मीर आतिश चीखता था, 'तोप को ठण्डा करो।' पानी में भीगे हुए रुई के मोटे-मोटे गद्दे तोप पर रख दिए जाते थे और भाप के बादल-से उठते थे। भिश्ती उनके ऊपर मश्क से पानी डालते थे। इस दौरान दूसरी तोप दाग़ी जाती थी। मीर आतिश गोला दग़ने पर इनाम का एलान करता था : "दस अशर्फियाँ... गोला सही जगह गिरा है।" वह बारूद भरने वालों को भी हिदायतें देता था। मीर आतिश चाहता था कि एक पहर में कम-से-कम चालीस गोले दागे जायें। वह चीख-चीखकर कह रहा था, "ऐसा करके दिखाओ तो तुम सबको सौ-सौ सोने के सिक्के मिलेंगे। देखो, बारूद ये देखकर भरो कि गोले ठीक जगह नहीं गिर रहे हैं और दुश्मन के मरकज़ के ऊपर से गुज़र रहे हैं।" मुग़ल अपनी नयी तोपें ला रहे थे। एक तोप को पचास बैल और पाँच हाथी घसीट रहे थे। तोपचियों के कपड़े धुएँ और धूल से काले पड़ गये थे। उनके चेहरों पर भी कालिख जैसी लगी थी। काले चेहरे पर सफ़ेद आँखें बड़ी अजीब लग रही थीं। मीर आतिश पागलों की तरह हिदायतें देता दौड़ रहा था। उसे मालूम था कि वक़्त कम है और इस दौरान लगातार तोपें न दागी गयीं तो हेमू की विशाल फ़ौज को तितर-बितर करना मुश्किल हो जायेगा। हाथी पर विराजमान बैरम ख़ाँ दूरबीन से अपनी तोपों का असर देखने की कोशिश कर रहा था। लेकिन धुआँ इतना था कि कुछ साफ़ नज़र न आता था।

तोपख़ानों के ख़ामोश होने के बाद हिरावल दस्ते आपस में भिड़ गये। अल्ला हो अकबर, बेज़न, हर-हर महादेव, हुज़्ज़ा नारों के साथ गालियाँ भी सुनाई देने लगीं। कुछ हिरावल दस्ते के जवान घोड़ों से उतर गये और अपनी शहज़ोरी दिखाने लगे। लोहे से लोहा टकराने की आवाज़ों के साथ चीख़-पुकार, कराहें और चीख़ें सुनाई देने लगीं। हर सामने वाले के खून की प्यास हर सामने वाले को थी।

अचानक एक लय में नगाड़े बजने लगे। यह संकेत था। एक के पीछे चार कतारों में खड़े हाथी चिंघाड़ते हुए काफ़ी रफ़्तार से आगे बढ़े। हेमू की फ़ौज के जो पैदल नगाड़ों की आवाज़ सुन कर हट नहीं पाये थे वे अपने ही हाथियों के पैरों के नीचे आ गये, लेकिन हाथी रुके नहीं। मुग़लों की तरफ़ से तीरों की बौछार भी हाथियों को रोक नहीं सकी क्योंकि वे ऊपर से नीचे तक लोहे के झोल में सुरक्षित थे।

हेमू को इसी वक़्त का इंतिज़ार था। वह जानता था कि मुग़लों के पास विशालकाय हाथियों का कोई तोड़ नहीं है। हर हाथी की सूँड में लोहे की मोटी-मोटी ज़ंजीरें थीं जिनमें तेज़ छुरियाँ लगी थीं। हाथी जिधर भी सूँड उठा कर वार करते थे उधर घोड़ों की पंक्ति टूट जाती थी और दसियों सवार घोड़ों पर से नीचे आ जाते थे। महावत अपनी आवाज़ों से इन हाथियों को और आक्रामक बना रहे थे जो वैसे ही नशावर चीज़ें खिला-खिला कर पागल जैसे बना दिए गये थे।

हेमू ने यह दृश्य देखा तो उसने अपने हिरावल दस्ते को दबने का संकेत दिया और हाथियों का एक और झुण्ड मुग़ल सेना पर छोड़ दिया। अगर युद्ध का यही अंदाज़ रहा तो उसकी जीत निश्चित है। हेमू के पास अभी हाथियों की कमी न थी। अभी तो आधे हाथी भी दुश्मन की सेना पर न टूटे थे।

पठान और राजपूत घुड़सवार इधर-उधर छितरे मुग़ल घुड़सवार फ़ौजियों का काम तमाम कर रहे थे। इस उत्साह में पठानों ने तो विजय के नारे लगाने शुरू कर दिए थे। यह मुग़लों को डराने के लिए किया जा रहा था। पठान यह भी चाहते थे कि अब विजय के नगाड़े बजा दिए जायें क्योंकि मुग़ल सेना की पंक्तियाँ छिन्न-भिन्न हो चुकी हैं। इतिहासकार हेमू के खाते में तेइसवीं विजय भी दर्ज करने जा रहे थे जब कि एक तीर पता नहीं कहाँ से आया और हेमू की आँख में घुसता हुआ सिर के पीछे से निकल गया। जब तक महावत सम्राट को सँभालने के लिए पीछे मुड़ता तब तक सम्राट हाथी के हौदे से नीचे गिर पड़ा। पठान और राजपूत सैनिकों ने हेमू के हाथी की तरफ़ देखा तो हौदा खाली था। मतलब सम्राट खेत रहे। अब सेना को रोकना किसी के वश में न था। पहले तो मुग़ल ख़ुद ही हैरान हो गये कि हेमू की फ़ौज क्यों भाग रही है, लेकिन जब हेमू के हाथी का खाली हौदा देखा तो चौगुने उत्साह से आगे बढ़े। हेमू की फ़ौज तितर-बितर हो गयी। जिसके जिधर सींग समाए भाग निकला। महावत हाथियों को छोड़ कर भागे। तोपची तोपें छोड़ कर रफूचक्कर हुए। घुड़सवार सेना अपनी जान बचाने के लिए छोटे-छोटे समूहों में अपने देश की दिशा में भागी। कुछ ही देर में भागते हुए सिपाहियों का पीछा छोड़ मुग़ल फ़ौज लूट-मार में लग गयी। माले-ग़नीमत पर हाथ साफ़ करने का इससे अच्छा मौक़ा क्या मिलता। जिसने जो पाया वह दबा लिया। लेकिन लूट में

भी पद और पदवी का ध्यान था। किसी पैदल सिपाही की हिम्मत न थी कि वह किसी हाथी या घोड़े पर कब्ज़ा कर लेता। वे तो मुर्दों की जेबें टटोल कर जो मिलता था उसे रख लेते थे। हद यह है कि घायलों की जेबों में हाथ डाल कर जो पाते निकाल लेते। असलहे बिखरे पड़े थे। हाँ, तोपख़ाने की तोपें लूटने का अधिकार किसी को न था। यह सम्राट की सम्पत्ति थी। तीर-कमान, तलवारें, बंदूकें जो पाता ले जाता। अरबी घोड़ों पर अधिकार जमाने का हक़ केवल सालारों को था। फ़ौजियों के कपड़े-लत्ते लूटने का काम खादिम पेशा कर रहे थे। मतलब सब अपनी-अपनी हैसियत के मुताबिक लूट में लगे थे।

पानीपत के मैदान में एक तीसरी फ़ौज भी मौजूद थी। इस फ़ौज में वे सिपाही थे जो हारे हुए और भागते हुए सिपाहियों को घेर कर लूट लेते थे। इस तीसरी फ़ौज को किसी से कोई हमदर्दी न थी। वह तो किसी भी हारने वाले को लूटने वालों की फ़ौज थी। हेमू हार गया तो उसकी फ़ौज को लूटने लगे। मुग़ल हार जाते तो उनकी फ़ौज को लूट लेते। उन्हें तो बस लूटने से मतलब था। इनकी चपेट में वे सिपाही आते थे जो जल्दी ही मैदान छोड़ कर अकेले या छोटे-छोटे समूहों में भागते थे। अच्छी तरह सोच-समझ कर मैदान छोड़ने वाले बड़े समूहों को ये न लूट पाते थे।

लूट-मार करने में शाह क़ुली ख़ाँ किसी से पीछे न थे। इस्लाम में तो माले-ग़नीमत यानी जंग के बाद लूटा गया सामान हलाल है। वे इधर-उधर लूट-मार कर ही रहे थे कि उन्हें एक हाथी दिखाई पड़ा जिसका हौदा सोने का था और उसमें हीरे-जवाहरात जड़े थे। हाथी की झूल सोने-चाँदी के तारों से सजी थी और उसके मस्तक पर हीरे जगमगा रहे थे। हाथी देखकर ही शाह क़ुली ख़ाँ के अन्दर माले-ग़नीमत के हलाल होने की भावना और ज़्यादा प्रबल हो कर सामने आ गयी। वे हाथी के पास आये और वहाँ खड़े महावत पर तलवार का वार करने ही वाले थे कि महावत ने हाथ जोड़कर कहा, "महाराज, मुझे मार कर क्या मिलेगा? ये जो नीचे पड़े हुए हैं इन्हें जानते हैं, कौन हैं? ये सम्राट हेमू हैं।" यह सुनना था कि शाह क़ुली ख़ाँ को लगा ख़ज़ाने का दरवाज़ा खुल गया है। शाह क़ुली ख़ाँ ने लाखों रुपये की सम्पत्ति यानी हाथी अपने साथियों के हवाले किया और जख़्मी हेमू को एक घोड़े पर डालकर महावत के साथ सम्राट के शिविर पहुँचे। बैरम ख़ाँ अभी यहाँ नहीं थे। शाह क़ुली ख़ाँ ने अकबर के सामने हेमू और उसके हाथी के महावत को पेश किया। तीर लगने की वजह से हेमू अधमरा और बेहोश हो गया था। उसके महावत ने तस्दीक़ की कि वह सम्राट हेमू है। दूसरे जानकार लोगों ने भी हेमू को पहचाना। शाह क़ुली ख़ाँ ने सम्राट से कहा कि वे मुग़ल साम्राज्य के सबसे बड़े दुश्मन को गिरफ़्तार करके लाये हैं और उन्हें इसका इनाम मिलना चाहिए। उसी

वक़्त बैरम ख़ाँ आ गये। उन्होंने तेरह वर्षीय सम्राट से कहा कि वे तुरंत हेमू की हत्या कर दें। अकबर ने कहा, ''ये वैसे ही अधमरा है। मैं इसे नहीं मारूँगा।'' इस पर बैरम ख़ाँ को गुस्सा आ गया। उन्होंने कहा, ''तुम इस पर दया कर रहे हो, इसके लिए तुम्हारे मन में इन्सानियत और रहम की भावना है, लेकिन अगर तुम इस हालत में होते जिसमें ये है, तो इसने कोई दया न दिखाई होती।'' बैरम ख़ाँ ने तलवार निकाली और अधमरे जख़्मी हेमू का सिर उड़ा दिया। हेमू का सिर काबुल भेज दिया गया ताकि वहाँ मुग़ल शाही परिवार को पता चल सके कि मुग़लिया सल्तनत का सबसे बड़ा दुश्मन ख़त्म हो चुका है। उसके जिस्म को दिल्ली के पुराने क़िले के फाटक पर लटका दिया गया। राजपूतों और पठानों का संयुक्त मोर्चा ख़त्म हो गया, लेकिन मुग़लों को लम्बे समय तक इन दोनों ताक़तों का सामना करते रहना पड़ा।

~ ~ ~

शाह क़ुली ख़ाँ को सम्राट अकबर ने हरियाणा प्रांत का सूबेदार बनाकर विशेष सेवा के लिए विशेष उपहार दिया था। सोलहवीं शताब्दी में नारनौल एक बड़ा केन्द्र था। मध्य एशिया से दिल्ली आने वालों का एक पड़ाव नारनौल भी हुआ करता था। शाह क़ुली ख़ाँ दूसरे सूबेदारों की तरह राजधानी में भी रहते थे। उन्होंने आगरा में महलसरा बनवाई थी। उस समय के बड़े सामंतों जैसा जीवन जीने वाले शाह क़ुली ख़ाँ कविता और संगीत के आशिक़ थे। उनकी महफिलों में गायन और संगीत का विशेष महत्त्व था। उनके पास क़ाबुल ख़ाँ नाम का एक बहुत सुन्दर लड़का था जो बहुत अच्छा गाता और नाचता था। शाह क़ुली ख़ाँ इस लड़के पर फ़िदा थे। वह उनकी महफिलों की ही नहीं बल्कि उनकी भी जान था। क़ाबुल ख़ाँ की दिल फरेब अदाओं पर उनकी जान जाती थी। क़ाबुल ख़ाँ भी अपनी हैसियत समझता था और शाह क़ुली ख़ाँ के यार-दोस्त भी जानते थे कि शाह क़ुली ख़ाँ को पूरी दुनिया में इस लड़के से ज़्यादा और कुछ प्यारा नहीं है। शराब, संगीत और रक़्स की महफिलों में यह लड़का कमाल करता था। उसकी नज़ाक़त, उसकी नफ़ासत, उसकी तहज़ीब, उसका रंग-रूप, उसकी शक्ल-सूरत, उसकी दिल-फरेबी, उसकी दिल्लगी, उसकी क़ातिलाना अदाएँ शाह क़ुली ख़ाँ के सीने में तीर की तरह उतर जाती थीं। महफिलों के बाद रात की तन्हाई में क़ाबुल ख़ाँ अपने मालिक शाह क़ुली ख़ाँ को जिस लज़्ज़त से आश्ना कराता था उसकी तो बात ही कुछ और थी। शाह क़ुली ख़ाँ इस लड़के के ऊपर जन्नत की ख़ूबसूरत से ख़ूबसूरत हूर को क़ुर्बान कर सकते थे। राजधानी और नारनौल में शाह क़ुली ख़ाँ और क़ाबुल ख़ाँ के चर्चे आम थे। ये चर्चे सल्तनत

के मीर बख़्शी की ज़ुबानी नौजवान सम्राट तक पहुँचे। युवा सम्राट इस तरह के संबंधों को बहुत आपत्तिजनक ही नहीं, आपराधिक मानता था। उसका मानना था कि ऐसे संबंध किसी भी दृष्टि से स्वीकार करने योग्य नहीं हैं। उसे यह तो बिलकुल बर्दाश्त न था कि उसका कोई बड़ा मनसबदार और सूबेदार वह कर रहा है जो उसकी नज़र में घृणित अपराध है। सम्राट की राय शाह क़ुली ख़ाँ के कानों तक भी पहुँची थी, लेकिन वह तो क़ाबुल ख़ाँ के प्रेम में अंधा हो चुका था। उसने सम्राट की राय की परवाह नहीं की और क़ाबुल ख़ाँ से अपने रिश्ते को जारी रखा। मीर बख़्शी से सम्राट को लगातार ख़बरें मिलती थीं कि शाह क़ुली ख़ाँ अपनी रविश पर क़ायम हैं। एक दिन तंग आकर सम्राट ने आदेश दिया कि क़ाबुल ख़ाँ को शाह क़ुली ख़ाँ की हवेली से निकालकर शाही कारख़ाने पहुँचा दिया जाये जहाँ वह कोई काम सीखे और करे। आगरा शहर का दरोग़ा शाही हुक्मनामा लेकर शाह क़ुली ख़ाँ के पास गया और आदेश दिखाया। पहले तो शाह क़ुली ख़ाँ को अपनी आँखों पर विश्वास नहीं हुआ, लेकिन फिर धीरे-धीरे उनकी समझ में सब आने लगा।

—''हुज़ूर, क़ाबुल ख़ाँ को हमारे हवाले कर दीजिए।'' दरोग़ा ने नीचे देखते हुए कहा। वह जानता था कि नारनौल के सूबेदार की क्या हैसियत है।

कुछ लम्हे शाह क़ुली ख़ाँ ने सोचा। शाही हुक्म को न मानने का कोई सवाल ही नहीं था। दूसरी तरफ़ क़ाबुल ख़ाँ की जुदाई के बारे में वो सोच भी नहीं सकते थे। उनकी आँखों के सामने एक मलगिजा-सा अँधेरा छा गया।

—''हम मजबूर हैं हुज़ूर।'' दरोग़ा ने कहा।

क़ाबुल ख़ाँ को बुलाया गया। वह डर के मारे काँप रहा था। शाह क़ुली ख़ाँ ने उसकी तरफ़ नज़र भर कर देखा। उस एक नज़र में सब कुछ था। पूरी दुनिया उजड़ जाने का दु:ख और सब कुछ खत्म हो जाने की अपार पीड़ा। बहरहाल क़ाबुल को शाही सिपाही ले गये। पानीपत की दूसरी लड़ाई का एक वीर दहाड़ें मार-मार कर रोने लगा। फिर उसने एलान किया कि वह संन्यास ले रहा है। जोगी बन रहा है। उसने जोगियों के कपड़े लाने का आदेश दिया। हैरत से सब देख रहे थे। किसी में हिम्मत न थी कि शाह क़ुली ख़ाँ के दु:ख का सामना कर सकता।

शाह क़ुली ख़ाँ के संन्यास लेने और योगी बन जाने की ख़बर बैरम ख़ाँ तक पहुँची जो मुग़ल दरबार में ईरानी गुट के प्रमुख और सम्राट के सरपरस्त थे। बैरम ख़ाँ नहीं चाहते थे कि शाह क़ुली ख़ाँ जैसा सक्षम आदमी दरबार से बाहर हो जाये। बैरम आने वाले वक़्त की नज़ाक़त को पहचान रहे थे। उन्हें मालूम था कि दरबार और हरमसरा की सियासत में उन्हें कहाँ-कहाँ अपने मोहरे चाहिए होंगे। पानीपत की लड़ाई के बाद शाही हरम काबुल से दिल्ली आ गया था। मुग़ल दरबार में बैरम

ख़ाँ जैसे आदमी का बढ़ता प्रभाव तूरानियों को खटक रहा था। एक तो बैरम ख़ाँ ईरानी थे और दूसरे उन पर शिया होने का शक भी था। ऐसे आदमी को मुग़ल, उज़्बेक, ताजिक सरदार कैसे पसंद कर सकते थे! बैरम ख़ाँ को दरबार में अपने विश्वसनीय लोगों की संख्या बढ़ानी थी और यहाँ हालत ये थी कि शाह क़ुली ख़ाँ जोगी बन कर संन्यास ले रहे थे। बैरम ख़ाँ ने शाह क़ुली ख़ाँ को समझाया कि 'एक लड़के के लिए तुम अपनी कई पुश्तों की कमाई और इज़्ज़त को लात मार रहे हो। ज़रा सोचो, तुम्हारे जोगी बन जाने से क्या होगा? कहीं ये न हो कि शाही इताब नाज़िल हो जाये। तुम जाओगे कहाँ? जोगी बन जाना क्या आसान है? लोग क्या कहेंगे? तुम्हाने ख़ानदान का क्या होगा? तुम बाप-दादा का नाम डुबोओगे? तुम मेरे साथ जहाँपनाह के पास चलो। उनसे माफ़ी माँगो। वो तुम्हारा मनसब बढ़ायेंगे और मैं तुम्हें दो जागीरें देने की सिफ़ारिश करूँगा।' बहरहाल बैरम ख़ाँ के समझाने से शाह क़ुली ख़ाँ मान गये थे ।

~ ~ ~

फतेहपुर डिस्ट्रिक्ट गज़ेटियर यह बताता है कि शाह क़ुली ख़ाँ मुहम्मद तक़ी के बेटे थे। लेकिन यहाँ कुछ उल्टा नज़र आ रहा है। मुहम्मद तक़ी तो औरंगजेब के समकालीन हैं और शाह क़ुली ख़ाँ अकबर के समय में थे। ऐसा कैसे हो सकता है? इसलिए ये वे शाह क़ुली ख़ाँ नहीं हैं जिनकी मुझे तलाश है।

इतिहास के फटे-पुराने पन्नों पर एक और शाह क़ुली ख़ाँ के दर्शन होते हैं। इनका संबंध अफ़शार या अफ़शारीद वंश से था जिसकी स्थापना ईरान के एक 'बादशाह' नादिरशाह ने की थी।

नादिरशाह का संबंध ईरान के उस क़बीले से था जिसमें तुर्क जाति का मिश्रण था। नादिरशाह अपने प्रारंभिक दिनों में ख़ुरासान के क्षेत्र में मुसाफ़िरों और कारवानों को लूट लिया करता था। एक डाकू और अपराधी के तौर पर उसने इतनी तरक्की (अगर उसे तरक्की कहा जाये तो) कर ली थी कि एक छोटी-मोटी सेना खड़ी कर ली थी और इसके चलते और परिस्थितियों का फ़ायदा उठा कर वह ईरान का सम्राट बन गया था। उसने दिल्ली पर चढ़ाई की थी। एक दिन में तीस हज़ार निर्दोष लोगों की हत्या कराई थी। यहाँ से तख़्त-ए-ताऊस और कोहेनूर हीरा लूट कर ले गया था।

शाह क़ुली ख़ाँ के सूत्र को फिर पकड़ते हैं। नादिरशाह के वंश से ताल्लुक रखने वाले शाह क़ुली ख़ाँ सम्राट औरंगजेब के बेटे मुहम्मद आज़म शाह (1653-1707) के जामबरदार थे। औरंगज़ेब ने अपने बेटों आज़म शाह और कामबख़्श

को मालवा और बीजापुर का सूबेदार बना दिया था ताकि वे एक-दूसरे से दूर रहें। लेकिन लड़ने वालों के लिए दूरियों का कोई मतलब नहीं है। आखिरकार दोनों आगरा के पास जाजों में लड़े थे। इस जंग में शाह क़ुली ख़ाँ के बेटे भी शामिल थे। छोटे बेटे मिर्ज़ा मुहम्मद अली को कुछ जख़्म भी लगे थे। लड़ाई में शाह क़ुली ख़ाँ के संरक्षक मुहम्मद आज़म शाह हार गये थे और मार दिए गये थे।

अब शाह क़ुली ख़ाँ और उनके बेटों के लिए दिल्ली के दरवाज़े बन्द हो चुके थे। उम्मीद की एक किरन यह थी कि कटक का नाज़िम शुजाउद्दीन उनका रिश्तेदार था। लेकिन आगरा से कटक जाना हँसी-खेल न था। मिर्ज़ा मुहम्मद अली के जख़्म हरे थे और सफ़र लम्बा था। बरसात का मौसम भी शुरू हो गया था। कहीं आने-जाने का सवाल ही न पैदा होता था। नदियों में तुग़यानी थी और रास्ते कीचड़ की वजह से दलदली हो गये थे। बरसात में कहारों और मालबरदार गाड़ियों का मिलना भी दुश्वार था। इसलिए शाह क़ुली ख़ाँ ने अपने मीर मुंशी को आगरा भेज दिया ताकि सफ़र का इंतिज़ाम करता रहे और ख़ुद अपने जख़्मी बेटे मिर्ज़ा मुहम्मद अली और मिर्ज़ा अहमद के साथ बागपत आ गये जहाँ उनके दोस्त मीर इलाही बख़्श की जागीर थी।

बरसात खत्म होने के बाद शाह क़ुली ख़ाँ का खानदान बज़रिय-ए-जमना बनारस की तरफ़ रवाना हुआ। चार बजरों का उनका कारवाँ बख़ैरियत बनारस पहुँच गया। अब वहाँ से कटक के लिए सफ़र दुश्वार था। बनारस में पालकियों, घोड़ों, मालबरदार गाड़ियों और सिपाहियों का इंतिज़ाम करने में महीना लग गया।

बेसरो-सामानी की हालत में शाह क़ुली ख़ाँ कटक पहुँचे तो कटक के नायब शुजाउद्दीन ने उनकी बड़ी आवभगत की और शाह क़ुली ख़ाँ को नौकरी दे दी। लेकिन लम्बा सफ़र और नयी आबो-हवा शाह क़ुली ख़ाँ को रास न आयी और सन 1732 में उनका वहीं इंतिक़ाल हो गया। उनके बड़े बेटे मिर्ज़ा अहमद हज करने चले गये और छोटे बेटे मिर्ज़ा मुहम्मद अली कटक में नौकरी करते रहे। मिर्ज़ा मुहम्मद अली बहुत गंभीर, ईमानदार, समझदार और इंतिज़ामी मामलात में होशियार थे। उन्होंने कटक के शासक शुजाउद्दीन के इलाक़े के कुछ बाग़ी सिरफिरे ज़मींदारों को क़ाबू में कर लिया था जिससे मालगुजारी में इज़ाफ़ा हो गया था। इसके अलावा उन्होंने कटक के इंतिजामी मामलात बेहतर बनाने के लिए कुछ कारामद मश्विरे दिए थे। चंद ही सालों में शुजाउद्दीन उन पर भरोसा करने लगा और वो तरक्की की मंज़िलें तय करते हुए शुजाउद्दीन के चिलमबरदार के ओहदे पर पहुँच गये। 1728 में शुजाउद्दीन ने मिर्ज़ा मुहम्मद अली को अलीवर्दी ख़ाँ का ख़िताब देकर राजमहल का फ़ौजदार बनाया। इस दौरान मिर्ज़ा मुहम्मद अली यानी अलीवर्दी ख़ाँ ने अपने

बड़े भाई को, जो हज करने के बाद हाजी अहमद कहलाने लगे थे और दिल्ली में रहने लगे थे, कटक बुला लिया। कटक आते ही उसकी नियुक्ति मोहतमम मलबूसात मतलब वस्त्रागार के सर्वोगा अधिकारी के रूप में हो गयी। दोनों भाई कटक के शासक शुजाउद्दीन के बहुत करीब आ गये। कुछ इतिहासकार जैसे जे.ज़ेड. होलवेल ने अपनी किताब 'इंटेरिस्टिंग हिस्टॉरिकल इवेन्ट्स रिलेटिंग टु द प्राविन्स ऑफ बेंगाल एण्ड द अम्पायर ऑफ़ हिन्दोस्तान' लंदन, 1775-76 और ल्यूक स्क्रैफ्टन ने 'रिफ्लेशन्स ऑन द गवर्नमेन्ट ऑफ हिन्दोस्तान' (1763) में लिखा है कि इन दोनों भाइयों मतलब मिर्ज़ा अहमद और अलीवर्दी ख़ाँ ने शुजाउद्दीन को खुश करने और कटक सरकार में ऊँचे ओहदों तक पहुँचने के लिए अपने घर की औरतों की, सेवाएँ ली थीं। होलवेल ने लिखा है कि हाजी अहमद ने बहुत जल्दी अपने मालिक (शुजाउद्दीन) की इस बड़ी कमज़ोरी को भाँप लिया था कि उसे तरह-तरह की औरतों में बहुत दिलचस्पी है। वह (हाजी अहमद) खुद भी संभोग के शौक में उसका सहयोगी बन कर उसके लिए इस शौक का 'सामान' मुहैया करा कर जल्दी ही अपने मालिक पर छा गया था। स्क्रैफ्टन ने एक क़दम आगे बढ़ कर लिखा है कि हाजी अहमद ने खुद अपनी बेटी को ही शुजाउद्दीन की कामुकता की भेंट चढ़ा दिया था। लेकिन दूसरे इतिहासकारों का कहना है कि होलवेल और स्क्रैफ्टन के बयान साक्ष्यों की कमज़ोरी तथा दूसरे इतिहासकारों द्वारा बताई गयी बातों के आधार पर बहुत प्रामाणिक नहीं रह जाते।

उड़ीसा का नायब नाज़िम शुजाउद्दीन बंगाल के नाज़िम सूबेदार मुर्शिद क़ुली ख़ाँ का दामाद था, लेकिन दोनों एक-दूसरे को फूटी आँखों न भाते थे। मुर्शिद क़ुली ख़ाँ की लड़की बेगम ज़ेबुन्निसां भी अपने पति शुजाउद्दीन की आवारगी से तंग आकर बेटे सरफ़राज़ के साथ अपने वालिद मुर्शिद क़ुली ख़ाँ के साथ रहने लगी थी। मुर्शिद क़ुली ख़ाँ किसी भी सूरत में बंगाल की सूबेदारी अपने औबाश दामाद शुजाउद्दीन को नहीं देना चाहते थे। जब उन्हें अपने बचने की उम्मीद न रही तो उन्होंने दिल्ली दरबार से अपने नवासे सरफ़राज़ ख़ाँ के लिए बंगाल की सूबेदारी की सनद हासिल करने की कोशिश शुरू कर दी। जैसे ही इस बात का पता शुजाउद्दीन को लगा उसने हाजी अहमद और अलीवर्दी ख़ाँ से मश्विरा किया। तीनों की राय यह बनी कि हिन्दोस्तान के शहंशाह बहादुरशाह अव्वल, उनके वज़ीरे-आज़म क़मरुद्दीन और ख़ाने-दौरां ससामुद्दौला को क़ीमती से क़ीमती तोहफे भेज कर यह दरख़ास्त की जाये कि बंगाल की सूबेदारी की सनद शुजाउद्दीन को दे दी जाये। अलीवर्दी ख़ाँ ने यह पक्का इंतिज़ाम किया कि मुर्शिदाबाद और दिल्ली के दरमियान जो डाक आ-जा रही है उसका पता उन्हें चलता रहे। उन्होंने उड़ीसा की फौज के कुछ सौ

सिपाहियों को बज़ाहिर नौकरी से निकाल दिया, लेकिन बहुत खुफ़िया तरीके से उनके ज़िम्मे यह काम सौंपा गया कि वे मुर्शिदाबाद जाकर महल और फ़ौजी छावनी के आस-पास इस तरह रहें कि ज़रूरत पड़ने पर कोई भी कार्यवाही कर सकें। यह तय किया गया कि बारिश हो जाने की वजह से रास्ते बंद हो जायें तो नदियों के रास्ते मुर्शिदाबाद जाने के लिए बड़ी-बड़ी फ़ौजी नावें तैयार रहें। बहरहाल जब यह ख़बर आई कि मुर्शिद क़ुली ख़ाँ पाँच-छः दिन से ज़्यादा जिन्दा न बचेंगे तो एक बड़ी फ़ौज लेकर शुजाउद्दीन मुर्शिदाबाद की तरफ़ बढ़ा। इसी दौरान दिल्ली से सनद भी आ गयी और बंगाल की सूबेदारी पर उसका हक़ और पक्का हो गया।

अब बाप और बेटा आमने-सामने थे। शुजाउद्दीन एक बड़ी सेना लेकर मुर्शिदाबाद की तरफ़ बढ़ा आ रहा था। ऐसे नाजुक मौके पर स्वर्गीय मुर्शिद क़ुली ख़ाँ की बेगम यानी शुजाउद्दीन की सास, सरफ़राज़ की नानी ने समझदारी से काम लिया। बंगाल की सूबेदारी शुजाउद्दीन को मिल गयी। मतलब बाप के हक़ में बेटे ने अपने को पीछे कर लिया।

खूब जश्न मनाये गये। इनामात बाँटे गये। मिर्ज़ा मुहम्मद अली को उनकी सेवाओं का फल मिला। अलीवर्दी ख़ाँ के हिस्से में बिहार की नायब सूबेदारी आयी। यह बहुत बड़ा पद था। अलीवर्दी ख़ाँ ने समझदारी, साहस और कूटनीति से बिहार के बाग़ी बनजारों की ताक़त को तोड़ा और उन्हें अपने अधीन किया। बनजारे लम्बे समय से सूबेदार के लिए मुसीबत बने हुए थे। दूसरे विद्रोही चकलेदारों और सामंतों को भी लड़ाइयों में हराया। अलीवर्दी ख़ाँ को अब्दुल करीम ख़ाँ के रूप में एक बहुत साहसी व योग्य अफ़गान मिल गया था जो उसके शासन की रीढ़ की हड्डी बन गया था। लेकिन धीरे-धीरे जब अलीवर्दी ख़ाँ ने अब्दुल करीम ख़ाँ की बढ़ती महत्त्वाकांक्षा को देखा तो धोखा देकर उसकी हत्या करा दी थी।

दौलत, ताकत और बंगाल के प्रभावशाली लोगों जैसे जगत सेठ आदि से संबंध बनाने के बाद अलीवर्दी ख़ाँ की नज़र बंगाल की गद्दी पर थी। इसके लिए उसे ज़्यादा इंतिज़ार नहीं करना पड़ा। शुजाउद्दीन की मौत (1740) के बाद रास्ता खाली था। शुजाउद्दीन के पुत्र सरफ़राज़ ख़ाँ का उससे कोई मुकाबला न था। वह बहुत आसानी से, बड़ी चतुराई के साथ बंगाल का सूबेदार बन गया।

~ ~ ~

अलीवर्दी ख़ाँ के वालिद शाह क़ुली ख़ाँ वो शाह क़ुली ख़ाँ नहीं हैं जिनकी मुझे तलाश है। फतेहपुर डिस्ट्रिक्ट गज़ेटियर में उल्लेखित शाह क़ुली ख़ाँ अलीवर्दी ख़ाँ के पिता होते तो बाक़र गंज के सैयदों के इतिहास में अलीवर्दी ख़ाँ जैसे विख्यात

और शक्तिशाली बंगाल, बिहार और उड़ीसा के सूबेदार का नाम ज़रूर होता। इसलिए अलीवर्दी के वालिद शाह क़ुली ख़ाँ का कोई रिश्ता बाक़र गंज के सैयदों से नहीं जुड़ता। तलाश को और आगे बढ़ाना चाहिए। लेकिन मुश्किल ये है कि अलीवर्दी के बड़े भाई हाजी अहमद मुझे रोक रहे हैं। चलिए ये माना कि वे बाक़र गंज के सैयदों के पूर्वजों में नहीं हैं, लेकिन हैं मज़ेदार आदमी और उनके बारे में कुछ न बताना बहुत ग़लत होगा। इसलिए सुनिए। हाजी अहमद के बारे में सभी इतिहासकार कहते हैं कि वे बड़े कामुक, व्यभिचारी, दुराचारी, कपटी, चालाक, धोखेबाज़, बेशरम, बेहूदा, चाटुकार, लम्पट, झूठे, मक्कार, दग़ाबाज़, जालसाज़, सत्ता-लोलुप, अधिकारों का दुरुपयोग करने वाले बूढ़े व्यक्ति थे। अपने छोटे भाई अलीवर्दी ख़ाँ के सूबेदार हो जाने के बाद हाजी अहमद ने अपने अत्यंत महत्त्वाकांक्षी बेटे ज़ैनुद्दीन को बिहार का नायब सूबेदार बनवा दिया था। हाजी अहमद ने ऐशो-इशरत के सभी सामान जमा कर रखे थे। उसके पास एक बड़ा हरम था जहाँ खूबसूरत औरतों की कमी न थी। हीरे-जवाहरात और सोना-चाँदी भी बड़ी मिक़दार में जमा कर रखा था। वह अजीमाबाद के शाही महल में बड़ी शानो-शौकत के साथ रहता था। सैकड़ों नौकर-चाकर, ख़िदमतगार, प्यादे, सिपाही, दरोग़ा, फौजी उसकी ख़िदमत में हाज़िर रहा करते थे। उसका बेटा ज़ैनुद्दीन अपने बाप की इन सब हरकतों को जानते हुए भी अनजान बना रहता था।

गोकि मुग़लों ने पठानों को राजसत्ता से उखाड़ फेंका था, लेकिन सैकड़ों सालों से हिन्दुस्तान में रहने वाले पठान वापस कहाँ जाते? वे हिन्दुस्तान में ही अपनी सीमित भूमिकाएँ निभाते रहते थे। जहाँ मौका मिलता था वहाँ सत्ता में शामिल होकर या सत्ता हथियाकर या विरोधी बनकर अपना काम चलाते थे। सैन्य कलाओं में दक्ष होने के कारण उनकी माँग सेना में रहती ही थी। वे बंगाल और बिहार में कभी शासकों, कभी विद्रोहियों के पक्ष में लड़ा करते थे।

सत्ताधारी की महत्त्वाकांक्षाएँ तो आँधी-तूफान की तरह बढ़ती हैं। हाजी अहमद के लड़के बिहार के नायब सूबेदार अलीवर्दी ख़ाँ के भतीजे ज़ैनुद्दीन के दिमाग़ में यह ख़याल आया कि वह अपने चचा को सत्ता से हटा कर खुद बंगाल का सूबेदार बन सकता है। उसके इस ख़याल को हाजी अहमद ने और हवा दी। उस ज़माने में बंगाल का मतलब था पूरा पूर्वी और पश्चिमी बंगाल, उड़ीसा और बिहार जिसकी मालगुज़ारी सोलह करोड़ रुपया सालाना थी। इसका क्षेत्रफल योरोप के कई देशों से अधिक था और बंगाल का सूबेदार हिन्दुस्तान के धनवान सूबेदारों में गिना जाता था।

अपार सम्पत्ति का लालच ज़ैनुद्दीन और उसके वालिद हाजी अहमद को पागल

बना देने के लिए काफ़ी था। बंगाल की गद्दी पर कब्ज़ा जमाने के लिए फ़ौजी ताक़त और ऐसी फ़ौजी ताक़त दरकार थी जो अलीवर्दी ख़ाँ जैसे शासक और सेना नायक से टक्कर ले सके। ज़ैनुद्दीन ने इधर-उधर नज़रें दौड़ाईं और उसे सिर्फ़ पठान दिखाई दिए जो अगर उसके साथ आ जाते तो वह बंगाल की सूबेदारी तक पहुँच सकता था।

दरभंगा जिले में ऐसे पठानों के कई समूह थे जो पहले अलीवर्दी ख़ाँ की फ़ौज में थे, लेकिन अब अलग कर दिए गये थे। ज़ैनुद्दीन उन्हें अपनी फ़ौज में रखना चाहता था। लेकिन जाहिर है ऐसा करने से वह अलीवर्दी ख़ाँ को नाराज़ कर देता या अलीवर्दी ख़ाँ चौंक जाता कि उसका भतीजा पठानों को अपनी फ़ौज में क्यों शामिल कर रहा है। हाजी अहमद ने अपने बेटे ज़ैनुद्दीन को सलाह दी कि वह अलीवर्दी ख़ाँ को ख़त लिखे कि दरभंगा में हज़ारों पठानों की मौजूदगी खतरनाक साबित हो सकती है। इन पठानों को काबू में करने के लिए उन्हें सरकारी फ़ौज में नौकरी दे दी जाये तो बहुत अच्छा हो। लेकिन बिहार में इतना राजस्व नहीं है कि इन्हें तनख्वाहें दी जा सकें। इसलिए बंगाल की सरकार यह खर्च उठाये। अलीवर्दी के पास जब यह ख़त पहुँचा तो उसे अच्छा नहीं लगा। लेकिन अपने भतीजे और भाई की सुरक्षा और इच्छा का सम्मान करते हुए उसने यह आदेश दे दिया कि पठानों को फौज में भरती कर लिया जाये।

अलीवर्दी ख़ाँ की स्वीकृति पाते ही ज़ैनुद्दीन दीवाना हो गया। अब तो उसे बंगाल की सूबेदारी अपने कदमों में लोटती दिखाई पड़ने लगी। उसने फौरन दरभंगा के पठानों से सम्पर्क साधा। दिसम्बर, 1747 तक पठान बड़ी संख्या में अपने नेताओं शमशीर ख़ाँ, मुराद शेर ख़ाँ, सरदार ख़ाँ के नेतृत्व में गंगा के उस पार हाजीपुर पहुँच गये। उन्होंने फौरन गंगा पार करके पटना आने की कोशिश नहीं की क्योंकि उन्हें ज़ैनुद्दीन पर ये भी शक था कि वह उन्हें जाल में फँसा कर बर्बाद कर देना चाहता है। बहरहाल बातचीत चलती रही। पटना के चेहेल सुतून मतलब दरबारे-आम में मुलाकात रखी गयी। पठानों को विश्वास में लेने के लिए ज़ैनुद्दीन ने यह आदेश दिया कि इस मुलाकात में उसके फ़ौजी या सिपाही न रहेंगे। मुलाकात में कुछ दरबारी और मुंशी ज़ैनुद्दीन के साथ थे।

तयशुदा जगह और वक़्त पर मुराद शेख़ और ठाकुर बहेलिया के साथ पाँच सौ पठान फ़ौजी पहुँच गये। इसके साथ शमशीर ख़ाँ तीन हज़ार पठान सिपाहियों को लेकर शहर की कोतवाली पहुँच गया और उसने शाही महल की ओर जाने वाला रास्ता और पश्चिमी दरवाज़ा बन्द कर दिया। दरबार हॉल में पठान सरदारों को जब यह सूचना मिली कि शहर पर शमशीर ख़ाँ का कब्ज़ा हो गया है तो दरबार हॉल का रंग बदल गया। सबसे पहले एक अफ़गान अब्दुल रशीद ने ज़ैनुद्दीन के

पेट में खंज़र भोंक दिया। यह जख़्म ज़्यादा गहरा न था इसलिए मुराद शेर आगे बढ़ा और तलवार के भरपूर वार से ज़ैनुद्दीन के दो टुकड़े कर दिये। फिर उसकी लाश को टुकड़े-टुकड़े करके दफ़न कर दिया गया। ज़ैनुद्दीन का मक़बरा आजकल मक़बरा हैबत जंग के नाम से मशहूर है। दरअसल पठानों ने ज़ैनुद्दीन से रौशन ख़ाँ तराही के ख़ून का बदला लिया था जिसे धोखा देकर ज़ैनुद्दीन ने क़त्ल करा दिया था।

ज़ैनुद्दीन की हत्या के बाद पटना शहर में ग़दर मच गया। हाजी अहमद को जब इसकी ख़बर मिली तो उसके पास इतना वक़्त था कि वह भाग कर अपने भाई अलीवर्दी ख़ाँ के पास मुर्शिदाबाद जा सकता था, लेकिन नब्बे साल का हाजी अहमद अपने साथ हरम की औरतें और अपना ख़ज़ाना ले जाना चाहता था। यह सब करने में इतनी देर लग गयी कि उसे पठानों ने पकड़ लिया। हाजी अहमद के रूप में पठानों को ख़ज़ाने की चाबी मिल गयी। लेकिन हाजी अहमद यह बताने के लिए तैयार नहीं था कि ख़ज़ाना कहाँ छिपाया है। पठान उसे सत्रह दिन तक भयानक शारीरिक कष्ट पहुँचाते रहे। उसके नाख़ून उखाड़ लिए। जलाया गया। उल्टा लटकाया गया। गरम तेल छिड़का गया। चरखी पर चढ़ाया गया। उसके जिस्म पर बिच्छू छोड़े गये। आँखें फोड़ दी गयीं। नाक और कान काट लिए गये। भयानक कष्टों के बाद कहीं जाकर हाजी अहमद ने बताया, ''महल में क़दम रसूल के पत्थर के नीचे ख़ज़ाना गड़ा है।'' अफ़ग़ानों ने क़दम रसूल उखाड़ फेंका। उसके नीचे से उन्हें बड़ी मात्रा में हीरे-जवाहरात, सोने और चाँदी की छड़ें और सत्तर लाख रुपये मिले। ज़ैनुद्दीन के महल से भी उन्हें बहुत धन-दौलत हासिल हुई। हाजी अहमद भयानक शारीरिक कष्टों के कारण तीस जनवरी, 1748 ई. को मर गया। वह एक पाठ पढ़ा गया जिसे पढ़ते तो सब हैं पर उससे सीखते कम हैं।

पटना शहर अफगान पठानों के कब्ज़े में तीन महीने रहा और इस दौरान पटना के शहरियों की लूटमार जारी रही। वहाँ रहने वालों ने बड़े दुःख उठाये और अपमान झेले। हर आदमी ने डर और ख़ौफ़ में दिन-रात गुज़ारे। उन हालात के चश्मेदीद गवाह पटना के एक शहरी ग़ुलाम हुसैन ने लिखा है कि शमशेर ख़ाँ और बख़्शी बहेलिया के सिपाही किसी उसूल क़ायदे के पाबंद न थे और न उन्हें किसी तरह के दबाव का डर था। उनके सिपाही बदनसीब शहर के कोने-कोने में फैल गये थे और कोई दिन ऐसा नहीं गुज़रता था जब कुछ मकान इनकी ज़ोर ज़बर्दस्ती और हर तरह की नापाक हरकतों का निशाना न बनते हों। बहुत-से घरों की इनके हाथों बेइज़्ज़ती हुई और शायद ही कोई ऐसा खुशक़िस्मत होगा जो इन बदमाशों की क़ाबिले नफ़रत हरकतों से बच सका हो।

बाक़र गंज के सैयदों के तीन पुरखों को खोजने और उनके बीच एक क्रम

स्थापित करने की मेरी कोशिश नाकाम हो गयी है। क्योंकि अब तक न तो मुझे सैयद इकरामुद्दीन का पता चल सका है और न वे शाह क़ुली ख़ाँ और मुहम्मद तक़ी मिल सके हैं जिनका ताल्लुक बाक़र गंज के सैयदों से था।

~ ~ ~

अब बाक़र गंज के सैयदों के चौथे पुरखे सैयद (मीर) ज़ैनुलआब्दीन ख़ाँ की तलाश का काम शुरू करता हूँ। श्रुतियों के अनुसार सैयद ज़ैनुलआब्दीन ख़ाँ अवध के नवाब आसिफ़ुद्दौला के दरबारी थे। एक दिन नवाब ने दरबार में कहा कि वे दुनिया का सबसे बड़ा इमामबाड़ा लखनऊ में बनवाने जा रहे हैं। उनकी मर्ज़ी है कि इस इमामबाड़े की संगे-बुनियाद वह आदमी रखे जिसने एक वक़्त की नमाज़ न क़ज़ा (छोड़ी) की हो और जिसने अपनी बीवी के अलावा किसी दूसरी औरत के साथ कभी जिस्मानी रिश्ता न क़ायम किया हो। नवाब ने सभी दरबारियों से कहा कि तुममें कौन ऐसा है जो क़ुरान पर हाथ रख कर यह कह सके। दरबारियों को साँप सूँघ गया। इतने में मीर ज़ैनुलआब्दीन खड़े हुए और उन्होंने क़ुरान पर हाथ रख कर क़सम खायी। बड़े इमामबाड़े का संगे-बुनियाद उन्होंने ही रखा था।

यह भी प्रचलित है कि मीर ज़ैनुलआब्दीन साल में सिर्फ़ एक बार अपनी निकाही बेगम के पास जाते थे और हमल ठहर जाता था। उनके नौ लड़के थे।

दोआब के इलाके में एक चकलेदार बड़ा ताक़तवर हो गया था। अवध के नवाब को ख़िराज न देता था। नवाब ने उसकी सरकूबी के लिए कई बार फ़ौजें भेजी थीं, लेकिन कोई उसे ज़ेर न कर पाया था। आख़िरकार नवाब ने यह काम मीर ज़ैनुलआब्दीन को सौंपा। वे अपनी फौज लेकर आये, लेकिन काली नदी के उस पार फ़ौज को रोक दिया और ख़ुद अकेले चकलेदार के क़िले में पहुँचे। अपना परिचय कराया और कहा कि मैं तुमसे नब्बे लाख रुपया वसूल करने आया हूँ जो तुम्हारी तरफ़ से शाही खज़ाने की लेनदारी बनती है। चकलेदार ने कहा, "तुमसे पहले भी कई लोग आये और वापस लौट गये। तुम भी अपनी फौज को ले आओ और लड़ो। अगर जीत जाओगे तो पैसा दे दूँगा, नहीं तो लौट जाना।" ज़ैनुलआब्दीन ने कहा—"देखो, मसला मेरे और तुम्हारे दरम्यान है। हमारी फ़ौजें लड़ेंगी तो नाहक़ सिपाही मारे जायेंगे। क्यों न हम-तुम लड़ कर मसले को तय कर लें। तुम जीत जाओगे तो मैं बग़ैर पैसा लिए चला जाऊँगा। हार जाना तो पैसा दे देना।" चकलेदार तैयार हो गया। उस ज़माने में किसी की जिस्मानी ताक़त को चुनौती देना बहुत बड़ी बात मानी जाती थी। चकलेदार ने पूछा—"हमारे तुम्हारे दरम्यान लड़ाई कैसे होगी? तलवारबाज़ी होगी या ख़ंजर से लड़ेंगे या भाले-बल्लम से लड़ना चाहते हो?"

ज़ैनुलआब्दीन ने कहा—''लड़ाई का तरीका ये होगा कि मैं अपने बायें हाथ से तुम्हारा दाहिना हाथ पकड़ लूँगा। तुम अगर अपना हाथ छुड़ा लोगे तो मैं हार जाऊँगा। वापस चला जाऊँगा और अगर तुम हाथ न छुड़ा पाये तो रक़म अदा कर देना।''

लड़ाई का ये तरीक़ा चकलेदार को बड़ा अपमानजनक लगा। उसने कहा—''तुमने क्या समझ रखा है ? क्या मैं तुम्हारे बायें हाथ की गिरफ्त से अपना दाहिना हाथ न छुड़ा सकूँगा ?'

बहरहाल चकलेदार ने अपना दाहिना हाथ आगे बढ़ाया। ज़ैनुलआब्दीन ख़ाँ ने 'या अली मदद' कहकर अपने उल्टे हाथ से उसका सीधा हाथ पकड़ लिया। ज़ोर आज़माई शुरू हो गयी, चकलेदार ने बड़ी ताक़त लगाई। वह हट्टा-कट्टा और ताक़तवर आदमी था। लेकिन हाथ न छुड़ा सका। उसका चेहरा सुर्ख हो गया। जब उसके आदमियों ने देखा कि हमारा सरदार कमज़ोर पड़ रहा है, तलवारें सूतकर आगे बढ़े।

मीर ज़ैनुलआब्दीन ख़ाँ का दाहिना हाथ खाली था। उन्होंने चकलेदार के आदमियों को बढ़ता देखकर अपना ख़ंजर निकाला और चकलेदार की गर्दन पर रखकर कहा, ''अगर कोई मेरे पास आया तो फिर इसकी ख़ैर नहीं है।''

चकलेदार ने अपने आदमियों को रोक दिया। उसने ज़ैनुलआब्दीन से कहा—''आप जीते मैं हारा। अब मेरा हाथ छोड़िए।''

सुनी सुनाई बातों और किस्से कहानियों जैसे प्रसंगों से अलग इतिहास की प्रामाणिक किताबों आदि में मीर ज़ैनुलआब्दीन ख़ाँ के बारे में जो जानकारियाँ मिलती हैं उनके आधार पर खोज को आगे बढ़ाया जा सकता है। पहली और सबसे बड़ी जानकारी यह मिलती है कि अवध के नवाब आसिफ़ुद्दौला (1775-1797) के प्रधानमंत्री सरफराजुद्दौला (कार्यकाल 28 जनवरी-मार्च 1776) के बुलाने पर ज़ैनुलआब्दीन मुर्शिदाबाद से लखनऊ आये थे।

मुर्शिदाबाद में ज़ैनुलआब्दीन ख़ाँ की तलाश दिलचस्प काम था। खुदा भला करे क्रिस्टोफर बायर का जिसने मुर्शिदाबाद के इतिहास पर एक बहुत अच्छी वेबसाइट बनाई है जिसमें मुर्शिदाबाद के नवाबों के तीनों वंशों की वंशावलियाँ बहुत विस्तार से दी गयी हैं। मुर्शिदाबाद के नवाबों का पहला वंश नसीरी है जिसके पहले नवाब मुर्शिद क़ुली ख़ाँ थे। दूसरा वंश अफशर कहा जाता है जिसके अलीवर्दी ख़ाँ थे। तीसरा वंश नजफ़ी है जिसके बहुत प्रमुख सदस्य विश्वासघाती के रूप में विख्यात नवाब मीर जाफ़र थे।

मुझे नहीं मालूम कि क्रिस्टोफर बायर कौन हैं ? उन्होंने मुर्शिदाबाद की इतनी अच्छी वेबसाइट क्यों बनाई है ? उनका मुर्शिदाबाद के नवाबों से कोई संबंध है या

नहीं? बहरहाल उनकी साइट को देखने के बाद मैंने उन्हें एक ई-मेल भी भेजा था जिसका उन्होंने जवाब भी दिया था। पर फिर बात आगे नहीं बढ़ी। लेकिन उनकी वेबसाइट ने कमाल का काम कर दिया। मेरी कई सालों की खोज का उत्तर इस साइट पर मिला। शुरू-शुरू में कुछ गुत्थियाँ भी उलझ गयी थीं, लेकिन वे समय के साथ-साथ साफ़ होती चली गयीं और हैरतअंगेज़ तथ्य सामने आने लगे। जैसे-जैसे जानकारी मिलती गयी मैं हैरान होता रहा। सोचता और दुःख करता रहा कि बाक़र गंज के सैयदों में अब ऐसा कोई नहीं बचा है जो इन तथ्यों पर रोशनी डाल सकता। फिर सोचा यह एक-दो पीढ़ियों पीछे की बात नहीं है। अगर मीर ज़ैनुलआब्दीन जीवित होते तो शायद इस बारे में कुछ बताते। पर अफ़सोस कि ऐसा असंभव है। यह गुत्थी भी इतिहास की अन्य अनसुलझी गुत्थियों की तरह शायद हमेशा या लम्बे समय तक अनसुलझी रहेगी। अब सिर्फ़ अंदाज़े लगा कर काम चलाया जा सकता है। अंदाज़े सही या ग़लत, दोनों हो सकते हैं।

मीर ज़ैनुलआब्दीन का मृत्यु वर्ष 1792 बताया जाता है। जन्म वर्ष के बारे में कोई जानकारी नहीं मिलती। यदि उस समय की औसत आयु पैंसठ वर्ष के आधार पर अनुमान लगाया जाये तो उनका जन्म वर्ष 1728 माना जा सकता है। उन्होंने लगभग पूरी 18वीं शताब्दी देखी जो भारतीय इतिहास और समाज को एक नया मोड़ देने वाली शताब्दी थी। उन्होंने सिराजुद्दौला के खिलाफ़ रचा जाने वाला षड्यंत्र देखा होगा। प्लासी की लड़ाई देखी होगी। मराठों की आक्रामकता देखी होगी। टीपू सुल्तान की काबिले-मिसाल मौत देखी होगी। वे महाराजा रणजीत सिंह के दबदबे के साक्षी रहे होंगे। उन्होंने 1765 वाला बंगाल का भयानक अकाल देखा होगा जिसमें जवाहरलाल नेहरू के अनुसार बंगाल के मैदान जुलाहों की हड्डियों से सफ़ेद हो गये थे। उन्होंने ईस्ट इण्डिया कम्पनी की साज़िशें देखी होंगी। लॉर्ड क्लाइव का लालच और मीर जाफ़र की सत्ता लोलुपता और फिर बेपनाह हताशा और निराशा देखी होगी। वे मीर क़ासिम के सत्ता में आने और फिर डूब जाने के गवाह रहे होंगे। उन्हें 1764 में बक्सर की लड़ाई की पूरी जानकारी रही होगी। उन्होंने बंगाल के किसानों पर लगातार बढ़ता लगान वसूल किया होगा। अवध की कठपुतली सरकारें और सामंती षड्यंत्रों और ऐशो-इशरत में डूबे समाज के आडम्बर को देखा होगा। लखनऊ के बड़े इमामबाड़े को बनते और वैभव को आकार लेते देखा होगा। राजा नंदकुमार को फाँसी के तख्ते पर झूलते पाया होगा। मीर तक़ी मीर की, जो उनके हमउम्र थे, ग़ज़लें सुनी होंगी। मुर्शिदाबाद में यह ख़बर सुनी होगी कि नादिरशाह ने तख़्ते-ताऊस और कोहेनूर हीरा लूट लिया है। दिल्ली में क़त्ले-आम कराया है और बड़े सम्मानित लोगों के कान कटवा लिए हैं क्योंकि वे उतनी रक़म नहीं दे

पाये थे जितनी नादिरशाह उनसे माँग रहा था। पानीपत की तीसरी लड़ाई में मराठा शक्ति के टूटने और बिखरने की ख़बरें उन तक ज़रूर पहुँची होंगी।

क्रिस्टोफर बायर द्वारा दी गयी मुर्शिदाबाद की नसीरी वंशावली में मीर ज़ैनुलआब्दीन का नाम नहीं है। दूसरे वंश अफशार में भी उनका नाम दिखाई नहीं पड़ता। क्रिस्टोफर बायर ने इन वंशावलियों पर बहुत विस्तार से काम किया है और प्रायः छः-सात पीढ़ियों तक के नाम दिए हैं। तीसरी वंशावली नजफ़ी वंशावली है। हिन्दुस्तान में इस वंश के संस्थापक सैयद हुसैन नजफ़ी तबातबाई, जो सैयद अली रजा के बेटे थे, सम्राट औरंगज़ेब के बुलाने पर 24 अप्रैल, 1676 ई. को दिल्ली पहुँचे थे। उन्हें औरंगज़ेब ने काज़ी नियुक्त किया था। इसके बाद दरोग़ा बयुतात का पद दिया गया था। उनकी शादी दारा शिकोह की किसी बेटी से हुई थी। सैयद हुसैन नजफ़ी के पाँच बेटे और एक बेटी थी। इन पाँचों बेटों में दो इराक और ईरान में बस गये थे। तीसरे सैयद मोहसिन नजफ़ी को 'नजफ़ ख़ाँ' की उपाधि और अन्य पदों के अलावा ग्वालियर की क़िलेदारी मिली थी। चौथे बेटे सैयद अहमद नजफ़ी (मिर्ज़ा मीरक) के सात बेटे और एक बेटी थी। उनके एक बेटे-मीर मुहम्मद जाफ़र ख़ाँ थे जो बाद में शुजाउल मुल्क, हाशिमुद्दौला नवाब जाफर अली ख़ाँ बहादुर, महाबत जंग नवाब नाज़िम बंगाल, बिहार और उड़ीसा हुए। इन्हें उर्फ़े आम में मीर जाफ़र भी कहा जाता है। वही मीर जाफ़र हैं जिन्होंने प्लासी की लड़ाई में नवाब सिराजुद्दौला को धोखा दिया था। वही मीर जाफ़र जिन्होंने लॉर्ड क्लाइव, सेठ अमीचंद और जगत-सेठ के साथ मिल कर सिराजुद्दौला का तख्ता पलट दिया था। वही मीर जाफ़र जिनके लड़के मीरन ने सिराजुद्दौला की हत्या करायी थी। वही मीर जाफ़र जिनका नाम इतिहास में जयचंद के साथ लिया जाता है। वही मीर जाफ़र जो विश्वासघात का प्रतीक बन चुके हैं और जिनकी हवेली को आज भी नमक हराम की डियोढ़ी कहा जाता है। जिन्हें लोगों ने ग़द्दार-ए-अबरार यानी भले आदमी से विश्वासघात करने वाले की उपाधि दी थी।

सैयद हुसैन नजफ़ी के सबसे छोटे, पाँचवें बेटे का नाम सैयद ज़ैनुद्दीन नजफ़ी था। इन्हें नजफ़ ख़ाँ दोयम भी कहा जाता था। ये उड़ीसा के नायब सूबेदार थे। उनके एक बेटा था जिसका नाम नवाब सैयद इस्माइल अली ख़ान बहादुर (मीर इस्माइल) था। सैयद इस्माइल के आठ बेटे और एक बेटी थी। आठों बेटों के नाम वेबसाइट नहीं बताती। चार बेटों और दो बेटियों के नामों में एक नाम सैयद ज़ैनुलआब्दीन अली ख़ाँ का भी है। संभवतः यही वे ज़ैनुलआब्दीन हैं जिनकी मुझे तलाश है। यहीं यह भी पता चलता है कि बदनामे-जमाना मीर जाफ़र सैयद ज़ैनुलआब्दीन के रिश्ते के चचा थे।

मीर जाफ़र के इतिहास में जाने के लिए पिछली कड़ी, मतलब बंगाल के सूबेदार अलीवर्दी ख़ाँ के युग से बात शुरू करनी पड़ेगी। अपने समकालीन शासकों और सूबेदारों में अलीवर्दी ख़ाँ (1671-1756) को एक ख़ास दर्जा हासिल है। इसकी वजह यह है कि लड़कपन और जवानी में काफ़ी मुसीबतों और तकलीफ़ों का सामना करने के कारण उनका व्यक्तित्व निखर गया था। अलीवर्दी कुशल सेनापति और शासक थे। उनके अंदर वे सब गुण थे जो आमतौर पर उस जमाने के सामंतों में नहीं होते थे। अलीवर्दी ख़ाँ के इख़्लाक, मुरव्वत, ईमानदारी, नेकनीयती और भाईचारे के सभी कायल थे। कहते हैं वे अपने जमाने के ऐसे शासक थे जो आम लोगों में लोकप्रिय थे। उन्होंने बंगाल के अवाम की भलाई के लिए जो काम किए थे वे बाद में कोई न कर सका।

अलीवर्दी ख़ाँ सुबह नमाज़ के वक़्त से पहले उठ जाते थे। वे सौमो-सलात के पाबंद थे। सुबह की नमाज़ के बाद अपने चुनिन्दा साथियों के साथ कॉफ़ी पीते थे। इसी दौरान प्रशासन के कामों को निपटाते थे। उन्हें अच्छा खाना खाने और पकवाने का शौक था। कभी-कभी अपने सामने कोई खाना पकवाते थे और बावरचि को निर्देश देते थे। अगर कोई किसी नये खाने का नुस्ख़ा बताता था तो उसे आज़माते थे। उनका दस्तरख़ान काफ़ी बड़ा होता था। ज़ोहर की नमाज़ के बाद वे बर्फ़ का या ठण्डा पानी पीते थे। इसके बाद पूरे दिन वे पानी नहीं पीते थे। दिन के काम पूरे करने और इशा की नमाज़ पढ़ने के बाद वे अपनी बेगम नवाब बेगम साहिबा और ख़ानदान की दूसरी औरतों को वक़्त देते थे। उनका अपनी पत्नी के अलावा किसी दूसरी औरत से कोई जिस्मानी रिश्ता न था।

अलीवर्दी ख़ाँ की तीन बेटियाँ थीं। कोई बेटा न था। सबसे बड़ी बेटी मेहरुन्निसा बेगम थीं, जिन्हें घसीटी बेगम भी कहा जाता था। उनकी शादी नवज़ेश मुहम्मद ख़ाँ से हुई थी। अलीवर्दी ख़ाँ तो जंगों में मसरूफ रहा करते थे। हुकूमत का पूरा काम-धाम नवज़ेश मुहम्मद ख़ाँ करते थे। यही वजह थी कि घसीटी बेगम ने बेपनाह दौलत जमा कर ली थी। उनके खज़ाने की चर्चा हर ज़ुबान पर रहती थी। अलीवर्दी ख़ाँ की तीसरी और सबसे छोटी बेटी की औलाद सिराजुद्दौला थे। चूँकि सिराजुद्दौला परिवार के अकेले लड़के थे जो अलीवर्दी ख़ाँ की गद्दी के हक़दार थे इसलिए अलीवर्दी ख़ाँ उनको हद से ज़्यादा प्यार करते थे। उन्हें अपनी नज़रों से ओझल न होने देते थे। उनकी हर ख़्वाहिश को पूरा करना अपना फर्ज समझते थे। सिराजुद्दौला के लिए अलीवर्दी ख़ाँ का असीमित प्रेम ही सिराजुद्दौला का सबसे बड़ा दुश्मन बन बैठा। अपने नाना के असीमित प्यार ने उसे काफ़ी उद्दण्ड बना दिया था। हद ये है कि वह अपनी बड़ी बुआ घसीटी बेगम को भी घास न डालता था। उनसे मुकाबला

करता था। घसीटी बेगम के आलीशान महल 'मोती झील' की टक्कर पर उसने 'हीरा झील' महल बनवाया था। वरिष्ठ दरबारियों से भी सिराजुद्दौला आदरपूर्वक व्यवहार नहीं करता था।

अलीवर्दी ख़ाँ के मरने के बाद तेईस साल की उम्र में सिराजुद्दौला बंगाल का नवाब बन गया। उसके अधिकार में क्षेत्रफल, जनसंख्या और संसाधनों की दृष्टि से एक ऐसा क्षेत्र आ गया जो इंग्लैण्ड से बड़ा था।

सिराजुद्दौला के गद्दी पा जाने से उसके रिश्तेदार और कुछ प्रभावशाली लोग खुश नहीं थे। सबसे ज़्यादा नाखुश थीं घसीटी बेगम क्योंकि उनकी सिराजुद्दौला-मतलब सिराज से कभी नहीं बनी थी। घसीटी बेगम के पास अपार दौलत थी जो उनकी सबसे बड़ी ताक़त थी। ख़बरें उड़ने लगीं कि घसीटी बेगम सिराजुद्दौला के विरोधियों को लामबंद कर रही हैं। उनके पास इतनी दौलत थी कि उससे एक बड़ी सेना खड़ी की जा सकती थी। घसीटी बेगम बंगाल के बड़े सामंतों और जागीरदारों को जानती थीं। सिराजुद्दौला को लगा कि घसीटी बेगम को क़ाबू में करना ज़रूरी है। उसे एक ही रास्ता नज़र आया। उसने घसीटी बेगम की दौलत ज़ब्त कर ली और उन्हें नज़रबंद कर लिया।

घसीटी बेगम के अलावा असंतुष्ट गुट के लोगों में मीर जाफ़र भी प्रमुख थे। मीर जाफ़र अलीवर्दी ख़ाँ के ज़माने से ही एक संदिग्ध और महत्त्वाकांक्षी आदमी समझे जाते थे। लेकिन सिराजुद्दौला के सत्ता में आने के वक़्त वे मीर बख़्शी थे। मतलब सेना को वेतन देने वाले विभाग के मुखिया थे। सिराजुद्दौला ने उन्हें इस पद से हटा दिया था और मीर मदन को मीर बख़्शी बना दिया था। इसे मीर जाफ़र ने अपना अपमान माना था। वे घसीटी बेगम वाले गुट के और करीब हो गये थे।

बंगाल में एक और हस्ती भी थी जो सिराजुद्दौला से अपना हिसाब बराबर करना चाहती थी। यह कोई मामूली हस्ती न थी। जगत सेठ महताब राय न सिर्फ़ बंगाल के सबसे बड़े और धनवान सेठ थे बल्कि कई पुश्तों से उनका परिवार बंगाल के सूबेदार का ख़जांची हुआ करता था। ईस्ट इण्डिया कम्पनी के बड़े-बड़े अफ़सरों को निजी व्यापार के लिए कर्ज़ देने वाले महताब राय जगत सेठ बहुत बड़ी ताक़त थे।

बताया जाता है जगत सेठ महताब राय के पूर्वज मारवाड़ के थे। 1495 ई. में गहलोत राजपूतों में से गिरधर सिंह गहलोत ने जैन धर्म स्वीकार कर लिया था। इस परिवार के हीरानन्द साहू 1652 ई. में मारवाड़ छोड़ पटना में आ बसे थे। पटना उन दिनों व्यापार का एक बड़ा केन्द्र हुआ करता था। यहाँ हीरानन्द साहू ने शोरा का कारोबार शुरू किया था। उन दिनों योरोपियन शोरा के सबसे बड़े ख़रीदार हुआ करते थे। शोरा व्यापार के साथ-साथ साहू ने ब्याज पर कर्ज़ देने के काम को भी

बढ़ाया था और जल्दी ही उनकी गिनती धनवान साहूकारों में होने लगी थी। हीरानन्द साहू के सात बेटे थे। सात रत्न जवान होकर व्यापार करने के लिए इधर-उधर बिखर गये। उनके एक बेटे माणिक चन्द ढाका आ गये जो उस जमाने में बंगाल की राजधानी हुआ करता था। दरअसल माणिक चन्द ही थे जिन्होंने बंगाल के जगत सेठ परिवार की बुनियाद रखी थी।

मुर्शिद क़ुली ख़ाँ बंगाल, बिहार और उड़ीसा के सूबेदार (1965-1727) और माणिक चंद एक-दूसरे के गहरे दोस्त थे। माणिक चंद न सिर्फ़ नवाब मुर्शिद क़ुली ख़ाँ के ख़जांची थे बल्कि सूबे का लगान भी उनके पास जमा होता था। दोनों ने मिलकर बंगाल की नयी राजधानी मुर्शिदाबाद बसायी थी और औरंगज़ेब को एक करोड़ तीस लाख की जगह पर दो करोड़ लगान भेजा था। 1715 में मुग़ल सम्राट फ़र्रुख़सियर ने माणिक चंद को सेठ की उपाधि देकर उसकी प्रतिष्ठा में चार चाँद लगा दिए थे।

नवाब और ईस्ट इण्डिया कम्पनी सेठ माणिक चंद से बड़े-बड़े मसलों पर सलाह लिया करते थे। नवाब ने अपनी टकसाल का काम भी सेठ माणिक चंद पर छोड़ दिया था। बिहार, बंगाल और उड़ीसा में सेठ माणिक चंद के ढाले सिक्के चलते थे। इतिहासकार कहते हैं कि वह अपने ज़माने में देश का सबसे धनवान नागरिक था। अपनी अपार सम्पत्ति की रक्षा के लिए उसने एक निजी सेना बना रखी थी। माना जाता था कि सेठ माणिक चंद के पास सोने और चाँदी का इतना बड़ा भण्डार है कि वह उससे गंगा की धारा का रुख़ मोड़ सकता है। गंगा की धारा का रुख़ मोड़ने की कोशिश सेठ माणिक चंद ने कभी नहीं की लेकिन सत्ता का रुख़ ज़रूर कई बार मोड़ा।

सेठ माणिक चंद को नायाब हीरे-जवाहरात जमा करने का भी शौक था लेकिन हरे पत्थर यानी पन्ने के लिए तो उनका जुनून मशहूर था। दूर-दराज़ से पन्ने के व्यापारी उनके लिए कीमती से कीमती पन्ना लाते थे। सेठ माणिक चंद पारदर्शी हरे रंग के दीवाने थे। अच्छे पन्ने के लिए सोने की थैलियाँ खोल देते थे। व्यापारी उनकी इस कमज़ोरी को अच्छी तरह समझते थे और क़ाहिरा के बाज़ारों से ख़रीदे गये नायाब पन्ने उन्हें मुँहमाँगी क़ीमत पर बेचते रहते थे।

सेठ माणिक चंद के पास सब कुछ था पर न थी तो कोई संतान। गंगा की धार मोड़ देने की ताक़त रखनेवाले सेठ माणिक चंद यहाँ मजबूर थे। उन्होंने परिवार आगे चलाने के लिए अपने भतीजे फतेह चंद को गोद ले लिया था।

सेठ फतेह चंद को मुग़ल सम्राट मुहम्मद शाह ने 'जगत सेठ' की उपाधि दी थी। एक बड़े से पन्ने पर 'जगत सेठ' खुदवा कर सील बनवाई गयी थी जो दूसरे

दुर्लभ उपहारों के साथ शाही दरबार में फतेह चंद को पेश की गयी थी। आमतौर पर बंगाल के सूबेदार के साथ बहुत अच्छे संबंध बना कर रखने वाले जगत सेठ और बंगाल के सूबेदार सरफ़राज़ ख़ाँ (1739-40) में कुछ खटक गया था। वजह यह थी कि सरफ़राज़ ख़ाँ बला का अय्याश था। औरतें उसकी कमज़ोरी थीं। किसी ने उसे यह बता दिया था कि जगत सेठ फतेह चंद की बहू अप्सराओं जैसी सुन्दर है। सत्ता और शराब के नशे में चूर सरफ़राज़ ख़ाँ ने यह आदेश दे दिया कि वह जगत सेठ फतेह चंद की बहू को देखना चाहता है। यह आदेश नहीं था, जगत सेठ के मुँह पर तमाचा था। एक ऐसे आदमी का अपमान था जिसका सम्मान दिल्ली दरबार में किया जाता है। जगत सेठ के तन-बदन में आग लग गयी थी। इस अपमान का बदला लेने के लिए जगत सेठ ने बिहार के नायब सूबेदार से सम्पर्क साधा। अलीवर्दी ख़ाँ को मौके की तलाश थी। वह बंगाल का सूबेदार बनना चाहता था। जगत सेठ की मदद ने उसकी योजनाओं को आगे बढ़ा दिया। उसने सरफ़राज़ ख़ाँ पर चढ़ाई कर दी। गिरिया के मैदान में आमना-सामना हुआ था जहाँ लड़ाई के दौरान सरफ़राज़ ख़ाँ के ही किसी फ़ौजी ने उसे गोली मार दी थी और वह मर गया था। जगत सेठ फतेह चंद को अपमानित करने की सज़ा उसे मिल गयी थी।

सरफ़राज़ ख़ाँ ने जो ग़लती की थी वह सिराजुद्दौला ने तो नहीं की थी लेकिन भरे दरबार में जगत सेठ का अपमान कर दिया था। अपने नाना अलीवर्दी ख़ाँ के मरने के बाद वह बंगाल की गद्दी पर तो बैठ चुका था लेकिन दिल्ली दरबार से उसे फ़रमान (आदेश) नहीं मिल पाया था। दिल्ली दरबार का हाल बुरा था। बग़ैर लिए दिए कुछ न होता था। पद और जागीरें बिकती थीं। सिराजुद्दौला को अपने लिए फ़रमान हासिल करने के लिए तीन करोड़ रुपये की ज़रूरत थी। रुपया हासिल करने के लिए उसने तत्कालीन जगत सेठ माधव राय को दरबार में बुलाया और तीन करोड़ कर्ज़ देने को कहा। माधव राय की बूढ़ी तजुर्बेकार आँखें दूर तक देख रही थीं जबकि सिराजुद्दौला की जवान आँखें अपने आसपास तक महदूद थीं। माधव राय जानते थे कि सिराजुद्दौला बहुत दूर तक दौड़ने वाला घोड़ा नहीं है। उस पर तीन करोड़ का दाँव लगाना घाटे का सौदा होगा। जगत सेठ ने दरबार में मजबूरी जाहिर कर दी। इस पर सिराजुद्दौला को गुस्सा आ गया था। उसने जगत सेठ को गालियाँ दी थीं और भरे दरबार में एक थप्पड़ लगा दिया था।

~ ~ ~

हिन्दुस्तानी तारीख़ का शायद पहला दस्तावेजी षड्यंत्र शुरू हो गया था। ईस्ट इण्डिया कम्पनी, जगत सेठ, मीर जाफर के बीच लिखित समझौता हो गया था। पूरी होशियारी

बरती गयी थी कि इस समझौते की भनक भी किसी को न लगे। लेकिन कलकत्ता के एक धनी व्यापारी सेठ अमीचंद (अमीरचंद), जो कम्पनी की तरफ़ से मुर्शिदाबाद दरबार में प्रतिनिधि था, इसकी भनक पा गया और दस्तावेज़ी षड्यंत्र में अपना पाँच प्रतिशत का हिस्सा माँगने लगा। उसकी माँग को पूरा करना या उसे चुप कराना आवश्यक था। इसलिए ईस्ट इण्डिया कम्पनी के लॉर्ड क्लाइव ने एक फ़र्जी दस्तावेज़ बनाया जिसमें अमीचंद की माँग को स्वीकार किया गया था।

कुछ इतिहासकार कहते हैं प्लासी का विख्यात युद्ध हुआ नहीं था। वह युद्ध के नाम पर एक बहुत व्यवस्थित नाटक था। सारी तैयारियाँ इस तरह की गयी थीं कि कहीं कोई भूल-चूक न हो। युवा नवाब सिराजुद्दौला के अलावा सभी लोग जानते थे कि युद्ध शुरू होने से पहले ही युद्ध का निर्णय हो चुका है। सिराजुद्दौला के साथ फ्रांसीसी तोपख़ाना था जिसने तोपें दागना शुरू कर दिया था लेकिन सेना के सिपहसालार आगे नहीं बढ़े। तब सिराजुद्दौला को पता चला कि क्या खेल हो गया है। कहते हैं उसने अपनी पगड़ी मीर जाफ़र के क़दमों पर रख कर कहा था कि बंगाल, बिहार और उड़ीसा की सूबेदारी तुम्हारे क़दमों पर पड़ी है, इसे बचा लो। लेकिन तब तक बहुत देर हो चुकी थी। मीर जाफ़र ने सिराजुद्दौला को युद्ध बन्द करने और मुर्शिदाबाद चले जाने की सलाह दे दी थी।

न लड़े जाने वाले युद्ध में वीरता दिखाने के लिए लॉर्ड क्लाइव को 'बैरन ऑफ प्लासी' की उपाधि दी गयी थी। क्लाइव ने इतना धन लूटा था कि उस जैसे साधारण अंग्रेज़ की गिनती लन्दन के धनवान लोगों में होने लगी थी। मीर जाफ़र से करोड़ों वसूल करने के बाद सिराजुद्दौला के गुप्त खज़ाने से अमूल्य हीरे-जवाहरात और मनों सोना मिला था और फिर सोने की चिड़िया की गर्दन हाथ में आ गयी थी।

व्यापारियों से लड़ना मुश्किल काम है। वैसे भी जगत सेठ और ईस्ट इण्डिया कम्पनी जैसे व्यापारियों से एक साथ दुश्मनी कर लेना तो मौत को दावत देना था।

सत्ता के रंगमंच पर जो नायक आते हैं उनकी क़िस्मत में तख़्त या तख़्ता लिखा होता है। मुर्शिदाबाद में सत्ता का नाटक सिराजुद्दौला की जान लेकर समाप्त नहीं हुआ। नये सूबेदार मीर जाफ़र का बेटा मीरन कई मायनों में अपने बाप का भी बाप था। उसे कहा तो छोटे नवाब जाता था लेकिन था वह बड़ा नवाब। मीरन उन सबका सफ़ाया कर देना चाहता था जिन पर ज़रा भी शक हो सकता था कि वे उसके पिता और फिर बाद में उसके रास्ते में आ सकते हैं। घसीटी बेगम वैसे तो सिराजुद्दौला के खिलाफ़ थीं और मीर जाफ़र के सत्ता में आ जाने से खुश थीं लेकिन वह अपने आप में सत्ता का एक केन्द्र थी। उनके पास बेहिसाब दौलत थी। बंगाल, बिहार और उड़ीसा के बड़े ज़मींदारों में उनकी बड़ी मान्यता थी। इसलिए मीरन ने यह

फ़ैसला किया कि घसीटी बेगम और उनके साथ सिराजुद्दौला की माँ अमीना बेगम को 'सैरे दरिया' पर भेज दिया जाये।

जब यह खबर मोती झील महल और हीरा झील महल पहुँची तो रोना-पीटना मच गया। सिराजुद्दौला की माँ आमना बेगम तो ये जानती थीं कि उनको नहीं बख़्शा जायेगा लेकिन घसीटी बेगम को ये उम्मीद बिल्कुल नहीं थी। खबर सुन कर वे सकते में आ गयीं और फिर अचानक दहाड़ें मार-मार रोने लगीं।

कुछ ही देर में घसीटी बेगम को ले जाने के लिए सिपाहियों के एक दस्ते के साथ हबशनों की एक टोली आ गयी। घसीटी बेगम ने पता नहीं क्यों अपनी खादमाओं को हुक़्म दिया कि उन्हें सबसे बेशकीमती कपड़े और ज़ेवर पहनाये जायें। उन्होंने पूरे सिंगार किए। इस बीच इधर-उधर से सिसकियों और रोने की आवाज़ें भी आ रही थीं। पूरी तरह तैयार होने के बाद घसीटी बेगम इमामबाड़े आयीं। वहाँ उन्होंने सलाम पढ़े और डियोढ़ी में पहुँच गयीं जहाँ हबशनें उनका इंतिज़ार कर रही थीं।

भगीरथी के किनारे एक पालकी पहले से मौजूद थी। यह अमीना बेगम की पालकी थी। बहुत सालों बाद दोनों बहनें मिलीं तो इस मौक़े पर। हबशनों ने दोनों बहनों को पालकियों से उतारा। दूर तक पर्दा हो गया। सामने भगीरथी लहरें मार रही थी। ऊपर सूरज चमचमा रहा था। दोनों तरफ़ आम के बाग़ों का सिलसिला फैला था।

मल्लाहों ने शाही बजरा आगे बढ़ाया। दोनों बहनें दुआएँ पढ़ने लगीं। धीरे-धीरे बजरा बीच धारे में पहुँच गया। मल्लाहों ने पता नहीं क्या किया कि पल भर में बजरा पलट गया।

मीरन का हुक्म पूरा हो गया। लेकिन अफ़सोस कि उसका भविष्य सुरक्षित न रह सका। मीरन यानी नसीरुलमुल्क, अलाउद्दौला नवाब मुहम्मद सादिक अली खान बहादुर, असद जंग ने तैयारियाँ तो इस तरह की थीं कि अपने वालिद मीर जाफ़र के बाद बंगाल की सूबेदारी का ताज उसके सिर पर आये लेकिन क़िस्मत में कुछ और ही लिखा था। राजमहल के दौरे पर मीरन अपने ख़ेमे में सो रहा था। 2 जुलाई 1760 की रात थी। बंगाल में बरसात का मौसम था। काले स्याह बादलों के बीच बिजली कड़क रही थी। मूसलाधार बारिश हो रही थी। मीरन गहरी नींद में था। अचानक आसमान पर चमकने वाली बिजली एक पल में मीरन के ख़ेमे पर गिरी और मीरन का भविष्य भूत में बदल गया।

~ ~ ~

मुर्शिदाबाद की किसी शाही शादी में दिल्ली से मुन्नी और बब्बू नाम की दो बिजलियाँ आयी थीं। दोनों का नाच नवाब मीर जाफ़र को इतना पसंद आया था कि उन्होंने दोनों से शादी कर ली थी। नज्मुद्दौला मुन्नी के बेटे थे जिन्हें मीर जाफ़र के मरने के बाद शुजा-उल-मुल्क नज्मुद्दौला, महाबत जंग का ख़िताब देकर और उनसे ईस्ट इण्डिया कम्पनी की काउंसिल ने एक लाख चालीस हज़ार पाउण्ड का नज़राना लेकर बंगाल का कागज़ी नवाब बना दिया था कि सारे अधिकार अंग्रेज़ों के विश्वसनीय मुहम्मद रज़ा ख़ाँ के पास थे।

यह जानकारी कई सूत्रों से मिलती है कि मीर ज़ैनुलआब्दीन मुहम्मद रज़ा ख़ाँ नायब सूबेदार बंगाल के साथ काम करते थे। अंदाज़ा लगाया जा सकता है कि यह काम राजस्व विभाग से संबंधित रहा होगा क्योंकि मुहम्मद रज़ा ख़ाँ नवाब के लिए या कहना चाहिए कम्पनी के लिए तहसील वसूली करते थे। डॉ. अब्दुल मजीद ख़ाँ ने अपनी किताब 'द ट्रांज़ीशन इन बंगाल' 1756-1775 में उल्लेख किया है कि लार्ड क्लाइव ने मुहम्मद रज़ा ख़ाँ और उनके रिश्तेदार मीर ज़ैनुलआब्दीन को अपने दूत बनाकर मराठों से बातचीत करने नागपुर भी भेजा था। मुहम्मद रज़ा और मीर ज़ैनुलआब्दीन की क्या रिश्तेदारी थी यह पता नहीं चल सका। लेकिन यह बहुत संभव है कि वे रिश्तेदार रहे हों क्योंकि दोनों शिआ और सैयद थे।

नवाब नज्मुद्दौला कागज़ के शेर थे। असली शेर जिसकी दहाड़ से पूरा बंगाल, बिहार और उड़ीसा काँप जाता था, मुहम्मद रज़ा ख़ाँ (1717-1791) थे। उन्हें कम्पनी ने नायब नाज़िम नियुक्त करा दिया था और उनके पास लगान वसूल करने का अधिकार आ गया था। प्रसिद्ध इतिहासकार पी.जे. मार्शल ने उनके बारे में काफ़ी विस्तार से लिखा है। मुहम्मद रज़ा ख़ाँ के पिता हादी अली ख़ाँ शीराज़ के प्रसिद्ध हकीम थे। उन्हें भी सोने की चिड़िया के पंख दिखाई पड़ गये थे इसलिए वह हिन्दुस्तान यानी दिल्ली आ गये थे। उस वक्त मुहम्मद रज़ा ख़ाँ दस साल के थे। होते-हुआते यह परिवार मुर्शिदाबाद आ गया था। मुहम्मद रज़ा ख़ाँ ढाका के नायब नाज़िम बन गये थे। ये लूटमार का ज़माना था। न कोई कायदे कानून थे और न कोई हुकूमत थी। न किसी का डर था और न कोई पाबंदी थी। शर्त यही थी कि 'ऊपरवाले' नहीं 'ऊपरवालों' को खुश करते रहो। ऐसे हालात में दूसरे नायब सूबेदारों की तरह मुहम्मद रज़ा ख़ाँ ने भी खूब पैसा कमाया था। जो आख़िरकार उनके बहुत काम आया। उन्होंने लॉर्ड क्लाइव और कम्पनी के दीगर अफ़सरों को पचास हज़ार पाउण्ड के उपहार दिए थे तो उन्हें बंगाल की दीवानी मिली थी। उसके बाद मुहम्मद रज़ा ख़ाँ की तूती बोलने लगी। उनके पेशाब से चिराग़ जलता था। नवाब से कम उनके ठाठ-बाट नहीं थे। शानो-शौकत में वो अच्छे-अच्छों को मात देते थे। लॉर्ड

क्लाइव ने कम्पनी से कह सुन कर उनकी तनख्वाह नब्बे हज़ार पाउण्ड प्रति वर्ष तय करायी थी। उस ज़माने में यह बहुत बड़ी रक़म थी पर कौन जाने कहाँ-कहाँ जाती थी? कैसी-कैसी बंदर बाँट होती थी?

कम्पनी का काम शासन करना नहीं व्यापार करना था। वह शासन को भी व्यापार के सिद्धांतों के आधार पर चला रही थी। सत्ता में आते ही कम्पनी ने दस प्रतिशत लगान बढ़ा दिया था। लगान की रक़म सीधे इंग्लिस्तान भेज दी जाती थी। कम्पनी का मुनाफा लगातार बढ़ रहा था क्योंकि लगान लगातार बढ़ाया जा रहा था। हद ये है कि भयानक अकाल के वर्ष यानी 1770 में कम्पनी ने घोषणा कर दी थी कि अगले साल दस प्रतिशत लगान बढ़ाया जायेगा। होते होते लगान पाँच गुना बढ़ा दिया गया था। कम्पनी को सन् 1765 में पन्द्रह मिलियन पाउण्ड का मुनाफा हुआ था जो 1777 में तीस मिलियन पाउण्ड तक पहुँच गया था। पाँच गुना लगान न दे पाने वाले मर गये थे या जंगलों में भाग गये थे। वैसे कम्पनी किसानों को पाँच गुना लगान अदा करने का सरल तरीक़ा-अफीम की खेती-बताती थी। इतिहासकार बताते हैं कि बंगाल के अकाल का एक कारण यह भी था कि किसानों ने अनाज उपजाना कम कर दिया था और अफीम की पैदावार बढ़ गयी थी।

अकाल के दौरान अनाज के व्यापार पर एकाधिकार कम्पनी और उसके अधिकारियों का ही था। इस खड़े खेल में मुहम्मद रज़ा ख़ाँ ने भी चूक नहीं की थी। सस्ता अनाज बहुत महँगे दामों पर बेचा जाता था। एक लाख लोग बंगाल की धरती में समा गये थे। लाशों को कोई दफ़न करने वाला या जलाने वाला न था। गाँवों से सड़ी-गली लाशों की ऐसी बदबू आती थी कि रास्ता चलना मुश्किल था। भूख ने सब कुछ छीनने के बाद जान भी ले ली थी। लेकिन कम्पनी, उसके अधिकारी और उससे जुड़े लोग मालामाल हो रहे थे। लालच का विस्तार ब्रिटिश पार्लियामेण्ट तक फैल गया था। 1767 में ब्रिटिश पार्लियामेण्ट ने कानून पास किया था कि ईस्ट इण्डिया कम्पनी प्रति वर्ष 470,000 पाउण्ड ब्रितानी सरकार को दिया करेगी। ईस्ट इण्डिया कम्पनी को सरकार और सम्राट, दोनों का आशीर्वाद प्राप्त था।

बंगाल के नायब सूबेदार की सम्पन्नता और दोनों हाथ से दौलत लूटने से कुछ लोगों में ईर्ष्या होना स्वाभाविक थी। मुहम्मद रज़ा ख़ाँ के मित्र ही उनके शत्रु हो गये थे और मौक़े की तलाश में थे। 1765 से 1772 तक मुहम्मद रज़ा ख़ाँ उस वक़्त तक दहाड़ते रहे जब तक वारेन हेस्टिंग गवर्नर जनरल बनकर कलकत्ता नहीं पहुँच गया। मुहम्मद रज़ा के विरोधी गुट ने उसे 'अपना बनाने' के लिए वही हथकण्डा अपनाया जो मुहम्मद रज़ा ने लॉर्ड क्लाइव के साथ अपनाया था। इसका असर हुआ। गवर्नर जनरल ने दीवानी के हिसाब में बड़ी गड़बड़ी पाई। जांच ही

नहीं शुरू हुई बल्कि हिंसक तरीक़े से 27 अप्रैल, 1772 को मुहम्मद रज़ा ख़ाँ अपराधी की तरह गिरफ़्तार कर लिए गये। उनकी जगह राजा नन्दकुमार के बेटे गुरुदास को नायब नाज़िम बना दिया गया।

1772 में मीर ज़ैनुलआब्दीन ख़ाँ के संरक्षक और उन्हें नौकरी देने वाले मुहम्मद रज़ा ख़ाँ गिरफ़्तार हो गये थे। दीवानी का काम कम्पनी ने अपने हाथ में ले लिया था। कम्पनी के शासन में जटिलताएँ पैदा हो गयी थीं। ऐसे हालात में मीर ज़ैनुलआब्दीन लखनऊ के नवाब आसिफ़ुद्दौला के वजीरे-आज़म सरफ़राज़ुद्दौला (28 जनवरी, 1775-मार्च, 1776 कार्यकाल) के बुलाने पर लखनऊ आ गये। वे अकेले नहीं आये थे, मिर्ज़ा अबू तालिब इस्फ़हानी भी उनके साथ थे। मिर्ज़ा अबू तालिब ने अपनी किताब 'तारीख़े आसफी' और दूसरी किताब 'खुलासतुल-अफ़कार' में काफ़ी विस्तार से अपने और मीर ज़ैनुलआब्दीन ख़ाँ के लखनऊ आने का हाल लिखा है।

मीर ज़ैनुलआब्दीन ख़ाँ और अवध के वज़ीरे-आज़म मुख्तारुद्दौला, दोनों ताबतबाई सैयद थे। यानी दोनों दूसरे इमाम के वंशज थे। इसके अलावा अवध उसी तरह शिआ सल्तनत थी जैसे मुर्शिदाबाद थी।

सैयद ज़ैनुलआब्दीन औसत कद और अच्छी काठी के आदमी थे। हड्डी चौड़ी थी। रंग बेहद साफ़ था, जो बंगाल की धूप में कुछ ललिहा गया था। नाक-नक्शा खड़ा था। किताबी चेहरे के बीच सितवाँ नाक, गहरी और चमकदार आँखें उनके संवेदनशील और बुद्धिमान होने का प्रमाण देती थीं। माथा चौड़ा था जिसके ऊपर दस्तार उनके 'पुराने जमाने के लोग' होने का सुबूत बन जाती थी। उस ज़माने में लखनऊ के युवा दुपल्ली टोपियों की तरफ़ आकर्षित हो रहे थे लेकिन पुराने अपनी 'दस्तारें' सँभाले हुए थे। उथल-पुथल, हिंसा, अराजकता, सत्ता के लिए षड्यंत्रों और युद्धों के लगभग पच्चीस साल के अनुभव ने उनके चेहरे पर प्रौढ़ता के निशान छोड़ दिए थे।

~ ~ ~

अवध के नवाब आसिफ़ुद्दौला तख्त पर बैठते ही इस फ़िक्र में लग गये थे कि अपनी माँ बादशाह बेगम के प्रभाव से कैसे निकलें। अपनी अथाह संपत्ति, बड़ी-बड़ी जागीरों और लम्बे-चौड़े अमले की मलिका बादशाह बेगम का अवध के बड़े-बड़े राजाओं और ज़मींदारों में बड़ा असर था। आसिफ़ुद्दौला ने अपनी माँ के प्रभाव से निकलने की ख़ातिर फ़ैजाबाद को खैरबाद कहा और लखनऊ को नयी राजधानी बनाया।

नवाब आसिफ़ुद्दौला के बारे में यह विश्वास के साथ कहा जाता है कि वे

एक विचित्र व्यक्ति और शासक थे। उनके व्यक्तित्व के अंतरविरोधों ने उनको एक पहेली बना दिया है। ईस्ट इंडिया कम्पनी के रेज़ीडेंट जॉन ब्रिस्टो ने आसिफ़ुद्दौला के बारे में लिखा है कि महामहिम के मनोरंजन लड़कों वाले हैं। वे अपने विश्वसनीय लोगों की नियुक्ति विवेक से नहीं करते। उनके व्यवहार में अस्थिरता और लम्पटता है। वे लम्पटों के साथ वार्तालाप करते हुए यह भूल जाते हैं कि वे नवाब हैं और इस प्रकार उनके आधीन उनकी आज्ञा का पालन नहीं करते। वे पूरा-पूरा दिन लम्पटों के सहचर्य में और शराब के नशे में गुज़ार देते हैं। वे और उनके नौकर तक नशे में अशोभनीय आचरण करते हैं। इस तरह की दिनचर्या के कारण उनके पास राज़कीय काम देखने का समय नहीं होता । मैं कम्पनी के कामों के संदर्भ में उनसे मिलने की प्रतीक्षा करता रहता हूँ और प्राय: मुझसे कहा जाता है कि मैं उनके मंत्रियों और विश्वसनीय लोगों से मिलूँ जिनको उन्होंने पूरे सरकारी काम सौंप रखे हैं।

एक दूसरे समकालीन अंग्रेज़ ने लिखा है कि नवाब बेवजह हँसते हैं, गंदी बातें और गाली गलौज़ करते हैं। बेकार के मनोरंजन से प्रसन्न होते हैं। गंदी भाषा बोलने वाले उन्हें प्रिय हैं। यहाँ तक कि जिसकी भाषा जितनी गंदी होती है वे उसे उतना ज़्यादा पसंद करते हैं।

'तारीखे अवध' में हक़ीम मुहम्मद नज़्मुलग़नी ने एक चश्मदीद इतिहासकार का हवाला देते हुए लिखा है कि बचपन से ही नवाब को ऐशो-आराम पसंद था। घटिया लोगों की सोहबत पसंद आती थी। बे-मौक़ा हँसना, गाली देना, और फिर गाली का जवाब गाली से पाने की आशा करना उनका स्वभाव था। उनकी पढ़ाई-लिखाई भी वैसी नहीं हो पाई थी, जैसी होनी चाहिए थी। यहाँ तक लिखा गया है कि वे बचपन से ही अप्राकृतिक यौन संबंधों में लिप्त थे। उनके बहुत से दुष्ट साथियों को उनके पिता नवाब शुजाउद्दौला ने दम घोंटकर या पानी में डुबो कर मार डालने की सजाएँ दी थीं। ऐसी भयानक सजाएँ दिए जाने से यह साबित होता है कि अप्राकृतिक यौन संबंधों में उनकी क्या भूमिका रहती होगी।

आसिफ़ुद्दौला की शादी निजामुद्दौला खानेखाना की बेटी शम्सुन्निसां बेगम से हुई थी। इतिहासकार बताते हैं कि शादी के बाद वे एक रात भी अपनी पत्नी के साथ न सोये थे। उनको अच्छी-अच्छी दवाएँ दी गयी थीं इलाज़ कराया गया था पर कोई पर फ़ायदा न हुआ था।

दूसरी तरफ़ इतिहासकार आसिफ़ुद्दौला को दानवीर, कला पारखी, गरीबों का मददगार, लखनऊ का शाहजहाँ भी मानते हैं। संसार का सबसे बड़ा इमामबाड़ा बनवाने के लिए आसिफ़ुद्दौला ने कई विशेषज्ञों से प्रस्ताव मँगवाये थे। और आखिरकार फ़ैसला दिल्ली के किफ़ायतउल्ला के दिए हुए नक्शे के पक्ष में किया गया था। यह

फ़ैसला जो आसिफ़ुद्दौला ने किया था, बड़ी सूझ-बूझ के बग़ैर संभव नहीं था। इतिहासकार बताते हैं कि 1783 में पड़े अकाल के समय इमामबाड़े का निर्माण राहतकार्य जैसा था। इमामबाड़ा बनाने का काम रात-दिन चलता था। दिन में ग़रीब और मज़दूर इमामबाड़ा बनाते थे। शरीफ़ लोग जो यह ज़ाहिर नहीं करना चाहते थे कि अकाल के कारण उनकी हालत इतनी खराब हो गयी है कि मज़दूरी करनी पड़ रही है, रात में आते थे और दिन भर जो बनता था उसे तोड़ देते थे। उन्हें भी मज़दूरी मिलती थी। मतलब यह है कि इमामबाड़ा अकाल पीड़ितों की मदद का एक ज़रिया था।

आसिफ़ुद्दौला लुच्चे-लफंगों को ही नहीं बहुत प्रतिभाशाली लोगों को भी पहचानते थे। उन्होंने अपने युग के अद्‌भुत प्रतिभाशाली क्लाड मार्टिन (1735-1800) को बुलाकर नौकरी दी थी। आसिफ़ुद्दौला अपने युग के नये आविष्कारों के लिए लालायित रहते थे और उन्हें किसी भी कीमत पर खरीदते थे। उन्होंने नजफ़ (इराक) में एक नहर के निर्माण के लिए सात लाख रुपया दान किया था। इस नहर के बन जाने से नजफ़ निवासियों को पानी की सुविधा हो गयी थी।

आसिफ़ुद्दौला की दानवीरता ने अपव्यय की सीमा पार कर ली थी। कहते हैं लखनऊ के दुकानदार यह कहकर दुकान खोलते थे कि जिसको न दे मौला उसको दे आसिफ़ुद्दौला। मतलब यही कि जिसे ऊपरवाला भी नहीं देता उसे आसिफ़ुद्दौला देता है।

उर्दू के प्रसिद्ध और श्रेष्ठ कवि मीर तक़ी मीर (1723-1810) को भी आसिफ़ुद्दौला ने लखनऊ बुलाया था। मीर तक़ी मीर की कविता का सम्मान करने वाला शासक निश्चित रूप से कला और साहित्य का कम-से-कम अध्येयता तो रहा ही होगा।

राजधानी बनाये जाने से पहले लखनऊ कोई बड़ा शहर न था। वहाँ आमतौर पर मुग़ल सेनाएँ डेरा डाला करती थीं। धीरे-धीरे मुग़ल सेनापतियों ने अपनी आसानी के लिए कुछ अहाते, कटरे बना दिए थे जिनके अंदर आबादी हो गयी थी। इन कटरों में अबू तुराब ख़ाँ का कटरा, मुहम्मद अली ख़ाँ का कटरा, सराय मोऑली ख़ाँ प्रमुख थे। चौक नाम का अकेला बाज़ार था-जो अकबरी दरवाज़े से लेकर गोल दरवाज़े चला गया था। चौक के ही पास ब्राह्मणों और कायस्थों के पुराने मोहल्ले थे। राजधानी बनने के बाद आसिफ़ुद्दौला के साथ फ़ैजाबाद की एक बड़ी आबादी भी लखनऊ आ गयी थी और फ़ैजाबाद के मोहल्लों के नाम पर ही लखनऊ में फतेह गंज, रकाब गंज, दौलत गंज, बेगम गंज जैसे तमाम मोहल्ले बस गये थे। राजा मुकैत राय ने मुकैत गंज और हसन रज़ा ख़ाँ ने हसन गंज बसाया था।

लखनऊ आकर आसिफ़ुद्दौला ने 'दौलतख़ाना' में, जिसे शीश महल भी कहा जाता है, क़याम किया था। नवाब को चूँकि शिकार का शौक था इसलिए शहर से फ़ासले पर कुछ शिकारगाहें भी बनवायी थीं। 1798 में क्लाड मार्टिन ने आसिफ़ुद्दौला के लिए 'कोठी हयात बख़्श' डिज़ाइन की थी जो आजकल राजभवन है। सरकारी दफ़्तर, मच्छी भवन क़िले में थे। दरबार भी वहीं लगता था।

~ ~ ~

मीर ज़ैनुलआब्दीन के साथ मुर्शिदाबाद से लखनऊ आये मिर्ज़ा अबू तालिब इस्फ़हानी की अपनी अलग दास्तान है। प्रो. हुमायूँ कबीर से लेकर प्रो. मुहम्मद हबीब तक ने उन्हें 18वीं सदी के लखनऊ का एक महत्त्वपूर्ण लेकिन रहस्यमय व्यक्ति माना है। कवि, इतिहासकार, संगीतज्ञ, खगोलशास्त्री, प्रशासक और पर्यटक मिर्ज़ा अबू तालिब के प्रसिद्ध फ़ारसी ग्रंथ 'तफ़ज़ीहुल ग़ाफ़लीन' के उर्दू अनुवादक डॉ. सरवत अली ने किताब की भूमिका में लिखा है : 'ये अफ़सोसनाक़ हक़ीक़त है कि अहले इल्म (ज्ञानीजनों) और अरबाबे तारीख़ (इतिहासकारों) ने उनके (अबू तालिब) हालात और कारनामों की तरफ़ तवज्जो (ध्यान) नहीं की, हाँ योरोप के बाज़ ओल्मा (कुछ विद्वानों) ने उनकी बाज़ तसनीफात (रचनाओं) के तरजुमे (अनुवाद) अंग्रेज़ी और फ्रांसीसी ज़बानों में शाया (प्रकाशित) किए, अबू तालिब की बेशतर तसनीफात (रचनाएँ) योरोप के कुतुबख़ानों (पुस्तकालयों) में महफूज़ (सुरक्षित) हैं और अब तक शाया (प्रकाशित) नहीं हुईं।'

अबू तालिब के वालिद हाजी मुहम्मद बेग ख़ाँ इस्फहान से दिल्ली आये और फिर लखनऊ आ गये थे। अबू तालिब का जन्म 1752 ईस्वी में लखनऊ में हुआ था। हालात ने ऐसे पलटे खाये कि अबू तालिब के वालिद हाजी मुहम्मद लखनऊ से मुर्शिदाबाद पहुँचे और वहाँ मुहम्मद रज़ा ख़ाँ नायब सूबेदार बंगाल की सरकार में नौकर हो गये। पाठक ध्यान देंगे कि पिछले पन्नों में मुहम्मद रज़ा ख़ाँ पर विस्तार से लिखा जा चुका है। मुहम्मद रज़ा ख़ाँ की सरकार में मीर ज़ैनुलआब्दीन भी काम करते थे। इन दो प्रौढ़ों की जल्दी ही दोस्ती हो गयी। अपने वालिद और ज़ैनुलआब्दीन के दोस्ताना रिश्ते को अबू तालिब ने कई जगह बहुत सम्मान से बयान किया है। लखनऊ में अबू तालिब ने अपने वालिद के दोस्त का साथ देने की बड़ी क़ीमत भी चुकाई थी।

लखनऊ में मीर ज़ैनुलआब्दीन ख़ाँ और मिर्ज़ा अबू तालिब को वज़ीरे आज़म मुख़्तारुद्दौला ने अपनी महलसरा में ठहराया था। वज़ीरे आज़म बन जाने के बाद मुख़्तारुद्दौला की महलसरा का नक़्शा ही बदल गया था। महलसरा में एक सिरे से

सब कुछ नया और बेशक़ीमती नज़र आता था। सिपाहियों की वर्दियों से लेकर झाड़ फानूस तक जगमगाया करते थे। मुख़्तारुद्दौला ने शाही खज़ाने का मुँह अपनी तरफ़ खोल दिया था। उन्हें कोई कुछ कहने वाला न था। रेजीडेण्ट बहादुर से लेकर नवाब तक उनकी मुट्ठी में थे। उस दौर में अगर कोई नवाब आसिफ़ुद्दौला को सलाम करने जाता था तो वे कहते थे हमें सलाम करने क्यों आये हो? मुख़्तारुद्दौला को सलाम करने जाओ। उन्हीं से कुछ मिल सकता है। हमारे पास कुछ नहीं है।

मीर ज़ैनुलआब्दीन ख़ाँ लखनऊ के रंग-ढंग देख रहे थे। दरबारी और ओहदेदार इशारों ही इशारों में बातें करते थे। सब डरा करते थे कि खुदा जाने ज़ुबान से क्या निकल जाये कि पकड़े जायें। आला हुज़ूर का तो लफ़्ज़ भी किसी की ज़ुबान पर न आता था। यह सब जानते और कहते थे कि वे अपने कमतरीन नौकरों को बड़े-बड़े ओहदे दे रहे हैं। ज़लील और कम हैसियत लोग शानदार घोड़ों और शाही हाथियों पर शहर में दनदनाते फिरते हैं। मुख़्तारुद्दौला का इससे कोई सरोकार न था क्योंकि इससे उन पर कोई फ़र्क़ नहीं पड़ता था।

रोज़-रोज़ होने वाली दावतों और तफरीहों से ज़ैनुलआब्दीन ख़ाँ कुछ तंग आ गये थे। उनका मक़सद तो काम की तलाश था। अबू तालिब भी नवाब वज़ीर से सरकार में कोई बड़ा ओहदा चाहते थे। मुख़्तारुद्दौला के पास इन दोनों की ज़रूरतों को समझने और पूरा करने का वक़्त न था। महफिलों में वे इतना मदहोश हो जाते थे कि गाना सुनने के अलावा और कुछ करने लायक न बचते थे। लेकिन इस दौरान मुख़्तारुद्दौला की एक शानदार महफिल में ज़ैनुलआब्दीन ख़ाँ का परिचय ख़्वाजासरा अल्मास अली से हो गया। परिचय क्या हुआ उन्हें खजाने की कुंजी मिल गयी। जिस इंतिज़ार में उन्होंने तीन-चार महीने गुज़ारे थे वह ख़त्म हो गया। आगे बढ़ने से पहले ख्वाजासरा मियां अल्मास अली के बारे में तफसील से बताना ज़रूरी है।

जिस समाज में धर्म, नस्ल, खानदान ही श्रेष्ठता के आधार हों वहाँ मियां अल्मास अली जैसे लोगों का होना चमत्कार ही माना जायेगा। नवाब आसिफ़ुद्दौला के दरबार में मियां अल्मास का दर्ज़ा बहुत ऊँचा था। नवाब उन्हें मामू कहते थे। नवाब की माँ, बहू बेगम, की पूरी जायदाद की देखभाल वही करते थे। अवध की सरकार की तरफ़ से दोआब का पूरा इलाका लगान वसूल करने को मिला हुआ था। वे एक करोड़ रुपये से अधिक मालगुज़ारी हर साल जमा कराते थे। नवाब बहुत मुश्किल मौक़ों पर उनसे मश्विरा किया करते थे। नवाब ने उन्हें अपना वज़ीरे आज़म भी बनाया था लेकिन एक दिन बाद ही मियाँ अल्मास ने इस्तीफा दे दिया था। लखनऊ में कोई ऐसा इज़्ज़तदार नहीं था जो उनका कर्ज़दार न हो। वे उदार, दयालु, हिम्मती, बुद्धिमान और वफ़ादार माने जाते थे। उन्होंने लाखों रुपये लगाकर

कई मस्जिदें और इमामबाड़े बनवाये थे। उसका कारोबार और कोठियाँ कलकत्ता, हैदराबाद और बम्बई तक फैली हुई थीं। उन्होंने उन्नाव ज़िले में एक गाँव बसाया था जो आज भी मियाँगंज के नाम से मौजूद है।

मियाँ अल्मास का ताल्लुक किसी ऊँचे ईरानी-तूरानी परिवार से नहीं था। उनका जन्म पूर्वी उत्तर प्रदेश के किसी किसान परिवार में हुआ था और वे जन्म से ही ज़न्खा थे। उनके परिवार जनों ने उन्हें बेच डाला था। वे ग़ुलामी की मंडी के बिकते-बिकते बहू बेगम, मतलब आसिफ़ुद्दौला की माँ के दहेज में फैजाबाद पहुँचे थे। एक ग़ुलाम ख्वाजासरा के रूप में उनकी सेवाओं, कार्यकुशलता, बुद्धिमानी और वफ़ादारी की भावना से बहू बेगम इतना प्रभावित हुई थीं कि उन्होंने अपनी जागीरों की देखभाल का काम मियाँ अल्मास को सौंप दिया था। धीरे-धीरे तरक्की करते हुए वे आसिफ़ुद्दौला के विश्वस्त दरबारियों में शामिल हो गये थे।

प्रतिभा-प्रतिभा को पहचानती है। मियाँ अल्मास अली ने ज़ैनुलआब्दीन ख़ाँ और मिर्ज़ा अबू तालिब को पहचान लिया था। उन्हें यह फ़ैसला करते देर नहीं लगी कि इन दोनों को वे अपने तहसील वसूली के काम में लगा सकते हैं। मियाँ अल्मास अली ने ज़ैनुलआब्दीन ख़ाँ को दोआब का एक बड़ा इलाका जो कोड़ा के नाम से जाना जाता था, दे दिया। यह पच्चीस लाख रुपये मालगुज़ारी का इलाका था। इतना बड़ा काम मिलने पर भी मीर ज़ैनुलआब्दीन अपने पुराने दोस्त के बेटे मिर्ज़ा अबू तालिब को भूले नहीं। इस इलाके के घाटमपुर, अकबरपुर, सिकन्दरा, बिलासपुर और फफूँद परगने लगान वसूल करने के लिए उन्होंने मिर्ज़ा अबू तालिब को दे दिये।

~ ~ ~

इस आख्यान में आगे चलकर एक बहुत महत्त्वपूर्ण आदमी आयेगा जिसके बारे में पहले से बता देना ज़रूरी है। अवध के दरबार में दो अफ़गानी भाई हैदर बेग ख़ाँ और नूर बेग ख़ाँ आमिल के पदों पर काम करते थे। दोनों पर ये इल्ज़ाम साबित हो गया था कि उन्होंने नवाब के खज़ाने में लगान की वाजिब रक़म नहीं जमा कराई है। इस इल्ज़ाम में दोनों भाई गिरफ़्तार कर लिए गये थे। दरबार के दूसरे लोग जो ईरान और तूरान के बड़े सम्मानित परिवारों से थे, वैसे भी इन भाइयों को अपने बराबर नहीं समझते थे। मीर ज़ैनुलआब्दीन तो कई बार कह चुके थे कि कम हैसियत और कमज़ात लोगों को आगे बढ़ाने का यही अंजाम होता है। इन दोनों भाइयों पर जब जुर्म साबित हो गया तो दरबार के सम्मानित और ऊँचे परिवार के लोगों ने कहा कि इन्हें वही सज़ा मिलनी चाहिए जो ऐसे मुजरिमों को मिलती है।

दोनों भाई कैदख़ाने में डाल दिए गये। तहसील वसूल करने वालों के डण्डों, लातों, घूँसों और गालियों का शिकार होते रहे। दोपहर को दोनों तपती धूप में बाँध दिए जाते थे और उन पर लगातार डण्डे बरसते रहते थे। नूर बेग ख़ाँ की पिटते-पिटते जान निकल गयी। हैदर बेग ख़ाँ भी मरने वाला था। लेकिन बहार अली ख़ाँ ने तरस खाकर इसका हाल नवाब आसिफ़ुद्दौला की माँ बादशाह बेगम को सुनाया तो उनको तरस आ गया। उन्होंने बीच में पड़कर हैदर बेग ख़ाँ को माफ़ी दिला दी। यही हैदर बेग ख़ाँ आगे चलकर क्या करता है यह देखने की बात है।

~ ~ ~

कोड़ा सरकार के आमिल हो जाने के बाद ज़ैनुलआब्दीन ख़ाँ ने चैन की साँस ली थी। कोड़ा सरकार अवध की बड़ी सरकारों में गिनी जाती थी और अबू तालिब के मुताबिक कोड़ा से करीब तीस लाख रुपये की तहसील वसूल होती थी। इसका इलाका आज के फतेहपुर ज़िले के अलावा कानपुर और इटावा के कुछ हिस्सों में फैला हुआ था। कोड़ा, आमिल की सरकार का सदर मुक़ाम हुआ करता था लेकिन दूसरे इलाकों में भी आमिल के नायब रहा करते थे या नायबों के कारिन्दे लगान वसूली का काम करते थे। ज़ैनुलआब्दीन ख़ाँ को कोड़े में पुराने आमिल की हवेली मिल गयी थी जिसके चारों तरफ़ उन्होंने ऊँची चहारदीवार उठवा कर उसे एक क़िले जैसी शक्ल दे दी थी। कोड़ा का पुराना किला करीब-करीब खण्डहर हो गया था लेकिन किले की फसील मजबूत थी और अंदर मस्जिद की इमारत के अलावा कुछ इमारतें ऐसी भी थीं जहाँ कम-से-कम फ़ौज को रखा जा सकता था। क़दीमी बस्ती होने की वजह से कोड़ा एक आबाद क़स्बा था। सौ साल पहले वाली रौनक तो नहीं रह गयी थी लेकिन रिन्ध नदी के रास्ते से ताजिरों और उनके माल असबाब का आना जाना कायम था। कोड़े में कुछ शरीफ़ों के पुराने ख़ानदान आबाद थे और बड़ी तादाद में नौमुस्लिम आबादी थी जिनमें गौतम खानज़ादों का बड़ा मुक़ाम था। राजपूतों के पुराने और प्रभावशाली ज़मींदार असोथर और अरगल में थे। ब्राह्मणों की बड़ी आबादियाँ गंगा किनारे के बड़े गाँवों जैसे भिटौरा और असनी में थीं। हसुआ और बिलन्दा भी दो बड़े इलाके थे जहाँ सैयद और पठान ज़मींदारों का बहुत असर था। इन इलाकों में इल्म-ओ-अदब का भी अच्छा-खासा माहौल था। हसुआ के दो मुक़ामी शायर सैयद रज़ी हसन 'सबा' और मीर अल्ताफ़ हुसैन 'ताबिश' की आसपास काफ़ी शोहरत थी। इन शायरों को ज़ैनुलआब्दीन ख़ाँ कभी-कभी कोड़ा आने की दावत भी देते थे। पालकियाँ लेकर कहार सिपाहियों और खिदमतगारों के साथ हसुआ जाते थे। पूरे एक दिन का रास्ता था। सुबह पहले पहर में रवाना

होते थे तो चिराग़ जले हसुआ पहुँचते थे।

कोड़ा में ज़ैनुलआब्दीन ख़ाँ की रिहायश शाहाना थी। बीसियों मुसाहिबों, असाबदारों, खिदमतगारों ओर सिपाहियों के साथ महलसरा में शहज़ादों की तरह रहते थे। आराम और असाइश का हर सामान मुहैया था। सुबह दरबार करते थे जिसमें इलाके से तहसील वसूल, आमदनी, खर्च और अहकामात के अलावा गरीब गुरबा की फरियादें सुनी जाती थीं। इलाके के नज़्मो-ज़प्त के सिलसिले में खबरनवीस अपने रुक़्क़े पेश करते थे। इलाके से आये परगनों के हाकिम और ज़मींदार अपने-अपने इलाक़ों का हाल बयान करते थे। खज़ांची, मीरमुंशी, पेशकार, मोहर्रिर रौशनाई से कागज़ स्याह करते, अहकामात लिखा करते थे।

सूरज ढलते ही महलसरा जगमगाने लगती थी। सैकड़ों शीशे के झाड़ फानूस, क़ुमक़ुमे, शाख़े, काफूरी श्म्ओं से इस तरह रौशन हो जाते थे कि दिन का गुमान होता था। दीवानखाने में सफ़ेद फर्श पर ईरानी कालीन बिछा दिए जाते थे। सरे महफिल एक बेशकीमती कालीन पर गावतकिए के सहारे ज़ैनुलआब्दीन ख़ाँ मसनद पर बैठते थे। उनके बराबर सिर्फ़ अबू तालिब को ही बैठने की इज़ाज़त थी क्योंकि मीर साहब अबू तालिब को अपने बड़े बेटे बाक़र अली ख़ाँ से कम न समझते थे। अबू तालिब भी ज़ैनुलआब्दीन ख़ाँ को अपने वालिद का जिगरी दोस्त और अपना सरपरस्त ही मानते थे। दोनों के मिज़ाज़ में भी मुमासलत थी। दोनों को शेरो-शायरी, इल्मो-अदब का शौक दीवानगी की हद तक था। दोनों फ़ारसी शायरी के आशिक़ थे। अबू तालिब अपनी फ़ारसी ग़ज़लें सबसे पहले ज़ैनुलआब्दीन ख़ाँ को ही सुनाते थे।

शेरो-सुखन की महफिल के बाद दस्तरख़ान लगता था। ज़ैनुलआब्दीन ख़ाँ को उस ज़माने के रईसों की तरह खाने का शौक़ था। इसी के तहत उनके बावर्चीख़ाने में लखनऊ के चार ख़ानसामा थे जिनमें से शाकिर मियाँ क़ोरमा कलिया और सालन पकाने के माहिर थे। मद्दू मियाँ बिरयानी और पुलाव में लाजवाब माने जाते थे। तीसरा फीरीनी, शाही टुकड़े, क़ुल्फी वगैरह के लिए था। चौथे बावर्ची की ज़िम्मेदारी शीरमाल, बाक़रखानी, कुलचे से लेकर रूमाली रोटी और रौग़नी टिकिया तैयार करना था। इन बावरचियों के साथ मसाला कूटने, पीसने और छानने वाले थे जो हवनदस्तों में बेहतरीन मसाला कूटते और सिलों पर पीसते थे क्योंकि अच्छे खाने का राज़ ही अच्छा मसाला है। ज़ैनुलआब्दीन ख़ाँ को मुर्ग़ के शोरबे में पकाई गयी अरहर की दाल पसंद थी और इसके लिए एक अलग बावर्ची तैनात था। उनके दस्तरख़ान पर आमतौर से बादाम का क़ोरमा या कभी ताल मखाने का सालन, फसल पर कीमा मटर, फसल पर ही शबदेग़, कगो क़ीमे के कबाब, सीख कबाब, कभी मछली के कबाब, अनारदाना पुलाव या मुतन्जन, चपाती, शीरमाल, अट्ठारह वर्की परांठे और

तरह-तरह की चटनियाँ हुआ करती थीं। मीठे में उन्हें फसल पर बूट का हलवा बहुत पसंद था। जब फसल नहीं होती थी तो वो आमतौर पर फ़ीरीनी पसंद करते थे।

मुर्शिदाबाद में पैदा होने और पलने-बढ़ने की वजह से मछली ज़ैनुलआब्दीन की कमज़ोरी थी। रिन्ध नदी से रेहू पकड़ने के लिए मछुआरे दिन-दिन भर जाल डाले पड़े रहते थे। कभी बड़ी तादाद में मछली मिल जाती थी तो कगो पोखर में डाल दी जाती थी ताकि वक़्ते ज़रूरत काम आये।

लखनऊ के मोहल्ले मोआली ख़ाँ की सराय में उन्होंने महलसरा बनवायी थी जिसमें उनके बड़े बेटे बाक़र अली ख़ाँ का क़याम था जबकि पूरा खानदान अभी मुर्शिदाबाद में था। वे जल्दी ही पूरे खानदान को लखनऊ लाना चाहते थे।

~ ~ ~

नवाब आसिफ़ुद्दौला के पिता नवाब शुजाउद्दौला के ज़माने में पूरा राजकाज इलीच खाँ, राजा सूरत सिंह और राजा पटरचंद देखते थे। ये लोग मुख़्तारुद्दौला (उस समय मुर्तुज़ा ख़ाँ) को अपने नौकरों से भी गया गुज़रा समझते थे। लेकिन नये ज़माने में मतलब आसिफ़ुद्दौला के दौर में मुख़्तारुद्दौला वजीरे आज़म थे और वे अपने पुराने दुश्मनों से हिसाब बराबर करना चाहते थे। एक वक़्त आया कि जब इलीच ख़ाँ को लगने लगा कि उनकी-गर्दन फंदे में आने ही वाली है। वे अपनी जान बचाने की गुहार करते रेज़ीडेण्ट के पास पहुँचे। रेज़ीडेण्ट ने उन्हें राय दी कि तुम किसी बहाने से, नवाब की इजाज़त लेकर, लखनऊ छोड़ दो। यह सुनकर इलीच ख़ाँ के दिमाग में एक नादिर विचार आया। आसिफ़ुद्दौला नवाब तो बन गये थे लेकिन उन्हें दिल्ली दरबार से पद् और मान्यता न मिली थी। दस्तूर के मुताबिक दिल्ली सम्राट ख़िल्अत (एक तरह का कीमती गाउन) देकर पद की स्वीकृति दिया करता था। इलीच ख़ाँ ने नवाब से कहा कि वे दिल्ली जाकर खिल्अत ला सकते हैं। नवाब ने न केवल सहर्ष आज्ञा दे दी बल्कि अच्छा खासा धन भी दिया। दूसरी तरफ़ मुख़्तारुद्दौला यह समझ गये कि इलीच ख़ाँ अगर खिल्अत ले आया तो नवाब की नज़रों में चढ़ जायेगा। इसलिए उन्होंने अपने दिल्ली दरबार के सूत्रों को लिखा कि इलीच ख़ाँ को किसी क़ीमत पर खिल्अत नहीं मिलना चाहिए। इस संघर्ष में इलीच ख़ाँ हार गये और अवध से भाग गये। मुख़्तारुद्दौला ने एक दुश्मन का सफ़ाया कर दिया।

मुख़्तारुद्दौला का रुतबा बुलंद से बुलंदतर होता जाता था। अपने सभी भाइयों को बड़े-बड़े खिताब दिला कर उन्होंने बहुत अहम ओहदों पर तैनात कर दिया था। रेजीडेण्ट बहादुर जान ब्रेस्टो से इतनी दोस्ती बढ़ गयी कि दिन में एक बार दोनों

की लाजमी मुलाक़ात होती थी। फिरंगी चाहते थे कि नवाब अपनी फ़ौजी ताक़त कम करे। मुख़्तारुद्दौला सही मौके की तलाश में थे जब नवाब को इस बात पर तैयार किया जा सके। लेकिन मुख़्तारुद्दौला को एक नये और ताक़तवर मोर्चे से ललकारा जाने लगा। यह मोर्चा था नवाब आसिफ़ुद्दौला की माँ और दादी का मोर्चा। मुख़्तारुद्दौला के हर काम और उनके हर आदमी में बेगमात ख़ामियाँ देखने लगीं। बेगमात के पास चूँकि अपार दौलत थी इसलिए अवध के ताक़तवर लोगों में उनकी बड़ी मान्यता थी। मुख़्तारुद्दौला को लगा कि इस नये मोर्चे को न तोड़ा गया तो उन पर इतने गोले गिरेंगे कि उनका पता भी नहीं चलेगा।

यह जग ज़ाहिर था कि नवाब शुजाउद्दौला के पूरे ख़जाने पर बेगमात का कब्ज़ा था। सरकारी ख़ज़ाना खाली था। लगान वसूल की रक़म आने में देर थी। नये नवाब आसिफ़ुद्दौला को पैसे की बड़ी ज़रूरत थी। मुख्तारुद्दौला ने नवाब को सीधा रास्ता बताया। बेगमात के पास जो पैसा है वह सरकारी ख़जाने का पैसा है। नवाब आसिफ़ुद्दौला ने जब अपनी माँ से रुपया माँगा तो इतिहासकार हकीम मुहम्मद ग़नी ख़ाँ के अनुसार उन्होंने बेटे से झल्ला कर कहा कि "अभी तेरे बाप को मरे दस रोज़ भी नहीं गुज़रे और मैं मातम के सोग में बैठी हूँ। ऐसा बेमहल (बेमौका) सवाल करना किस क़दर बेहयाई है। मुझे रोने की भी फुर्सत नहीं।..."

बहरहाल किसी सूरत आसिफ़ुद्दौला माँ से छः लाख रुपया ले गये। लेकिन इतनी छोटी सी रक़म 'उदार और दानी' नवाब के कब तक काम आती। कुछ दिनों बाद चार लाख रुपये और ले लिए। इस तरह माँ और बेटे के दिल में फ़र्क आ गया। मुख़्तारुद्दौला यही चाहते थे। इस मोर्चे को सर करने के बाद मुख़्तारुद्दौला में कमाल का अहंकार और घमंड पैदा हो गया था। बड़े-बड़ों का अपमान कर देना उनके लिए मामूली बात थी। अपनी शानो शौकत को इस तरह बढ़ा रहे थे कि वह नवाब की शान से टक्कर लेने लगी थी। उन्होंने नवाब के बुज़ुर्ग रिश्तेदारों जैसे सलार जंग, शेरजंग, मिर्ज़ा अली ख़ाँ वग़ैरह का भी सम्मान करना बन्द कर दिया था। अपने कामों की ज़िम्मेदारी ख़्वाजासरा अनवर को दे दी जो अव्वल नम्बर का लुच्चा था। खुद दिन-रात शराब के नशे में मदहोश रहने लगे थे। जाने कहाँ से जलालो नाम की एक रण्डी मिल गयी थी जिसने उन्हें अपना ज़रखरीद ग़ुलाम बना लिया था।

मुख़्तारुद्दौला की सत्ता के खिलाफ़ एक तीसरा विरोधी गिरोह भी षड्यंत्र कर रहा था। इस गुट का नेता नवाब की पैदल फौज का सरदार ख़्वाजा बसंत अली ख़ाँ था। उसे दो बड़े सरदार राजा झाऊलाल और तपरचन्द मदद दे रहे थे। उन्होंने एक मार्के में मुख़्तारुद्दौला के खिलाफ़ षड्यंत्र रचा था, लेकिन वह उससे बच निकला था। इस षड्यंत्र में सीधे-सीधे राजा झाऊलाल और तपरचन्द की शिरकत साफ़ थी।

नवाब वज़ीर ने इन दोनों को गिरफ़्तार करा लिया था। इनके गिरफ़्तार होने के बाद ख़्वाजा बसंत अली ने सोचा कि षड्यंत्रकारियों पर दबाव पड़ेगा तो उसका नाम भी सामने आ जायेगा। इसलिए उसने नवाब आसिफ़ुद्दौला के छोटे भाई सआदत अली ख़ाँ के साथ मिल कर यह योजना बनाई कि मुख़्तारुद्दौला वज़ीरे आज़म और नवाब आसिफ़ुद्दौला, दोनों की एक साथ हत्या कर दी जाये। अवध के तख़्त पर सआदत अली ख़ाँ बैठ जायेंगे।

इस दौरान एक दिन नवाब आसिफ़ुद्दौला ने ख़्वाजा बसंत अली से अपने वज़ीरे आज़म मुख़्तारुद्दौला की शिकायत की। बताया कि वह बहुत चालाक और ख़ुदसर है। वही काम करता है जो उसे करने होते हैं। हुकूमत का काम अच्छी तरह नहीं चल रहा है, वग़ैरह वग़ैरह। ख़्वाजा बसंत के लिए यह सुनहरा मौका था। उसने आसिफ़ुद्दौला की हाँ में हाँ ही नहीं मिलाई बल्कि नवाब से मुख़्तारुद्दौला को क़त्ल करने की इजाज़त भी ले ली। आसिफ़ुद्दौला जानते थे कि मुख़्तारुद्दौला से पीछा छुड़ाने का यही तरीक़ा है।

ख़्वाजा बसंत अली ने नवाब और मुख़्तारुद्दौला को एक साथ ठिकाने लगाने के लिए एक शानदार दावत का इंतिज़ाम किया। इस दावत में उसने मुख़्तारुद्दौला को बुलाया। चूँकि मुख़्तारुद्दौला को यह पता नहीं था कि नवाब ने उसे क़त्ल कर दिए जाने की इजाज़त दे दी है इसलिए वह दावत में आने पर तैयार हो गया। ख़्वाजा बसंत ने जब नवाब को दावत में आने की दावत दी तो नवाब टाल गये। उन्हें मालूम था कि इस दावत में ख़्वाजा बसंत अली मुख़्तारुद्दौला की हत्या कर देगा। उन्हें पता था कि मुख़्तारुद्दौला रेजीडेण्ट का खास आदमी है। वे इस पचड़े में न पड़ना चाहते थे। नवाब के इनकार कर देने से ख़्वाजा बसंत अली परेशान हो गया। वह नवाब को दावत में बुलाने तीन बार गया। नवाब के सामने दावत की तैयारियों और इंतिज़ाम की चर्चा की। नवाब को बहुत ललचाने की कोशिश की लेकिन कामयाब न हो सका। इस पर उसने सोचा कि मुख़्तारुद्दौला का काम तमाम करने के बाद वह नवाब से निपट लेगा।

मुख़्तारुद्दौला की हत्या की ज़िम्मेदारी अजब ख़ाँ को सौंपी गयी। अजब ख़ाँ के दोस्त फज़ल अली और तालिब भी उसके साथ शामिल हो गये। मौका देखकर, जब मुख़्तारुद्दौला गाना सुनने में मसरूफ था फज़ल अली ने उस पर तीन कदम आगे बढ़ कर पै-दर-पै तीन वार किये और वह खत्म हो गया। गाना गानेवालियाँ चीख़ें मारने लगीं और साजिन्दे गिड़गिड़ाने लगे कि कहीं उन्हें सुबूत मिटाने के लिए न मिटा दिया जाये। बसंत अली ने उन्हें दिलासा दिया कि ऐसा नहीं होगा। मुख़्तारुद्दौला के कत्ल की ख़बर फैल गयी।

इसके बाद ख़्वाजा बसंत नवाब के यहाँ आया और अन्दर जाने की इजाज़त माँगी। नवाब को यह शक भी नहीं था कि ख़्वाजा बसंत उनकी हत्या करने के इरादे से आ रहा है लेकिन फिर भी उन्होंने कहला भेजा कि ख़्वाजा बसंत अली अकेला अन्दर आ सकता है। वह अकेला अन्दर गया। नवाब जानते थे कि मुख़्तारुद्दौला के क़त्ल की तहक़ीक़ात रेज़ीडेण्ट जॉन ब्रेस्टो करेंगे। वे ख़्वाजा बसंत अली का भी बयान लेंगे। अपने बयान में अगर ख़्वाजा बसंत अली ने कह दिया कि उसने नवाब से मुख़्तारुद्दौला को क़त्ल करने की इजाज़त ले ली थी तो मामला बिगड़ जायेगा। इसलिए ख़्वाजा बसंत अली का दुनिया से उठ जाना ही बेहतर है। बसंत अली के अंदर आते ही नवाब ने नवाज़ सिंह को इशारा कर दिया और उसने एक ज़ोरदार तलवार का वार सिर पर किया और बसंत अली खत्म हो गया।

मुख़्तारुद्दौला के क़त्ल हो जाने के बाद नवाब और रेज़ीडेण्ट, दोनों ने मिर्ज़ा हसन रज़ा ख़ाँ को वज़ीरे आज़म बनाया। वे एक धार्मिक व्यक्ति थे। नवाब उन्हें 'भैया' कह कर पुकारते थे। उनका काम नवाब के साथ शिकारगाहों और दूसरी तफरीहों में शामिल रहना था। हसन रज़ा की कमियाँ ये थीं कि वे पढ़े-लिखे न थे और सरकार का कामकाज करने का उनको कोई अनुभव न था। दूसरे, वे गज़ब के अहंकारी थे। इस सूरत में कम्पनी के कहने पर नवाब ने हैदर बेग ख़ाँ को नायब वज़ीरे आज़म नियुक्त कर दिया था। पाठक ध्यान दें, ये वही हैदर बेग ख़ाँ हैं जिन्हें माल-गुज़ारी न दे पाने के आरोप में नवाब ने गिरफ़्तार करा दिया था। जिन पर तहसील वसूल करने वाले सिपाहियों के जूते और घूँसे पड़ा करते थे। जिनके बड़े भाई नूर बेग ख़ाँ इसी मारपीट की वजह से मर गये थे।

हुकूमत के कामों में न तो नवाब को दिलचस्पी थी और न वज़ीरे आज़म को। इसलिए पूरी हुकूमत हैदर बेग ख़ाँ के हाथ में थी जो कम्पनी के हित साधने की मजबूरी के अलावा हर काम में पूरी तरह खुदमुख़्तार था। स्याह और सफ़ेद का मालिक था। उसे अपना अतीत याद था। यह भी जानता था कि दरबार के उच्च वंशीय ईरानियों और तूरानियों ने न केवल उनकी मदद नहीं की थी बल्कि वे किसी हद तक उसके भाई की मौत के ज़िम्मेदार भी हैं। इसलिए हैदर बेग बदला लेने के भयानक रास्ते पर चल निकला। उसने दरबार के पुराने ख़ानदानी लोगों को सताना शुरू कर दिया। सूरत सिंह को निकाल दिया जो बरेली इलाके से करीब सत्तर लाख रुपया दिया करता था। यह इलाका उसने कुंदनलाल और दो-तीन कायस्थों को दे दिया।

हैदर बेग और रेज़ीडेण्ट के बीच बहुत दिनों से खींचा-तानी चल रही थी। रेज़ीडेण्ट को शिकायत थी कि अवध सरकार समय पर कम्पनी की सेनाओं का

वेतन नहीं भेज पाती। हैदर बेग रेज़ीडेण्ट की बढ़ती हुई ताक़त पर लगाम लगाना चाहते थे। उस उठापटक में हैदर बेग ने क्लाड मार्टिन को अपनी सहयोगी बनाया और उसके माध्यम से कलकत्ता में ईस्ट इण्डिया कम्पनी के गवर्नर जनरल की काउंसिल के एक सदस्य को यह प्रार्थनापत्र भेजा कि रेज़ीडेण्ट जॉन ब्रिस्टो पर से नवाब का विश्वास उठ चुका है और कम्पनी बहादुर अब किसी नये रेज़ीडेण्ट को लखनऊ भेजे। कम्पनी बहादुर ने इस पत्र पर तुरंत कार्यवाही करते हुए जॉन ब्रिस्टो को वापस बुला लिया और उनकी जगह पर दूसरा रेज़ीडेण्ट आ गया। यह हैदर बेग की शानदार विजय थी। नया रेजीडेण्ट मेडेल्टन हैदर बेग से बना कर रखता था। हैसियत और ज़्यादा मज़बूत बनाने के लिए हैदर बेग ने एक दूसरे बड़े प्रतिद्वंद्वी को ललकारा। इस व्यक्ति के बारे में पाठकों को कुछ जानकारियाँ मिल चुकी हैं। मियाँ अल्मास अली आसिफ़ुद्दौला की हुकूमत में बहुत बड़े और शक्तिशाली दरबारी थे। वे एक करोड़ रुपये से अधिक के मालगुज़ार थे। अपनी निजी सेना रखते थे। उन्होंने ही ज़ैनुलआब्दीन ख़ाँ को अपने एक इलाके की मालगुज़ारी का काम सौंपा हुआ था।

आरोप लगाया गया कि मियाँ अल्मास अली सरकारी खज़ाने में वाजिब मालगुज़ारी नहीं जमा करते। कभी वह मौसम की खराबी और फ़सल की बर्बादी को वजह बताते हैं तो कभी ये कहते हैं कि फलाँ-फलाँ इलाके में सिक्खों की फ़ौज ने तबाही मचा दी और काश्तकार लुट गये। हैदर ख़ाँ ने अल्मास अली पर लगाम कसी और उन्हें क़ायल माक़ूल करके कुछ लाख रुपये वसूल कर लिये। यह बात मियाँ अल्मास अली के दिल में लग गयी। उन्हें अंदाज़ा नहीं था कि हैदर ख़ाँ उनसे ऐसा बर्ताव करेगा। हैदर ख़ाँ से नाराज़ लोगों की फेहरिस्त में बड़े-बड़े नाम शामिल थे। इनमें एक नाम नवाब सालारजंग का था जो नवाब आसिफ़ुद्दौला के सगे मामू थे। मियाँ अल्मास अली उनके पास गये और अपनी पगड़ी उनके क़दमों पर डाल दी। कहा कि हुजूरे आला मैं तो सरकार का ग़ुलाम हूँ और मेरे पास जो है वह सरकार की अमानत है। लेकिन ये काबुली बच्चा हैदर ख़ाँ इस क़दर हद से बढ़ गया है कि न बड़े को देखता है और न छोटे को। किसी सूरत उसे वज़ारत से बाहर करना है। सालारजंग खुद भी हैदर ख़ाँ से बहुत दुःखी थे। फौरन तैयार हो गये। सोचा ये कि दाँव इतना पक्का होना चाहिए कि हैदर ख़ाँ की खटिया खड़ी हो जाये। सबसे पहले बेगमात को साधा गया। बेगमात भी हैदर ख़ाँ से ख़ार खाये बैठी थीं। उन्होंने न सिर्फ़ हामी भरी बल्कि पूरी मदद करने का इंतिज़ाम किया। किसी बहाने से नवाब को बुलाया गया और उन्हें हैदर ख़ाँ के बारे में ऐसा बताया गया कि वे हैदर ख़ाँ को निकाल देने को तैयार हो गये।

लेकिन एक मसला यह आ खड़ा हुआ कि हैदर बेग को वज़ीरे आज़म बनाते वक़्त नवाब ने कम्पनी बहादुर से यह समझौता किया था कि हैदर बेग को निकालने और दूसरा वज़ीरे आज़म रखने के लिए कम्पनी बहादुर की मंज़ूरी ज़रूरी होगी। भोले-भाले नवाब हाथ कटाये बैठे थे। हैदर बेग को निकालने के लिए कलकत्ता में बैठे ईस्ट इण्डिया कम्पनी बहादुर के गवर्नर जनरल की मंज़ूरी ज़रूरी थी। तय पाया कि गवर्नर जनरल से हैदर ख़ाँ को निकाल दिए जाने की मंज़ूरी लेने के लिए बहार अली ख़ाँ को कलकत्ता भेजा जाये। बहार अली ख़ाँ सोलह लाख रुपये और कीमती हीरे-जवाहरात लेकर कलकत्ता पहुँचा। गवर्नर जनरल से उसकी मुलाकात का हाल हकीम मुहम्मद नज्मुद्दीन ख़ाँ ने तारीखे अवध में इस तरह लिखा है, ''जिस कमरे में गवर्नर जनरल और उसकी (बहार अली खाँ) की मुलाकात हुई वहाँ एक पर्दा लिपटा हुआ था। गवर्नर जनरल के हुक्म से वह खोला गया। शुजाउद्दौला (नवाब आसिफ़ुद्दौला के पिता) की तस्वीर उस पर खिंची हुई थी। बहार अली ख़ाँ तस्वीर को देखकर खड़ा हो गया और आदाब तस्लीमात बजा लाया और आँखों में आँसू भर आये। गवर्नर जनरल ने फरमाया कि जिस दिन से ये शख़्स दरम्यान से उठ गया है दिल से तस्कीन-ओ-आराम ज़ायल (ख़त्म) हो गया है। उस वक़्त गवर्नर जनरल की मेम साहब एक तरफ़ बिल्ली के बच्चों के साथ खेल रही थीं। कीमती मोती जिसका हर एक दाना एक हज़ार रुपये से कम न होगा बड़े प्याले में डालकर उन पर बिल्ली के बच्चों को डाल दिया था। और वो उन पर से उठ नहीं सकते थे। जब उठने का इरादा करते पाँव के तले से मोती लुढ़क जाते और वह इस तमाशे से हँसती थीं। कान में जो उसके आवेज़े (बाली/बुंदे आदि) थे उनका हर एक मोती पचास हज़ार की कीमत से कम का न होगा। बहार अली ख़ाँ ने यह हाल देखकर अपने तहायफ़ (उपहार) को ले जाना मुनासिब नहीं समझा। कुछ बेहतरीन तोहफ़े गवर्नर जनरल के सामने रखे तो उसे देखकर उन्होंने कहा कि इनको उठा लो इसलिए कि दारुल सल्तनत (राजधानी) लंदन में ये बात मशहूर हो जायेगी कि एक करोड़ रुपये के तोहफ़े फैज़ाबाद से आये होंगे।''

हैदर बेग ने कच्ची गोलियाँ नहीं खेली थीं। उन्हें पता चल गया था कि उनके खिलाफ़ शिकायत गवर्नर जनरल तक पहुँच चुकी है। उन्होंने फौरन गवर्नर जनरल को ख़त भेजा कि बहार अली ख़ाँ की बातों पर तवज्जो न दी जाये। वे (हैदर बेग) कम्पनी के ख़ादिम हैं और एक करोड़ रुपया नज़राने के तौर पर पेश करेंगे। फिलहाल बारह लाख रुपयों की हुण्डी भेजी जा रही है। ये ख़त आते ही गवर्नर जनरल का रुख बदल गया। हैदर बेग और ज़्यादा मज़बूती से नायब वज़ीरे आज़म के पद पर जम गये।

अबू तालिब इस्फ़हानी ने अपनी किताब 'तफज़ीहुल-ग़ाफ़लीन' यानी 'तारीख़े आसफ़ी' में साफ़-साफ़ लिखा है कि नायब वज़ीरे आज़म हो जाने के बाद हैदर बेग जिन पुराने और खानदानी दरबारियों से बदला लेना चाहता था उनकी फेहरिस्त में पहला नाम ज़ैनुलआब्दीन ख़ाँ का था। हैदर बेग अबू तालिब से भी इसलिए नाराज़ था कि अबू तालिब ज़ैनुलआब्दीन का साथ छोड़कर उसके गिरोह में नहीं आ रहे थे। अब चूँकि हैदर बेग को कोई रोकने-टोकने वाला न था इसलिए उसने सबसे पहले ज़ैनुलआब्दीन को तबाह और बर्बाद करने के लिए षड्यंत्र रचे। हैदर ख़ाँ ने सन् 1777 ई. में साल के उन महीनों में जो तहसील वसूल के महीने माने जाते हैं, ज़ैनुलआब्दीन को लखनऊ तलब कर लिया। लखनऊ आते ही उन्होंने हैदर ख़ाँ को अपने आने की इत्तिल्ला दी और मुलाकात का वक़्त माँगा। लेकिन उनकी दरखास्त का कोई जवाब नहीं आया। तीन दिन इंतिज़ार करने के बाद उन्होंने दूसरा रुक्का भेजा। उसका भी जवाब नहीं आया। उन्होंने नायब वज़ीरे आज़म के दफ़्तर में पता लगवाया तो मालूम हुआ कि उनकी दोनों दरखास्तें 'हुज़ूर' ने देख ली हैं लेकिन कोई जवाब नहीं लिखवाया। तीसरी बार भी जब दरखास्त का जवाब नहीं आया तो ज़ैनुलआब्दीन ख़ाँ अपने खिलाफ़ की जाने वाली साज़िश समझ गये। उन्हें यह समझते देर नहीं लगी कि उनको लखनऊ बुलाने और फिर मिलने का वक़्त न देने का यही मतलब है कि तहसील वसूल में देर हो और उनसे जवाब तलब किया जाए। ज़ैनुलआब्दीन ने तहसील वसूली का काम मिर्ज़ा अबू तालिब के सुपुर्द कर दिया था और उन्हें पूरा यकीन था कि मिर्ज़ा उनकी ग़ैर मौजूदगी में भी वक़्त की पाबंदी और दीगर मामलात का ख़याल रखेंगे।

ज़ैनुलआब्दीन ने अपने लखनऊ के दोस्तों खासतौर पर मिर्ज़ा हसन और मेहंदी अली से इस मसले पर राय मश्विरा किया था। दोनों ने उन्हें बहुत एहतियात से क़दम उठाने की सलाह दी थी। अगर ज़ैनुलआब्दीन हैदर ख़ाँ से मिले बग़ैर वापस कोड़े लौट जाते हैं तो ये हुक्म उदूली क़रार पायेगा और उन पर सख़्त कार्यवाही हो सकती है। अगर कोड़े नहीं जाते तो तहसील वसूल के काम में कोई रुकावट नहीं आना चाहिए। ज़ैनुलआब्दीन ख़ाँ को मिर्ज़ा अबू तालिब पर पूरा यक़ीन था।

चिलचिलाती हुई दोपहर थी। गर्मी ऐसी थी कि खस की टट्टियाँ पानी डालते रहने के बावजूद सूख जाती थीं। दोपहर तो क़यामत खेज़ होती थी। लू और धूप मिलकर ऐसा ताण्डव करते थे कि आदमी क्या जानवर तक पनाह माँग लेते थे। पंखा झलने वालों के हाथों में छाले पड़ गये थे और पानी भरने वाले दो-दो पहर पानी ही भरा करते थे। दोपहर का खाना खाकर ज़ैनुलआब्दीन ख़ाँ दीवानखाने के तहखाने में चले जाते थे।

अचानक एक दोपहर खबर मिली कि मिर्ज़ा अबू तालिब आये हैं। इस ख़बर ने उनकी परेशानी बढ़ा दी। मिर्ज़ा अबू तालिब ने उन्हें जो बताया उससे उनकी परेशानी और बढ़ गयी। मिर्ज़ा अबू तालिब ने उन्हें काफ़ी तफसील से बताया कि इलाके के बड़े ज़मींदार लगान नहीं दे रहे हैं। सरकशी पर उतरे हुए हैं। इसकी वजह यह है कि उनको कहीं से कोई इशारा किया गया है। इशारा ऐसे आदमी ने किया है कि वे शेर हो गये हैं। ज़ैनुलआब्दीन ख़ाँ को समझते देर नहीं लगी कि लगान न देने का इशारा किसने किया है। लेकिन सवाल यह था कि अब किया क्या जाये। अगले माह तहसील वसूल शाही ख़जाने में जमा कराना है। अगर हिसाब पूरा न हुआ तो हैदर ख़ाँ गिरफ़्तार कराने में कोई कसर न छोड़ेगा। वो एक तरह से अपना और अपने भाई का बदला लेना चाहता था। वह चाहता था कि मीर ज़ैनुलआब्दीन पर सिपाहियों के डंडे, लात-जूते चलें और उन्हें पूरी तरह ज़लील किया जाये।

दूसरी तरफ़ हैदर बेग ने अपनी हैसियत और ज़्यादा मज़बूत कर ली थी। मिडिल्टन से हैदर बेग की अच्छी पटती थी क्योंकि उसकी हर सिफ़ारिश को हैदर बेग सिर आँखों पर लेता था। रेज़ीडेण्ट को और चाहिए भी क्या था? उसे पल-पल की खबरें मिल जाया करती थीं और हैदर बेग को उसका संरक्षण प्राप्त था। सत्ता के दोनों सिरे हाथ में आ जाने के बाद हैदर बेग और ज़्यादा आक्रामक हो गया था।

ज़ैनुलआब्दीन के खिलाफ़ हैदर बेग जो साज़िश रच रहा था उसमें कामयाब हो गया। कोड़ा से न सिर्फ़ वक़्त पर तहसील वसूली नहीं आई बल्कि उसमें तीन लाख रुपयों की कमी भी हो गयी। इस पर कार्यवाही होने ही वाली थी कि ज़ैनुलआब्दीन ने अपनी जेब से तीन लाख देकर जान छुड़ाई थी। इस तरह हैदर बेग अपने मक़सद में कामयाब नहीं हो सका पर उसने हार नहीं मानी।

हैदर बेग ज़ैनुलआब्दीन ख़ाँ को बिल्कुल अकेला कर देना चाहता था। नवाब के दरबारी और लखनऊ के बाइज़्ज़त लोग हैदर बेग के डर की वजह से ज़ैनुलआब्दीन ख़ाँ से ताल्लुक़ात खत्म कर चुके थे। अगर कोई उनसे मिलता-जुलता भी था तो इतनी एहतियात से कि किसी को ख़बर न हो। मियाँ अल्मास जैसे ताक़तवर लोग भी हैदर बेग से कोई टकराव नहीं चाहते थे। लेकिन मिर्ज़ा अबू तालिब ने ज़ैनुलआब्दीन ख़ाँ का साथ नहीं छोड़ा था। हैदर बेग के आदमियों ने अबू तालिब को कई बार समझाया था कि ज़ैनुलआब्दीन ख़ाँ का साथ उन्हें बहुत महँगा पड़ेगा लेकिन अबू तालिब टस से मस नहीं हुए थे। वे जानते थे कि अब हैदर बेग उनके खिलाफ़ भी कई मोर्चे खोल देगा।

हैदर बेग के जासूस उसे बराबर खबर करते रहते थे कि अबू तालिब ज़ैनुलआब्दीन

ख़ाँ की तरफ़दारी कर रहे हैं। हैदर बेग चूँकि ज़ैनुलआब्दीन ख़ाँ को तन्हा करके तबाह करना चाहता था इसलिए उसे अबू तालिब का रवैया बड़ा नागवार लगता था। उसने अपने कई ख़ास लोगों के ज़रिये अबू तालिब को यह पैग़ाम भेजा कि अगर वो ज़ैनुलआब्दीन की तरफ़दारी छोड़ दें और उनके साथ शामिल हो जायें तो उन्हें बहुत फ़ायदा पहुँच सकता है। अबू तालिब इस लालच में नहीं आये। हैदर बेग को भी पता चल गया कि अबू तालिब उसकी बात नहीं मानेंगे। इसलिए हैदर बेग ने अबू तालिब के खिलाफ़ भी साज़िशें शुरू कर दीं।

~ ~ ~

तक़रीबन सभी इतिहासकार और गज़ेटियर यह बताते हैं कि ज़ैनुलआब्दीन ख़ाँ की पत्नी का नाम मिसरी बेगम था। मुर्शिदाबाद की तीनों वंशावलियों में मिसरी बेगम की तलाश हैरत में डाल देने वाले नतीजे तक पहुँचती है और मज़ेदार और सोचने वाली बात यह है कि किसी इतिहासकार ने मिसरी बेगम का उल्लेख करते हुए उनके बारे में सबसे बड़ा तथ्य पता नहीं क्यों नहीं बताया। मुर्शिदाबाद की सभी वंशावलियों में सिर्फ़ एक मिसरी बेगम हैं। बहुत साफ़ तौर पर यह पता चलता है कि मिसरी बेगम बंगाल के नवाब मीर जाफ़र की बेटी थीं। मीर जाफ़र से ज़ैनुलआब्दीन ख़ाँ की पुरानी रिश्तेदारी तो संदिग्ध हो सकती है लेकिन इसमें कोई शक नहीं कि मीर जाफ़र ज़ैनुलआब्दीन ख़ाँ के ससुर थे। और इस तरह बाक़र गंज के सैयदों में कहीं मीर जाफ़र का ख़ून शामिल है।

लखनऊ आते वक़्त ज़ैनुलआब्दीन ख़ाँ मिसरी बेगम और बच्चों को मुर्शिदाबाद छोड़ आये थे। लखनऊ में महलसरा बनवा लेने और कोड़ा में रिहायशी इंतिज़ाम पूरे कर लेने के बाद ज़ैनुलआब्दीन ख़ाँ अपने परिवार को लेने मुर्शिदाबाद चले गये। हैदर ख़ाँ को उनके खिलाफ़ एक और षड्यंत्र करने का सुनहरा मौक़ा मिल गया। इस षड्यंत्र का पूरा हाल मिर्ज़ा अबू तालिब ने अपनी किताब 'तारीख़े अवध' में लिखा है। हैदर बेग ने अपने एक खास आदमी इस्माइल बेग के ज़रिये लखनऊ में एक खौफ़नाक अफवाह फैलवा दी। अफवाह यह थी कि ज़ैनुलआब्दीन ख़ाँ मुर्शिदाबाद से वापस लौट कर लखनऊ नहीं आयेंगे। मुर्शिदाबाद से अपने खानदान को लेकर वे इलाहाबाद तक आयेंगे और फिर कानपुर होते हुए इटावा से आगे निकल कर नज़फ ख़ाँ ज़ुलफ़िराक़उद्दौला की सेना से मिल जायेंगे। ज़ैनुलआब्दीन के पास जो आठ हज़ार फ़ौज और तोपखाना है वह अवध के नवाब के दुश्मन की फ़ौज का हिस्सा बन जायेगा। यह अफवाह शहर में ऐसी फैली कि दरबार से लेकर रेज़ीडेन्सी तक इसकी चर्चा होने लगी। ज़ैनुलआब्दीन ख़ाँ को नवाबे अवध का दुश्मन

क़रार दिया गया। उन्हें एहसान फरामोश बताया गया। उनके दोस्तों और शुभचिंतकों को भी शक के घेरे में लिया गया। धीरे-धीरे यह ख़बर इतनी गर्म हो गयी कि हैदर बेग ने ज़ैनुलआब्दीन ख़ाँ के उन रिश्तेदारों को गिरफ़्तार कर लिया जो लखनऊ में थे।

मिर्ज़ा अबू तालिब जानते थे कि यह खबर अफवाह है। उन्होंने जगह-जगह इस षड्यन्त्र का भंडा फोड़ किया दरबारियों, आमिलों और अहलकारों को समझाया कि ज़ैनुलआब्दीन ख़ाँ ऐसा नहीं करेंगे और वे सीधे लखनऊ आ रहे हैं। हैदर ख़ाँ को यह ख़बर मिलती रहती थी कि मिर्ज़ा अबू तालिब ज़ैनुलआब्दीन ख़ाँ का बचाव करने में लगे हुए हैं। हैदर बेग चाहता तो ये था कि ज़ैनुलआब्दीन ख़ाँ को गिरफ़्तार करने की इजाज़त नवाब से ले ले। उसने एड़ी चोटी का ज़ोर लगा दिया था लेकिन दरबार के ईरानी गुट ने उसे कामयाब नहीं होने दिया। तहसीन अली खाँ, मिर्ज़ा हसन, मेहंदी अली वग़ैरह के दबाव की वजह से हैदर ख़ाँ अपने मंसूबे में कामयाब नहीं हो सका।

एक महीने के बाद गोमती के रास्ते ज़ैनुलआब्दीन ख़ाँ और उनका ख़ानदान लखनऊ आ गया। अपनी इस चाल को मात होता देखकर हैदर ख़ाँ ने पैंतरा बदला। उसने ज़ैनुलआब्दीन को अकेला कर देने के लिए उनके सबसे बड़े हमदर्द मिर्ज़ा अबू तालिब पर निशाना साधा। योजना यह बनाई कि अबू तालिब को न सिर्फ़ लूट लिया जाये बल्कि ज़लील भी किया जाये और फिर क़त्ल कर दिया जाये। एक भयानक साज़िश को अमली जामा पहनाने के लिए उसने अपने ख़ास-ख़ास लोगों से कहा कि वे घाटमपुर (अब कानपुर ज़िला) जाकर वहाँ के सरकाश ज़मींदारों से मिलें और उन्हें इस बात के लिए उकसायें कि अबू तालिब जब लगान वसूल करने आयें तो उन्हें लूट लें और क़त्ल कर दें। सरकश ज़मींदारों के लिए नायब वज़ीरे आज़म का इशारा काफ़ी था।

अबू तालिब हर साल की तरह पाँच सौ सिपाही लेकर घाटमपुर पहुँचे और हर साल की तरह किले में ठहरे। उनके आने की ख़बर फैलते ही किले के इर्द-गिर्द इलाके के बदमाश जमा होने लगे। अबू तालिब को यह पता लगते देर नहीं लगी कि उन्हें घेरा जा रहा है और सरकशी के पीछे किसका हाथ है। ऐसी सूरत में लखनऊ से मदद मिलने का कोई सवाल न था। घाटमपुर का किला चूँकि मजबूत किला था और चारों तरफ़ खंदकें थीं इसलिए हमला करना आसान न था। अबू तालिब के पास चार तोपें थीं जिन्हें सही जगहों पर लगा दिया गया था। उन्होंने इस घटना के बारे में 'तारीख़े आसफी' में लिखा है, "इस हंगामे में पन्द्रह दिन मैं कमरबस्ता (कमर बाँधे) और चार पाँच सौ सिपाहियों के साथ हर वक़्त मरने-मारने पर तैयार रहा।" लेकिन अबू तालिब कहाँ तक घाटमपुर किले में कैद रहते।

बाहर सरकशों की तादाद बढ़ रही थी। ख़बर उड़ा दी गयी थी कि अबू तालिब के पास बड़ा ख़ज़ाना है। आखिरकार दुश्मन को धोखा देने के लिए उन्होंने एक चाल चली। यह मशहूर करा दिया कि वे मूसा नगर के रास्ते कन्नौज़ घाट से इटावा जायेंगे। वहाँ गढ़ी में ठहरेंगे। इस ख़बर के फैलते ही बदमाशों के गिरोह मूसा नगर के रास्ते पर घात लगा कर बैठ गये। अबू तालिब ने अपना सामान कोड़े की तरफ़ रवाना करा दिया और खुद पाँच सौ सिपाहियों के साथ किले से बाहर निकले। बाहर निकलते ही उन्होंने तोपें दगवा दीं ताकि लोग दहल जायें। उन्होंने सिपाहियों को हुक्म दिया कि लगातार गोलियाँ चलाते रहें। उन्होंने लखनऊ के लिए कोड़े वाला रास्ता पकड़ा और खैरियत से लखनऊ पहुँच गये। लखनऊ में लोगों को जब इस घटना की जानकारी मिली तो अबू तालिब का बड़ा नाम हुआ।

~ ~ ~

कम्पनी बहादुर की भूख बढ़ती ही जाती थी। आसिफ़ुद्दौला का ख़ज़ाना खाली था। कम्पनी बहादुर एक ऐसा साहूकार था जिसके खाते में लेनदारी हमेशा बनी रहती है। गवर्नर जनरल वारेन हेस्टिंग ने जब नवाब पर कर्ज़ अदा करने के लिए ज़ोर डाला तो नवाब को फिर अपनी माँ और दादी की याद आई। लेकिन इस बार रास्ता दूसरा अपनाया गया। कम्पनी बहादुर की फ़ौज और रेज़ीडेण्ट नवाब के साथ फैजाबाद गये और बेगमों के महलों पर कम्पनी की फ़ौज ने कब्ज़ा कर लिया। बेगमों के ख़्वाजासरा जवाहर अली ख़ाँ और बहार अली ख़ाँ जो बेगमों की जागीरों, ख़ज़ाने, फौज वग़ैरा का काम देखते थे गिरफ़्तार कर लिए गये और यहाँ तक कि उन पर सख़्ती की गयी। उनसे पूछा गया कि बेगमों का ख़ज़ाना कहाँ है और उसमें कितना पैसा है। ख़्वाजासराओं को बेड़ियाँ पहना दी गयीं। सख़्ती के बावजूद वे कुछ बता नहीं रहे थे। पता चला बहार अली ख़ाँ अफीम बहुत खाता है। उसकी अफीम बंद कर दी गयी ताकि ख़ज़ाने का पता बता सके। अफीम बंद होने से बहार अली की जान पर बन गयी और आखिरकार उसने बताया कि मोती महल में ही ख़ज़ाना है। हैदर बेग ने न सिर्फ़ नक़द रुपया बल्कि हीरे-जवाहरात, कीमती ज़ेवर और दूसरा सामान भी ज़ब्त कर लिया। ख़जाने में सोलह लाख रुपये और सवा लाख अशर्फियाँ पायी गयीं। यह सब माल लखनऊ रवाना कर दिया गया ताकि कम्पनी बहादुर के कर्ज़ की देनदारी हो सके।

1783 में पड़ा अकाल भयानक था। इसकी चपेट में अवध ही नहीं लगभग पूरा उत्तरी हिन्दुस्तान आ गया था। दाने-दाने को तरसते किसान गाँव छोड़ रहे थे। बड़े-बूढ़े कहते थे कि ऐसा भयानक अकाल न उन्होंने कभी देखा था और न पुराने

लोगों ने कभी ऐसे अकाल के बारे में बताया था। गाँव में अनाज न था। लखनऊ के चारों तरफ़ हज़ारों किसान मौत और ज़िन्दगी की लड़ाई लड़ रहे थे। बिकते-बिकते नौबत लड़कियाँ बिकने पर आ गयी थी। माना जाता था लड़की तो बच ही जायेगी और परिवार के बचने की उम्मीद बढ़ जायेगी। लखनऊ में लड़कियों का बाज़ार गर्म था। हैदर बेग के हरम का इंतिज़ाम करने वाले अपने मालिक की ख़्वाहिशात को समझते हुए अच्छी जवान खूबसूरत लड़कियाँ खरीद रहे थे। बुढ़ापे में हैदर ख़ाँ का यह शौक कुछ ज़्यादा ही बढ़ गया था। लखनऊ के बड़े-बड़े हकीमों के पास सैकड़ों नुस्खे थे जिनकी मदद से हैदर ख़ाँ बुढ़ापे में जवानी का आनंद बटोरता था।

अवध के नवाब ने भूख से मरते हुए किसानों के लिए राहत-कार्य के तौर पर बड़ा इमामबाड़ा बनवाने का फ़ैसला किया। यह ख़बर जंगल की आग की तरह फैल गयी कि नवाब आसिफ़ुद्दौला दुनिया का सबसे बड़ा इमामबाड़ा बनवाना चाहते हैं और इमारतें बनाने के किसी भी माहिर को अपना नक़्शा पेश करने की इजाज़त है। जल्दी ही नक्शे पेश होने लगे। नवाब की आँखें एक ऐसे नक्शे की तलाश में थीं जो खूबसूरत होने के साथ-साथ ऐसा हो कि दुनिया में अपनी आप ही मिसाल हो। इमारतसाज़ी में माहिर किफ़ायतउल्ला का नक्शा आसिफ़ुद्दौला को पसंद आया। किफ़ायतउल्ला का दावा सही था कि यह खूबसूरत इमारत कई तरह से नायाब होगी। इस जैसी दूसरी इमारत हिन्दुस्तान में तो क्या दुनिया में न होगी।

इमामबाड़ा बनना शुरू हुआ। कहते हैं दिन में ग़रीब ग़ुरबा, गाँवों से आये किसान, मज़दूर और दूसरे खस्ताहाल लोग इमामबाड़ा बनाने का काम करते थे। मज़दूरी पाते थे। रात में शहर के सफ़ेदपोश मज़दूरी करने आते थे ताकि उन्हें कोई मज़दूरी करते देख न ले। इन शरीफ़ मज़दूरों से दिन में बनाई गयी इमारत को तोड़ने का काम लिया जाता था और उसकी मज़दूरी दी जाती थी। 1791 में इमामबाड़ा बनकर तैयार हुआ था।

~ ~ ~

उन्नीसवीं शताब्दी के लखनऊ में, खासतौर पर नवाब आसिफ़ुद्दौला के दौर, में मार्टिन नाम का एक फ्रांसीसी बहुत अनोखा और प्रतिभाशाली आदमी था। फ्रांस के एक छोटे से कस्बे में जन्मे मार्टिन ने जवानी के दिनों में जब भारत जाकर धनवान बनने के लिए कमर कसी थी तो उसकी माँ ने उससे कहा था कि तुम जब लौट कर आना तो बग्घी पर आना। मार्टिन लौटकर अपने गाँव तो कभी नहीं जा सका लेकिन उसने अपार धन कमाया। यदि फ्रांस में क्रान्ति न हो गयी होती तो वह निश्चय ही सैकड़ों

बग्घियों पर बैठकर अपने गाँव जा सकता था।

मार्टिन फ्रेंच कम्पनी की सेना में भारत आया था। लेकिन उसे जल्दी ही पता चल गया था कि इस देश में अंग्रेज़ों का प्रभुत्व ही चलेगा और वह अंग्रेज़ी सेना में शामिल हो गया था। तरक्की करते-करते वह मेजर जनरल के पद तक पहुँच गया था। मार्टिन सैनिक के रूप में टीपू सुल्तान के खिलाफ़ लड़ी जाने वाली अंतिम लड़ाई में शामिल हुआ था। वह तोपें ढालने से लेकर बड़े घंटे और सिक्के ढालने तक का काम जानता था। वह कमाल का वास्तुशास्त्री था। उसने कई भव्य इमारतों के नक्शे बना कर इमारतें बनवाई थीं। आज जो लखनऊ का राजभवन है उसका नक्शा और इमारत क्लाड मार्टिन ने ही बनायी थी। वह पाण्डुलिपियों और कलाकृतियों का बहुत प्रसिद्ध संग्रहकर्ता था। उसकी लायब्रेरी में अनेक भाषाओं की चार हज़ार पाण्डुलिपियाँ थीं। वह सफल बैंकर या उस समय की शब्दावली में महाजन था। उसने अवध के नवाब को उस समय का सबसे बड़ा कर्ज़ दिया था जो दो लाख पचास हजार पाउण्ड था। उसका 'नील व्यापार' हिन्दुस्तान से लेकर योरोप तक फैला हुआ था। दिल्ली, बम्बई और कलकत्ता में उसकी बड़ी सम्पत्ति थी। मार्टिन केवल धनवान ही नहीं था। वह समाज सुधारक भी था। विशेष रूप से शिक्षा के क्षेत्र में उसका बड़ा योगदान है। आज भी उसके बनाये तीन विख्यात स्कूल लखनऊ, कलकत्ता, और उसके पैतृक गाँव लिन (फ्रांस में) चल रहे हैं। मार्टिन ने अपना एक अनोखा ऑपरेशन भी किया था। मूत्राशय में फँसी पत्थरी को उसने तार अंदर डालकर तोड़ा था और फिर वह पेशाब के साथ बाहर आ गयी थी।

1785 में मार्टिन ने नवाब आसिफ़ुद्दौला और लखनऊ वासियों को एक नया चमत्कार दिखाया था। फ्रांस में पहली 'हॉट एयर बैलून' गर्महवा भरे गुब्बारे से उड़ने का दिसम्बर 1783 में प्रदर्शन हो जाने के दो साल के अन्दर मार्टिन ने लखनऊ में यह करिश्मा कर दिखाया था। नवाब आसिफ़ुदौला को अपने स्वभाव और प्रकृति के कारण यह खेल बहुत मज़ेदार लगा था। नवाब ने मार्टिन से कहा था कि उसे इतना बड़ा गुब्बारा बनाना चाहिए जिसके माध्यम से बीस-पच्चीस लोग उड़ सकें। मार्टिन ने कहा था यह खतरनाक हो सकता है। लोगों की जान जा सकती है। नवाब ने जवाब दिया था कि इससे तुम्हें क्या मतलब।

~ ~ ~

सत्ता के अनगिनत रूप हैं। हैदर ख़ाँ के पास सत्ता थी। उन्होंने दीवान टिकैत राय को एक इशारा किया और ज़ैनुलआब्दीन ख़ाँ के मालगुज़ारी के बही खातों में सैकड़ों कमियाँ निकलने लगीं। उन्हें दीवानी दफ़्तर में रोज़ बुलाया जाता था और दो-दो

चार-चार साल पहले किये गये हिसाब को खोलकर यह बताया जाता था कि उसमें क्या कमी रह गयी है। ज़ैनुलआब्दीन ख़ाँ समझ गये थे कि अब इस परेशानी से छुटकारा मिलना मुश्किल है। उनके करीब तरीन दोस्त भी यहाँ उनका साथ नहीं दे सकते थे। कुल मिलाकर सिर्फ़ मिर्ज़ा अबू तालिब थे जो उन पर की जाने वाली ज़्यादतियों का इधर-उधर ज़िक्र करते थे। लेकिन सुनने वाले कानों में उँगलियाँ डाल लेते थे कि उन्हें कुछ सुनाई न दे।

फ़ारसी शायरी और घुड़सवारी के शौकीन ज़ैनुलआब्दीन हिसाब-किताब के दौरान की जाने वाली पूछताछ और अहलकारों के अपमानजनक व्यवहार से बहुत टूट गये थे।

~ ~ ~

क्या हकीक़त में मीर ज़ैनुलआब्दीन ख़ाँ मुर्शिदाबाद की नज़फ़ी वंशावली के थे? मैंने उनकी पत्नी मिसरी बेगम, उनके मुर्शिदाबाद जाकर परिवार लाने और उनके नवाब मुहम्मद रज़ा ख़ाँ के साथ काम करने के आधार पर यह निष्कर्ष निकाला है कि उनकी नज़फ़ी वंशावली थी। इस के आधार पर उनके पिता का नाम सैयद इस्माइल ख़ाँ, दादा का नाम सैयद ज़ैनुद्दीन और परदादा का नाम सैयद हुसैन नज़फ़ी तबातबाई सुनिश्चित होता है। लेकिन मीर ज़ैनुलआब्दीन के समकालीन ही नहीं बल्कि उनसे निकट और व्यक्तिगत संबंध रखने वाले मिर्ज़ा अबू तालिब अपनी पुस्तक में सैयद ज़ैनुलआब्दीन के बारे में लिखते हैं : "इस साल (1775 ई.) में माहे रमज़ान में राक़िमुल हुरूफ़ (अबू तालिब) सैयद ज़ैनुलआब्दीन के साथ मुख़्तारुद्दौला के बुलाने पर लखनऊ आया। मुख़्तारुद्दौला बड़ी इज़्ज़त से मिला और दो हज़ार सवारों व प्यादों पर अफ़सर मुक़र्रर कर दिया। यहाँ पर अपना और ज़ैनुलआब्दीन ख़ाँ का इस सरकार (अवध) के साथ क़दीम ताल्लुक बयान करना मुनासिब मालूम होता है। ख़ान मैसूफ़ (मीर ज़ैनुलआब्दीन ख़ाँ) मशहद (ईरान) के मशहूर सादात (सैयदों) में से थे। वो इल्मो फ़ज़ल (ज्ञान और अच्छाइयों) और इल्मे तिब (चिकित्सा शास्त्र) में मुमताज़ (विशिष्ट) थे। हिन्दुस्तान आने के इब्तिदाई (शुरुआती) ज़माने में सफदरजंग के भतीजे मुहम्मद क़ुली ख़ाँ से दोस्ती पैदा करके हर जगह उनके साथ रहे। मुहम्मद क़ुली ख़ाँ के गिरफ़्तार होने के वक़्त उसकी रिहाई की कोशिश की और जब उसका कोई असर न हुआ तो शुजाउद्दौला के दबदबे से डर कर बंगाल की राह ली।"

मिर्ज़ा अबू तालिब का ऊपर दिया विवरण मेरी इस धारणा को पूरी तरह ध्वस्त कर देता है कि मीर ज़ैनुलआब्दीन का संबंध मुर्शिदाबाद के नज़फ़ी वंश से था।

मिर्ज़ा अबू तालिब के अनुसार वे स्वयं हिन्दुस्तान आये थे और सफदरजंग के भतीजे मुहम्मद क़ुली ख़ाँ के साथ हो गये थे। इस तरह मीर ज़ैनुलआब्दीन का वंश मुर्शिदाबाद का नज़फ़ी वंश नहीं हो सकता। इस धारणा पर दूसरा सवालिया निशान टाम विल्यम वेल के फ़ारसी में लिखे इतिहास की किताब 'मिफ़्ताहुत-तवारीख़' से लगता है। इसमें ज़ैनुलआब्दीन के संदर्भ में दर्ज है कि उनके पिता का नाम शुजाउद्दीन था और दादा का नाम शाह क़ुली ख़ाँ था। परदादा का नाम मुहम्मद तक़ी लिखा गया है। मुर्शिदाबाद के नज़फ़ी वंश में ये तीनों नाम वहाँ नहीं मिलते।

इस तरह यह निश्चित नहीं हो सका है कि मीर ज़ैनुलआब्दीन ख़ाँ का संबंध किस वंश से था।

~ ~ ~

हैदर बेग ख़ाँ हर कोशिश करता रहा कि किसी तरह अबू तालिब को बर्बाद कर दिया जाये। जब-जब उसकी समझ में जो-जो आया वह करता रहा। अचानक एक नयी तरकीब उसकी समझ में आयी।

कर्नल एलेक्ज़ेण्डर हॉनी को अवध के चकले सरदार (गोरखपुर) का आमिल बनाया गया। कर्नल हॉनी अपने अभद्र स्वभाव और गाली-गलौज के लिए प्रसिद्ध था। उसके साथ जो काम करता था, अपमानित होता था। कर्नल हॉनी ने हैदर बेग से अनुरोध किया कि इलाक़े का काम देखने के लिए उसे कुछ कुशल, अनुभवी और ईमानदार लोगों की ज़रूरत है। हैदर बेग को यह बड़ा सुनहरा मौक़ा मिला। उसने चार-पाँच और लोगों के साथ मिर्ज़ा अबू तालिब का नाम भी सुझा दिया। अबू तालिब ने इस काम को स्वीकार न करने के लिए बहुत तर्क दिए, बहुत बहाने बनाये क्योंकि वे समझते थे उन्हें इस काम पर लगाने का मक़सद उन्हें अपमानित करना है; लेकिन हैदर बेग ने कुछ न सुना। उसने अबू तालिब को आदेश दिया कि वे कर्नल हॉनी के साथ काम करें।

लेकिन मिर्ज़ा अबू तालिब ने हॉनी के इलाके में इतना अच्छा काम किया कि हॉनी उनका प्रशंसक बन गया। हैदर बेग की यह चाल भी बेकार गयी। हालाँकि अच्छा काम करने के लिए अबू तालिब ने सैकड़ों कष्ट उठाये थे। वे दो साल बाँस और फूस के मकानों में रहे थे। दो साल बाद यह इलाका कर्नल हॉनी से ले लिया गया था और अब्दुल्ला बेग तुर्क को दे दिया गया जो कम्पनी की सेवा में था। कर्नल हॉनी रेज़ीडेण्ट ब्रस्टो की अनुशंसा पर फ़र्रुखाबाद के एक इलाके का आमिल नियुक्त हुआ। मिर्ज़ा अबू तालिब तो हॉनी की गाली से बच गये थे लेकिन हॉनी ख़ुद अपनी गाली का शिकार हो गया था। हुआ यह था कि अपनी आदत के मुताबिक़ उसने

गोरखपुर में अपने एक अहलकार अमीर बेग नामी एक मुग़ल को बड़ी भद्दी गाली दे दी थी। मुग़ल बच्चा गाली बर्दाश्त नहीं कर सका था। उसने मौक़ा पाते ही हॉनी की हत्या कर दी थी।

~ ~ ~

हैदर बेग अवध के कुछ ख़ुदसर और बाग़ी ज़मींदारों की पुश्तपनाही करता था। उनसे सीधा पैसा वसूल करता था और खज़ाने में वे लोग पैसा नहीं जमा करते थे। इन्हीं बड़े ज़मींदारों की मदद से हैदर बेग ख़ाँ ने मिर्ज़ा अबू तालिब को बर्बाद और अपमानित करने के लिए तीसरी चाल चली। तलोई के जागीरदार राजा बलभद्र सिंह थे जिनका खानदान तीन पीढ़ियों से अवध के नवाबों का ताबेदार नहीं था और खिराज नहीं देता था। नवाबे अवध ने राजा बलभद्र को काबू में करने वाले के लिए एक लाख रुपये का इनाम भी मुकर्रर कर रखा था।

राजा को हराने के लिए तीन अंग्रेज़ पलटनें, छः-सात हज़ार नवाब की फ़ौज भेजी गयी थी लेकिन कामयाब नहीं हो सकी थीं क्योंकि हैदर बेग अन्दर ही अन्दर छिपे तरीक़े से राजा बलभद्र की मदद कर दिया करता था। आखिरकार इस काम में रेज़ीडेण्ट मेडेल्टन ने अबू तालिब की मदद चाही। अबू तालिब जानते थे कि इस ख़ुराफात के पीछे हैदर बेग है। हैदर बेग को राजा बलभद्र सिंह से अच्छी-ख़ासी आमदनी है। जो भी इस मसले को सुलझाने की कोशिश करेगा उसका हैदर बेग दुश्मन हो जायेगा। इसलिए अबू तालिब ने यह ज़िम्मेदारी लेने से मना कर दिया और पूरी बात रेज़ीडेण्ट को समझा दी। लेकिन रेज़ीडेण्ट ने कहा कि वह अबू तालिब के साथ है, उसकी मदद करेगा। बहरहाल रेज़ीडेंट ने अबू तालिब को यह भी इशारा दिया कि अगर वे इस मसले को हल कर देंगे तो उन पर कंपनी की कोई कृपा होगी। अबू तालिब ने राजा बलभद्र को ज़ेर करने की ज़िम्मेदारी क़ुबूल कर ली। राजा बलभद्र के ख़िलाफ फ़ौजकशी से पहले अबू तालिब ने उसके रिश्तेदारों और समर्थकों को तरह-तरह की चालें चल कर तोड़ लिया। इस तरह बलभद्र की ताक़त कम हो गयी। बलभद्र के साथ लड़ी गयी पिछली लड़ाइयों के बारे में पता चला कि राजा ने अपने इलाके में जंगलों के बीच कई मिट्टी के क़िले बनवा लिए हैं। उसके ऊपर जब फ़ौजकशी होती है तो एक क़िले से निकल कर दूसरे में चला जाता है और फिर तीसरे में आ जाता है। फिर लौट कर पहले क़िले में चला जाता है। इस तरह न तो उसकी हार होती है और न गिरफ़्तार हो पाता है। इस मसले का हल अबू तालिब ने यह निकाला कि पाँच सौ बेलदार नौकर रख लिए और तय किया कि जहाँ से राजा को निकाला जाये वह क़िला और आस-पास का जंगल

बर्बाद कर दिया जाये। ताकि वह जगह राजा के दोबारा छिपने के काम न आ सके। इसके बाद अबू तालिब ने अचानक उस पर उस वक़्त हमला कर दिया जब वह सात-आठ सौ लोगों के साथ नदी के किनारे नहाने गया था। रास्ता टेढ़ा-मेढ़ा था, अबू तालिब की फ़ौज को पहुँचने में वक़्त लगा। बलभद्र को पता भी चल गया। आखिरकार नदी के किनारे खूँरेज़ जंग हुई जो कभी इस करवट तो कभी उस करवट हो जाती थी। आखिर शाम होते-होते पस्त होकर राजा बलभद्र ने गंगा पार करके भागने की कोशिश की। अबू तालिब की सेना ने किश्तियों पर गोलीबारी शुरू कर दी लेकिन बलभद्र भाग गया। पर अगली लड़ाई में वह मारा गया और अबू तालिब का बड़ा नाम हुआ।

लेकिन अबू तालिब को हैदर बेग से बचाने वाले अंग्रेज़ का तबादला हो चुका था और अबू तालिब अकेले रह गये थे। फिरंगी तो उड़ते परिन्दे या तैरती मछलियाँ थे और उन पर अबू तालिब भरोसा करते थे। लेकिन न करते तो भी क्या कर सकते थे ? उन्हीं के पास ताक़त थी और वही हैदर बेग से अबू तालिब को बचा सकते थे। लेकिन बहता पानी तो बहता ही रहता है। मिस्टर जॉन्स, मिस्टर मेडेल्टन, मिस्टर पायर, मिस्टर ब्रिस्टो तो छलावा थे। वह भी ऐसा छलावा जो जब चाहता था हक़ीक़त में बदल जाता था और जब चाहता था सपना बन जाता था। लेकिन इन्हीं फिरंगियों से उनकी दोस्तियाँ भी थीं।

अबू तालिब की कामयाबियों को हैदर बेग देख न सका और उसने अवध दरबार से अबू तालिब को पाँच सौ रुपये माहवार जो वज़ीफ़ा मिलता था वह बन्द करा दिया। इस सिलसिले में अबू तालिब (1788) शिकायत करने कलकत्ता गये लेकिन कुछ न हुआ।

~ ~ ~

'तारीख़े अवध' में साफ़-साफ़ लिखा है कि ज़ैनुलआब्दीन ख़ाँ हिसाब-किताब की वजह से मरे। उन्हें हिसाब-किताब में उलझा कर इतना परेशान किया गया, इतना दौड़ाया गया, इतना अपमानित किया गया कि वे मर गये। लिखा है—"माहेशाबान 1207 हिजरी (1793 ई.) में ज़ैनुलआब्दीन ख़ाँ ने इन्तिक़ाल किया।" बाज़ तो ये कहते हैं कि इल्लते-मोहसबा (हिसाब-किताब-रोग) में गिरफ़्तार होकर कैदे हस्ती से रिहाई पाई। मौलवी फ़ायक़ ने उसकी वफात की तारीख़ लिखी है।

ज़ैनुलआब्दीन ख़ाँ के मरने के बाद उनका ख़जाना खोला गया। लोहे की चार बड़ी-बड़ी तिजोरियाँ थीं जो तहख़ाने के अन्दर एक छोटी-सी कोठरी में ज़मीन के अंदर गड़ी हुई थीं। उनके बड़े-बड़े तालों की चाबियाँ मिसरी बेगम के पास थीं।

तिजोरियों के ताले खोलने और तिजोरियों में से रुपया निकालने का काम ज़ैनुलआब्दीन ख़ाँ के चार बड़े बेटों बाक़र अली खाँ, जाफर अली खाँ, अली खाँ, काज़िम अली ख़ाँ ने किया। दो दिन तक रुपयों की गिनती होती रही। एक-एक लाख रुपये के ढेर लगाये जाने लगे। होते-होते एक लाख के सत्तर ढेर लग गये। ये नक़द रुपया था। इसके अलावा हीरे-जवाहरात, मोती-पन्ने और सोने-चाँदी के सामान और जेवरात अलग थे।

ज़माने का दस्तूर यह था कि नवाब की सरकार में ऊँचे पदों पर काम करने वाले दरबारियों, आमिलों, जागीरदारों वग़ैरह के मरने पर उनकी सम्पत्ति अगर नवाब की मर्ज़ी होती थी तो ज़ब्त कर ली जाती थी। मरने वाले के वारिसों का यह फ़र्ज़ था कि सम्पत्ति के बारे में पूरी सूचना दरबार को दें। ज़ैनुलआब्दीन चूँकि मियाँ अल्मास अली के तहत काम करते थे इसलिए मिसरी बेगम ने अपने शौहर की मालियत के बारे में मियाँ अल्मास को ख़त लिखा। 'तारीखे अवध' में दर्ज है, "मिसरी बेगम ने अल्मास अली ख़ाँ से कहा कि इस क़दर नग़द, जिन्स शौहर के तरके में से मेरे पास हाज़िर है। उस ख़्वाजासराये-सेर चश्म, आली हिम्मत ने जवाब दिया कि मुर्दे का माल मुर्दे के पीछे जाना चाहिए। इसलिए मुनासिब ये है कि लड़कों को तक़सीम कर दो। मैं मोहताज़ और कोताह हिम्मत नहीं कि उसको लूँ।" इसी घटना को इतिहासकार टॉम्स विल्यम बेल ने इस तरह लिखा है, "उनकी वफात के बाद 1207 हिजरी रजब के महीने में उनकी बीवी ने, जिनका नाम मिसरी बेगम था, एक दरख़ास्त रुकनुद्दौला अल्मास अली बेग को लिखी कि सत्तर लाख रुपया इस कनीज़ के पास है, जिसे मेरे शौहर सरकारी पैसा समझ कर सरकार में पहुँचाना चाहते थे। अब जैसा भी हुक्म हो, उसके हिसाब से काम किया जाये। रुकनुद्दौला अल्मास अली बेग इस ख़त को पढ़ते ही गुस्से में आ गये और उसके टुकड़े-टुकड़े कर दिए और कहा कि मिसरी बेगम मुझे इस क़दर बुरा समझती हैं। उनके शौहर ने जो पैसा जमा किया है, उससे मुझे क्या मतलब? पैसा वे अपने बच्चों में क्यों नहीं तक़सीम कर देतीं?"

ज़ैनुलआब्दीन ख़ाँ को हिसाब-किताब की इल्लत में फँसाकर मौत के दरवाज़े तक पहुँचानेवाले हैदर खाँ, नायब वज़ीरे आज़म ज़ैनुलआब्दीन ख़ाँ के मरने से एक साल पहले ही मर चुके थे। उनकी मौत की वजह बताते हुए मिर्ज़ा अबू तालिब ने लिखा है, "इस साल (1792 ई.) हैदर बेग (खाँ) का इन्तिक़ाल (मृत्यु) हुआ। और टिकैत राय का तक़र्रुर (नियुक्ति) उसकी जगह पर हुआ। उसकी तफसील (विवरण) यह है कि जैसा कि ऊपर ज़िक्र हो चुका है क़हत (अकाल) के ज़माने में बहुत सी औरतें हैदर बेग के घर में जमा हो गयीं। इस सबब (कारण) और

सत्तर साल की उम्र होने की वजह से इसकी क़ुव्वते नबवानी (मर्दाना ताक़त) को नुक़सान पहुँचा। लेकिन उसका हिस्र (लालच) बढ़ गया। हकीम शफ़ाई से इलाज़ की ख़्वाहिश (इच्छा) की। हकीम मौसूफ का हुक्म था कि घास के एक तिनके को दालचीनी के इत्र में डुबो कर पान में लगा कर हर रोज़ दो वक़्त खायें। हैदर बेग ने इस इलाज़ से फ़ायदा देखकर बग़ैर हकीम को इत्तिला (सूचना) दिए हुए कसरत (अधिकता) से उसका इस्तेमाल किया। इत्र दालचीनी की गर्मी और लताफत (मज़े) ने उसकी असली रतूबतों (शरीर की तरी) को जो कि ख़त्म हो रही थीं खुश्क (सुखा) कर दिया और हरारत (बुख़ार) गरीबा जो दिक़ (टी. बी.) से पहले आज़ा (अंगों) पर ग़ालिब (प्रभाव) आ जाती है, पैदा कर दी। हकीमों ने बहुत हाथ-पैर मारे लेकिन फ़ायदा न हुआ।''

~ ~ ~

सर्दियों के मौसम में कैप्टन रिचर्डसन और अबू तालिब तराई के जंगलों में शिकार खेलने चले जाते थे। कभी-कभी दौरे दो-दो महीने लम्बे हो जाया करते थे। घने जंगलों में नदियों और झीलों के किनारे सुबह के धुँधलके में काज़ों का शिकार इन दोनों को बहुत पसंद था। कैप्टन रिचर्डसन के ग्रेहाउण्ड कुत्ते लम्बी-लम्बी ज़बानें निकाले फायर की आवाज़ सुनते ही गिरी हुई काज़ों की तरफ़ दौड़ पड़ते थे। कुत्तों के पीछे दूसरे मुलाज़िम भी दौड़ते थे क्योंकि रिचर्डसन को पता था कि कुत्ते के दाँत लगी क़ाज़ का गोश्त अबू तालिब नहीं खायेंगे।

हिरन के झुण्डों के पीछे घोड़े दौड़ाते ये लोग मीलों निकल जाते थे। पीछे-पीछे शिकारियों और नौकरों का गिरोह आता था जो शिकार को वहीं ज़िब्हा करते थे।

सूरज ढलने से पहले वे कैम्प लौट आते थे और अपने ख़ेमों के ग़ुसलखानों में खुशबूदार उबटन और गर्म पानी से नहाने के बाद दगले पहन कर फोल्डिंग आराम कुर्सियों पर बैठ जाते थे। ओस से बचने के लिए छतगीरी लगाई जाती थी लेकिन कनातें नहीं लगाई जाती थीं ताकि दूर तक फैली हुई नदी के विस्तार में डूबते हुए सूरज की किरणों से लाल होते पानी को देखा जा सके और जंगल पर धीरे-धीरे उतरती रात की आवाज़ें सुनी जा सकें। कैम्प आमतौर पर किसी ऊँची और समतल जगह ही होता था। मेज़ पर खिदमतगार बड़े अदब से शतरंज सजा देते थे। कैप्टन और अबू तालिब की पसन्दीदा पुर्तगाली शराब मैडिरा की बोतल और मोटे काँच के गिलास सजाये जाते थे। कुछ देर बाद दोनों दोस्त मैडिरा की चुस्कियाँ और हुक्के के हल्के-हल्के कश लेते हुए शह और मात के खेल में डूब जाते थे। कभी-कभी

इधर-उधर नज़र उठा कर देखते थे तो रात घिरती दिखाई देती थी और कैम्प के एक कोने से खाना पकाने की खुशगवार खुशबू आने लगती थी। मैडिरा की बोतल के ख़त्म होते ही एक रहस्यमयी तरीके से दूसरी बोतल मेज़ पर आ जाया करती थी। ख़ादिमों की आँखें इतनी तेज़ थीं कि वे अपने मालिकों को आम-तौर पर 'कोई है ?' कहने से भी बचा लेती थीं। ठण्ड बढ़ते ही बड़े-बड़े कूण्डों के अंदर सुलगती आग दहक उठती थी। यह ख़याल रखा जाता था कि धुआँ साहब लोगों की तरफ़ न आये। शतरंज खेलते-खेलते जब तबीअत भर जाती थी तो बाज़ी उठ जाती थी। कैप्टन रिचर्डसन अबू तालिब से योरोप में किए जाने वाले भाप की ताक़त से मुताल्लिक अमल की बातें करते थे। कभी बर्क़ी ताक़त के बारे में बताते थे और अबू तालिब पूरी दिलचस्पी से सवालों की बौछार कर देते थे जिनमें से कुछ के जवाब कैप्टन रिचर्डसन के पास हुआ करते थे और कुछ के जवाब न होते थे। ढलती हुई रात के साथ-साथ पुर्तगाली मैडिरा का सुरूर दोनों को एक दूसरे के करीब ले आता था। बातचीत का सिलसिला निजी और घरेलू दायरे में दाख़िल हो जाता था। इस बीच कभी-कभी कैप्टन रिचर्डसन 'कोई है ?' कहते थे और एक अँधेरे कोने से नींद में अलसाई आवाज़ 'हुजूर' सुनाई देती थी और हुक्कानोशी से निकले खुशबूदार धुएँ में एक साया करीब आ जाता था। दस्तरखान लगाने का हुक्म देने के बाद कैप्टन फिर बातचीत में खो जाते थे।

~ ~ ~

मियाँ अल्मास अली जैसा कि पीछे दिए गये विवरण से पता चलता है उस युग के एक अत्यंत विलक्षण और मानवीय गुणों से परिपूर्ण व्यक्ति थे। इतिहासकार उनकी उदारता, दया, सहिष्णुता, बुद्धिमत्ता का बखान करते नहीं थकते। मियाँ अल्मास के कोई आगे-पीछे न था। हाँ, उनका प्रिय शिष्य हैदर बख़्श उसके साथ था। मियाँ अल्मास के पास करोड़ों रुपया था, करोड़ों की सम्पत्ति थी, करोड़ों के हीरे-जवाहरात थे। इसके अलावा लखनऊ का कोई ऐसा रईस न था जो उनका कर्ज़दार न रहा हो। कर्ज़े की दस्तावेज़ें दो बड़े-बड़े बक्सों में भरी पड़ी थीं।

मियाँ अल्मास ने लम्बी उम्र पाई थी। उनका इंतिकाल नवाब आसिफ़ुद्दौला के मरने के बाद नवाब सआदतअली ख़ाँ के ज़माने में हुआ था। उन्हें मालूम था कि उनके मरने के बाद उनके पैसे और जायदाद पर नवाब कब्ज़ा कर लेगा। नवाब को वे दस्तावेज़ें भी मिल जायेंगी जो क़र्ज़ के करारनामे हैं। नवाब को यह भी पता चल जायेगा कि मेरा कितना पैसा किसने क़र्ज़ लिया है। और नवाब मेरे कर्ज़दारों को पैसा चुकाने के लिए परेशान करेंगे। इसलिए जब मियाँ अल्मास अली का आखिरी

वक़्त आया और उन्हें बचने की कोई उम्मीद न रही तो 'तारीखे अवध' के अनुसार "एक दिन अपनी मस्जिद में आकर हौज़ के किनारे बैठा और सन्दूक़चे मँगवाकर उन दस्तावेज़ों के कागज़ हौज़ में डाल दिए और मियाँ रहमत बचगाना वग़ैरह अपने अमले (कर्मचारियों) को बुलाकर कहा कि अक्सर अरबाबे शहर (शहरवाले) और नजीब (कुलीन) उस शख़्स (मियाँ अल्मास अली) के कर्ज़दार हैं और नवाब के मिज़ाज की कैफियत मालूम है। अगर ये दस्तावेज़ें उनको दस्तयाब (मिली) हुईं तो वे बेचारे (कर्ज़दार) अज़ाबे सख़्त (कड़ी मुसीबत) में मुब्तिला होंगे इसलिए मैंने सबको माफ़ कर दिया। अब मुनासिब है कि उनमें से कोई शख़्स (आदमी) अपने आपको मेरा कर्ज़दार ज़ाहिर न करे और बाक़ी लवज़मा (सम्पत्ति) ज़ाहिरी जो मौजूद है वह बहर कैफ नवाब के इख़्तियार में है और किस्मत लोगों की। नवाब सआदतअली ख़ाँ को अल्मास अली ख़ाँ की यह बात निहायत नागवार (बुरी) गुज़री। जिस वक़्त अल्मास अली ख़ाँ ने कज़ा (मृत्यु) की उसका चेला हैदर बख़्श और जुमला मुतावस्सिल (संबंधित लोग) मुद्दत तक (लम्बे समय तक) गिरफ़्तारे बला रहे। आखिरकार हैदर बख़्श वग़ैरह ने मिर्ज़ा जाफर से मिल कर रेज़ीडेण्ट की बदौलत लखनऊ से रिहाई पाई। जहानाबाद और कोडे में जो अंग्रेज़ी अमलदारी में था जाकर सुकून पिज़ीर हुए (रहे)।"

~ ~ ~

लखनऊ में कोई बड़ा ओहदा हासिल न होने से अबू तालिब बहुत निराश हो गये थे। दरबार की राजनीति भी उनके प्रतिकूल थी और लखनऊ में उनका रहना लगातार मुश्किल होता जा रहा था। खानदान कलकत्ता में था। अबू तालिब ने लिखा है—"मैंने इस ज़माने में लखनऊ का क़याम मुनासिब न समझ कर मिस्टर चेरी की हमराही इख़्तियार की और पूरी बरसात बनारस में गुज़ारकर कलकत्ता रवाना हुआ।"

कुछ इतिहासकार यह कहते हैं कि अबू तालिब रेज़ीडेंसी के आला अफ़सरों के साथ मिलकर कुछ ऐसा कर रहे थे, वे दरबार की राजनीति को इस तरह प्रभावित करने में लगे थे कि वह तत्कालीन सत्ताधारियों को रास नहीं आया और उन्हें कम्पनी के एक बड़े अधिकारी मिस्टर फ्रेड्रिक विल्यम चेरी के साथ लखनऊ बदर कर दिया गया था। कलकत्ता पहुँच कर अबू तालिब ने तत्कालीन गवर्नर जनरल सर जॉन शोर से मुलाकात की और अपने मामले समझाये। गवर्नर जनरल ने उनकी मदद का वायदा किया लेकिन वे उन दिनों दूसरे बड़े कामों में फँसे हुए थे और उसके बाद उन्हें लंदन वापस बुला लिया गया। अबू तालिब के मसले जहाँ के तहाँ रह गये। अबू तालिब के सितारे लगातार उनके साथ दग़ा कर रहे थे।

प्रसिद्ध इतिहासकार प्रो. मुहम्मद हबीब ने लिखा है कि इसी दौरान अबू तालिब ने अपने दोस्त कैप्टन रिचर्डसन के अनुरोध पर आसिफ़ुद्दौला युग का इतिहास लिखने का बीड़ा उठाया। उनकी किताब 'तारीख़े आसफी' में आसिफ़ुद्दौला की जो छवि बनती है वह बहुत नकारात्मक है। अबू तालिब ने आसिफ़ुद्दौला के व्यक्तित्व और उसके शासन की धज्जियाँ उड़ा कर रख दी हैं। उन्होंने आसिफ़ुद्दौला के शासन को कुव्यवस्था, घूसख़ोरी, जन-विरोधी और आर्थिक अवनति का प्रतीक सिद्ध किया है। प्रो. हबीब का यह मानना है कि अबू तालिब प्रत्यक्ष या परोक्ष रूप से अवध पर ब्रिटिश कब्ज़े की भूमिका बना रहे थे। यह सच है कि अबू तालिब आसिफ़ुद्दौला के शासन में अपनी योग्यता, अनुभव और पारिवारिक श्रेष्ठता के एवज़ कोई बड़ा पद पाना चाहते थे जो उन्हें दरबारी राजनीति में सबल विरोधी पक्ष के कारण नहीं मिल पाया था। उनका उस शासन और शासक के प्रति कटु होना लाज़िम है। लेकिन अबू तालिब के बयान को नितांत खारिज नहीं किया जा सकता। अबू तालिब ने फ़ारसी में तारीख़े आसफी का नाम 'तफ़ज़ीहुल ग़ाफ़लीन' यानी 'ग़ाफ़िल लोगों की निन्दा' रखा है। शायद वे स्वयं मानते थे कि यह इतिहास नहीं उस समय के शासकों, समाज और लोगों की निन्दा है। उन्होंने लिखा है—"मालूम होना चाहिए कि हैदर बेग ख़ाँ (नवाब आसिफ़ुद्दौला के उप-प्रधानमंत्री) ने नवाब मरहूम (स्वर्गीय शुजाउद्दौला) के रिश्तेदारों को नौकरों से भी ज़्यादा तकलीफ़ें पहुँचायीं। चुनांचे जो शहज़ादे लखनऊ में रहते हैं उनके नाम एक-एक हज़ार रुपये मुक़र्रर हैं लेकिन इसको देने में वायदा खिलाफ़ी होती है। और उन लोगों की अहानत (अपमान) की जाती है। इसकी वजह से वे फ़ाक़े करते हैं। महल की जो औरतें फैज़ाबाद में हैं वे तनख़्वाह देर से मिलने के सबब भूख के ग़लबे (प्रभाव) से बाज़ वक़्त ऐसी मजबूर हो जाती हैं कि उनकी दो सौ लौण्डियाँ हरमसरा से बाहर निकल कर बाज़ार से ग़ल्ला और दीगर ज़रूरत की चीज़ें लूट कर महल में ले आती हैं। इस वक़्त तक कई दफ़ा ऐसा हो चुका है। मरहूम नवाब (शुजाउद्दौला) की लड़कियों की शादी की फ़िक्र इख़राज़ात (ख़र्च) न होने की बायस (कारण) इस वक़्त तक किसी ने न की है। नवाबे अलिया (बहू बेगम-शुजाउद्दौला की बेगम और आसिफ़ुद्दौला की माँ) जो कि शुजाउद्दौला के ज़माने से बेटों के कामों से अलग हैं, एक लाख रुपये पर क़नाअत (संतोष) करके गुज़र कर रही हैं। वे इतनी बड़ी जमाअत (समूह) की ख़बरगीरी (देखभाल) की ताक़त नहीं रखतीं। शुजाउद्दौला ने अपने ज़माने में हत्तुलइमकान (यथासंभव) उन्हें रुपया देने से दरेग़ (इंकार) नहीं किया और उनके मरने के बाद इन लोगों की हालत खराब हो गयी...ये बात ज़ेहन (दिमाग़) में रखनी चाहिए कि नवाब (आसिफ़ुद्दौला) और हैदर बेग का यह बुख़ल (कंजूसी) मुस्तहेक़ (जिनका

हक़ है) लोगों के साथ इस तरह था लेकिन खुद इनकी फुज़ूलख़र्ची इस हद तक बढ़ी हुई थी कि अगर उसको रोका जाता तो एक बड़ा लश्कर (सेना) आरास्ता (तैयार) हो जाता। इसकी तफसील (विवरण) यह है कि नवाब फागुन का पूरा महीना होली खेलने, शादियाँ और चिराग़ा करने में गुज़ारता है। एक साल में इन रस्मी कामों के लिए पाँच-छः लाख रुपया मुक़र्रर (तय) है। इसी तरह मुहर्रम के चंद दिनों का ख़र्च और उसके फीलख़ाने (हाथीख़ाने), अस्तबल के ख़र्च का इससे अंदाज़ लगाना चाहिए कि बारह सौ हाथी, दो-तीन हज़ार घोड़े, एक हज़ार कुत्ते रातब (खाना) पाते हैं। उनमें से चार सौ हाथी, पाँच सौ घोड़े और सौ कुत्ते सवारी व सफ़र के लिए मुक़र्रर (निर्धारित) होंगे व बाकी हरामख़ोर लोग महज़ चोरी की ख़ातिर रखे हुए हैं। हद ये है कि जब एक कुत्ता मर जाता है तो कुत्तों का निगराँ (देखभाल करने वाला) उसके बदले गली से कोई कुत्ता पकड़ कर उसकी गर्दन में पट्टा डाल देता है। इसी तरह कबूतरख़ाना, मुर्ग़ख़ाना, दुम्बे, हिरन, बंदर, साँप, बिच्छू, मकड़ीख़ानों के खर्च इस क़दर हैं कि जो नवाब मरहूम (स्वर्गीय शुजाउद्दौला) की तमाम औलाद और उनके अहले हरम (जनानख़ाने) के लिए काफ़ी हों इसलिए कि तीन लाख मुर्ग़ और कबूतर दाना खाते हैं। चंद साँप हैं जिनके हर जोड़े का रातब (खाना) एक मन गोश्त है। आदमी के अलावा ये तमाम चीज़ें ख़ुसूसन (खासतौर पर) भाइयों और पुराने मुलाज़मीन (नौकरों) के मुकाबले में नवाब (आसिफुद्दौला) की नज़र में पसंदीदा (प्रिय) हैं। इसके अलावा नवाब के अमले (स्टाफ) का ख़र्च कि जिनकी तादाद हज़ारों तक पहुँचती है। इनमें दो हज़ार फर्राश, एक हज़ार चोबदार, चार हज़ार माली और सैकड़ों बावरचि हैं। उसके बावरचिख़ाने का ख़र्च दो-तीन हज़ार रुपया यौमिया (रोज़) है। शोहदों और बेकारों की तादाद जो कि सफ़र में ख़ेमा और उसके घास-फूस के बँगलों का सामान उठाते हैं, दस हज़ार तक पहुँचती है कि जिनको रोज़ाना की ख़ुराक मिलती है। उसके तमाम इख़राजात (ख़र्च) को लिखना इम्कान (संभव) से बाहर है। हैदर बेग ख़ाँ की फ़ुज़ूलख़र्ची का अंदाज़ा इस बात से होगा कि (हैदर बेग ने) टिकैत राय के मरने के बाद उसके खासे के इख़राजात (ख़र्च) पचास लाख ज़ाहिर किए।... दूसरे वो ज़ुल्म हैं कि नवाब (आसिफ़ुद्दौला) के इन दो मुसलसल (लगातार) सफ़रों यात्राओं में रिआया (जनता) पर होता है। क्योंकि फौज के लोगों को घास-फूस, लकड़ी व मिट्टी के बर्तन वग़ैरह हासिल करने की आम इज़ाज़त है। इस मुल्क की रिआया ज़ुल्म की इस कदर आदी है कि इतने को ज़ुल्म नहीं समझती। लेकिन ये लोग मज़कूरा (उल्लेख की गयी) चीज़ों के बहाने इतनी मिक़दार (तादाद) में नक़द (रुपया) व ग़ल्ला और दीगर चीज़ें गुज़रते वक़्त रिआया के घरों और खलियानों

से पा जाते हैं कि दो-तीन महीने लखनऊ के लिए काम आये। इसके अलावा उन गरीबों के घर जो लश्कर (सेना) के करीब होने की वजह से खाली होते हैं, आतिशबाज़ी के तौर पर जलाते हैं।... मालूम होना चाहिए कि इमारतों की तामीर पर नवाब हर साल दस लाख रुपये खर्च करता है जो इब्तिदा (प्रारंभ) से अब तक जारी है। हर वो इमारत कि जो मुकम्मल हो जाती है, एक-दो दिन उसमें जाकर क़याम (ठहरता) करता है फिर वह खाली पड़ी रहती है। यहाँ तक कि उसमें रात में चिराग़ की रौशनी और दिन में झाड़ू भी नहीं दी जाती। ख़ुदा के बंदों को नवाब के इस शौक़ से जो अज़ियतें (तकलीफें) पहुँचती हैं वे बहुत-सी हैं। एक यह कि जिस जगह वह इमारत की बुनियाद रखता है वहाँ के बरसहाँ-बरस के पुराने रहने वालों को बग़ैर मुआवज़ा दिए या कोई दूसरी जगह दिए फ़ौरन खाली करने का हुक्म देता है। बहुत मर्तबा ऐसा होता है कि लोगों ने अपना सामान उठाने का मौक़ा भी नहीं पाया कि बेलदारों ने खाली करने से पहले ही मकान बर्बाद कर दिया और उसमें रहने वाले अपने बाल-बच्चों के हाथ पकड़ कर बाहर चले गये... फ़ौज की हालत ये है कि सौ आदमियों में पचास जाली हैं और जाली तनख्वाह जमादार व बख़्शी मिल कर खा जाते हैं। सौ घोड़ों में से दस सवारी के लायक़ होते हैं। अक्सर फौज बग़ैर हथियारों के है और जो कुछ हथियार हैं भी वो नाकारा (बेकार) हैं... नवाब का दूसरा सफ़र मौसमे गर्मी (गरम मौसम) की शिद्दत (अधिकता) के ज़माने में बहराइच की तरफ़ का होता है। ये सफ़र अगरचे डेढ़ महीने से ज़्यादा का नहीं होता लेकिन धूप की शिद्दत (अधिकता) से बहुत से घोड़े, बैल और आदमी हलाक (मर) हो जाते हैं। इसकी वजह ये है कि नवाब (आसिफ़ुद्दौला) अफीम के इस्तेमाल की वजह से सुबह को देर से उठते हैं। उसके बाद नाश्ता करते हैं और फिर दिन चढ़े सवार होते हैं और ख़स की पालकी में कि जिस पर चारों तरफ़ से भिश्ती पानी छिड़कते हैं। दोपहर तक काफ़ी रास्ता तय करके मंज़िल पर पहुँच जाते हैं। इस जगह इतने ज़्यादा ख़स के ख़ेमे और चलते-फिरते घास के जंगल नस्ब (लगाये) होते हैं कि सर्दी की ज़्यादती से जिस्म काँपने लगता है। लेकिन तमाम लोगों का हाल उस वक़्त वही लोग जानते हैं कि जो उस वक़्त इस तकलीफ़ में मुब्तिला (फँसे) हैं।... ये तमाम हालात कहाँ तक लिखे जायें इसलिए कि उसकी (आसिफ़ुद्दौला) की बुराइयाँ लिखने का इरादा नहीं है कि उससे एक बड़ी मोटी किताब तैयार हो जायेगी। लेकिन इस क़दर कि जिसका ताल्लुक अवाम और वाक़्यानिगारी (घटनाओं को लिखने) की ज़रूरत से है लिख दिया व अक्सर इस किस्म की बातें छोड़ दी हैं। अगर इस तरह की चीज़ें लिखना छोड़ दी जायें तो उस ज़माने की तारीख़ मुकम्मल (पूरी) न होगी।"

अबू तालिब कलकत्ता में बेकार थे। कर्ज़ में डूबे हुए थे। पुराने दोस्त और परिचित बिखर गये थे। कम्पनी से उन्हें वह सहयोग नहीं मिल पाया था जिसकी उन्हें आशा थी। उनकी असफलताओं का असर परिवार पर भी पड़ा था। उनकी तीन औलादें और चार कनीज़ें कलकत्ता छोड़ इराक़ चली गयी थीं। उन्होंने लिखा—
"मैं कलकत्ता के तवील (लम्बे) क़याम (आवास) के दौरान और लोगों की तफ़रीक़ापरवाज़ी (अलग हो जाने) से ग़मज़दा (दुःखी) रहता था। इसी दौरान एक दिन अबू तालिब के गहरे दोस्त कैप्टन रिचर्डसन जो स्कॉटलैण्ड के रहने वाले थे और हिन्दी और फ़ारसी बख़ूबी जानते थे और मेरे पुराने दोस्त थे, वो इंग्लिस्तान के सफ़र पर आमादा हुए और मुझसे मिलने के लिए आये। बातों-बातों में कहने लगे कि अगर तुम भी इंग्लिस्तान का इरादा कर लो तो मौजूदा उलझन से निज़ात (मुक्ति) मिलेगी और दुनिया के अजायबो-ग़रायब (अज़ीब ग़रीब चीज़ें) देखने का मौका हाथ आयेगा। मैं सफ़र के दिनों में तुम्हें अंग्रेज़ी ज़बान की तालीम (शिक्षा) देने की कोशिश करूँगा। मैंने महज़ इस ख़याल से कि सफ़र पुरख़तर (ख़तरों से भरा हुआ) और तवील (लम्बा) है और अर्से दराज़ (लम्बे समय) तक समन्दर में घूमते रहने और मुख़्तलिफ़ (विभिन्न) मुल्कों से होकर गुज़रने के बाऊस (वजह) आबो-हवा की बार-बार तब्दीली और इख़्तिलाफ़ (भिन्नता) के असर से कहीं न कहीं मौत से दो-चार होकर ज़माने की कशमकश और दोस्तों के जुल्म-ओ-ज़ोर (अत्याचार, अन्याय) से निज़ात (मुक्ति) पा जाऊँगा, कप्टान मज़कूरा (उल्लिखित) की बात मान ली।..."

~ ~ ~

ज़ैनुलआब्दीन ख़ाँ के मरने के बाद उनके बेटे मालामाल हो गये थे। बहत्तर लाख रुपयों में से हिस्स-ए-ज़ौजियत (पत्नी का हिस्सा) मिसरी बेगम को चला गया था। बाकी रुपया नौ बेटों में बँट गया था। सबसे बड़े बेटे बाक़र अली ख़ाँ और उनके तीन दूसरे भाइयों हादीअली खाँ, काज़िम अली खाँ, जाफर अली ख़ाँ ने अवध की सरकार से निज़ायतें पाने की कोशिश शुरू कर दी। सबसे छोटे भाई मुहम्मद अली ख़ाँ के अलावा दूसरे चार भाई लखनऊ के रईसों की तर्ज़ पर पैसा उड़ाने में लग गये थे।

इस बीच नवाब सआदत अली ख़ाँ को कम्पनी बहादुर ने गद्दी पर बिठा दिया था। उन पर भी कम्पनी को फ़ौज के लिए रुपया देने का दबाव था। तंग आकर नवाब ने फ़ैसला किया कि हर साल कम्पनी के दबाव में परेशान होने से अच्छा है कि एक इलाका ही कम्पनी को दे दिया जाये। कम्पनी भी पैर फ़ैलाने पर यक़ीन करती थी। तय पाया कि इलाहाबाद और कानपुर के बीच के परगने कम्पनी को

लगान वसूल करने के लिए दे दिये जायें और फिर कम्पनी को नवाब से फ़ौजों के खर्च का पैसा न माँगना पड़े। इन परगनों में सबसे बड़ा परगना कोड़ा था जहाँ से ज़ैनुलआब्दीन ख़ाँ लगान वसूल किया करते थे

इलाहाबाद और कानपुर के बीच कड़ा, हथगाम, फतेहपुर, हसवा, गाज़ीपुर, किशनपुर, बिन्दकी, खजुहा, जहानाबाद और अमौली परगने 1801 ई. में कम्पनी बहादुर और नवाब के बीच हुए इक़रारनामें के तहत कम्पनी बहादुर के हवाले हो गये जिनकी मालगुजारी 12,59,102 रुपये सालाना थी। इस इलाके पर कम्पनी का कब्ज़ा तो बहुत सरलता से हो गया था लेकिन कम्पनी के पास इस इलाके से लगान वसूल करने का कोई साधन न था। इस मौके का पूरा फ़ायदा बाक़र अली ख़ाँ ने उठाया। उन्होंने रेज़ीडेण्ट बहादुर को समझाया कि उनके पिता ज़ैनुलआब्दीन ख़ाँ इन परगनों के आमिल थे। यहाँ से कोई ग्यारह-बारह साल उन्होंने लगान वसूल किया था। बाक़र अली ख़ाँ के पास न सिर्फ़ इन परगनों की पूरी जानकारी है बल्कि साधन और सम्पर्क भी है जिनके माध्यम से लगान वसूल हो सकता है। बहरहाल बात रेज़ीडेण्ट बहादुर की समझ में आ गयी और शुरू में तीन साल के लिए उन्हें इन परगनों से लगान वसूल करने का ठेका दे दिया गया जो नौ साल तक जारी रहा। सरकारी तौर पर उनका कमीशन दस प्रतिशत तय पाया था।

बाक़रअली ख़ाँ अपनी माँ मिसरी बेगम और छोटे भाई मुहम्मद अली ख़ाँ को लेकर कोड़ा आ गये। इलाका उनका देखा भाला था। मुंशी कारिन्दे, सिपाही और दूसरे नौकरी पेशा जानते थे। कोड़ा इलाक़े के ख़ानदानी लोगों से पुराने मरासिम थे। कोड़े में ही उन्हें ख़बर मिली थी कि मिर्ज़ा अबू तालिब लंदन के सफ़र पर रवाना होने वाले हैं।

~ ~ ~

मिर्ज़ा अबू तालिब इस्फहानी ने कलकत्ता से योरोप यात्रा सात फरवरी, 1799 को शुरू की थी और चौदह अगस्त, 1804 को वे वापस कलकत्ता पहुँचे थे। उन्हें लंदन तक का सफ़र करने में करीब एक साल लगा था। वे आयरलैण्ड के शहरों की सैर करते लंदन पहुँचे थे। वहाँ क़रीब दो साल रुकने के बाद पैरिस होते हुए इटली पहुँचे थे। जिनेवा में कुछ वक़्त गुज़ारने के बाद माल्टा होते हुए वे इस्तम्बूल आये थे। वापसी का सफ़र उन्होंने ख़ुश्की के रास्ते किया था। बग़दाद और इराक़ के शहर देखने के बाद बसरा से उन्होंने पानी का जहाज़ पकड़ा था और तीन जून, 1803 को बम्बई पहुँचे थे। अपने ज़माने के बम्बई शहर, वहाँ के दोस्तों और अंग्रेज़ अफ़सरों का ज़िक्र उन्होंने काफ़ी तफ़सील से किया है। बम्बई में पैंतालीस दिन रहने के बाद

चौदह अगस्त, 1804 शाम के वक़्त वे वापस कलकत्ता पहुँचे थे।

वापस लौटकर उन्होंने फ़ारसी में अपना सफ़रनामा लिखा था जिसका नाम 'मसीरे तालबी फ़ी बलाद अफ़रंजी' (योरोप के क्षेत्र में तालिब की यात्राएँ) लिखा था। फ़ारसी में छपने से पहले ही इस यात्रा-संस्मरण का अंग्रेज़ी अनुवाद 1810 में छप गया था। फ्रांसीसी में इसका संक्षिप्त संस्करण 1811 में और जर्मन भाषा में यह 1814 में प्रकाशित हुआ था। 1812 में यह मूल सफ़रनामा हिन्दुस्तानी प्रेस कलकत्ता से प्रकाशित हुआ था।

इस सफ़रनामे का उर्दू अनुवाद डॉ. सरवत अली ने किया था जो पहली बार 1984 में 'सफ़रनामा फरंग' के नाम से प्रकाशित हुआ था। दरअसल मिर्ज़ा अबू तालिब के बारे में अमूल्य जानकारियाँ देने और उनकी कृतियों के अनुवाद करने का श्रेय डॉ. सरवत अली को ही जाता है। उन्होंने मिर्ज़ा अबू तालिब की दूसरी किताबों का अनुवाद भी उर्दू में किया है। 'सफ़रनामा फरहंग' की भूमिका में उन्होंने लिखा है कि मिर्ज़ा अबू तालिब से पहले बंगाल के एक सज्जन एतेसामुद्दीन इंग्लिस्तान गये थे। उनका सफ़रनामा 'शगर्फ़ नाम-ए-विलायत' उपलब्ध है। लेकिन यह बहुत छोटा है और उसमें अपेक्षित जानकारियाँ भी नहीं मिलतीं। इसलिए दरअसल मिर्ज़ा अबू तालिब ही पहले हिन्दुस्तानी हैं जिन्होंने योरोप की यात्रा के बाद एक विस्तृत सफ़रनामा लिखा जिसमें तत्कालीन योरोपीय जीवन के सभी पक्षों पर प्रकाश डाला गया है। यही नहीं मिर्ज़ा अबू तालिब राजा राममोहन राय (1830) और महाराजा रणजीत सिंह के पुत्र दलीप सिंह (1854) से पहले इंग्लिस्तान गये थे। हाँ, उन्होंने अपने सफ़रनामे में एक ऐसे हिन्दुस्तानी का ज़िक्र ज़रूर किया है जो उनसे पहले इंग्लिस्तान आ गया था। मिर्ज़ा अबू तालिब ने लिखा है—"कप्तान गॉडफ्रे इवान बेकर के मकान में रहने वालों में एक शख़्स दीन मुहम्मद भी है जो मुर्शिदाबाद का रहने वाला है। उसको कप्तान बेकर के भाई बचपन में अपने साथ मुर्शिदाबाद से ले आये थे और उसकी परवरिश अपने घर में की थी। उसको कॉर्क के एक स्कूल में अंग्रेज़ी ज़ुबान की तालीम के लिए दाख़िल करा दिया था। तहसीले इल्म (शिक्षा प्राप्त करने) के बाद दीन मुहम्मद कॉर्क के एक मुअज़्ज़िज़ (सम्मानित) शख़्स की हसीन-ओ-जमील लड़की को, जो स्कूल में पढ़ती थी, लेकर भाग गया और किसी दूसरे शहर में जाकर उससे शादी कर ली और फिर कॉर्क में वापस आ गया। अब उससे कई औलादें हैं। एक अलाहेदा (अलग) मकान में अमीरों की तरह बड़ी शान से ज़िन्दगी बसर करता है। उसने एक किताब हिन्दुस्तान के रस्मो-रिवाज और अपने हालात पर लिख कर शाया (छपवाई) कराई है।"

मिर्ज़ा अबू तालिब ने बहुत संक्षेप में दीन मुहम्मद का परिचय दे दिया है।

लेकिन वह अधिक विस्तार की माँग करता है। वह पहला हिन्दुस्तानी था जिसने अंग्रेज़ी में कोई किताब लिखी थी। उसकी किताब का नाम 'ट्रेवल्स ऑफ दीन मुहम्मद' है जो 1794 में छपी थी।

दीन मुहम्मद का जन्म 1759 को पटना में हुआ था। उनके पिता ईस्ट इण्डिया कम्पनी की नौकरी में थे। अंग्रेज़ी की समकालीन किताबों और दूसरे दस्तावेज़ों में दीन मुहम्मद का नाम साके डीन मुहम्मद या महोमेट लिखा हुआ मिलता है। साके तो शायद शेख़ का अपभ्रंश है। दीन को डीन कर दिया गया है। मुहम्मद को महोमट बना दिया गया है। क्योंकि 'हसीन-ओ-जमील' आइरिश लड़की जेनी डेली से शादी करने के लिए दीन मुहम्मद ने धर्म बदल लिया था वे प्रोस्टेट ईसाई हो गये थे। क्योंकि उस ज़माने में यह क़ानून था कि प्रोटेस्टेट ग़ैर प्रोटेस्टेटों से शादी नहीं कर सकता था। 'हसीन-ओ-जमील' गोरी मेमें कई सौ साल तक हिन्दुस्तानियों के दिमाग़ों में बसी रहीं। जब ही तो बीसवीं सदी में अकबर इलाहाबादी ने "रात उस मिस से कलीसा में हुआ मैं जो दो चार" जैसी नज़्मों में इधर इशारा किया है।

ख़ैर तो बात हो रही थी दीन मुहम्मद या डीन मोहमट की। उनके नाम कई और रिकॉर्ड दर्ज हैं। डीन मोहमट ने इंग्लैण्ड में पहला हिन्दुस्तानी रेस्त्राँ भी खोला था। उन्होंने सेंट्रल लंदन की जॉर्ज स्ट्रीट में 'हिन्दुस्तानी कॉफ़ी हाउस' 1810 में शुरू किया था। रेस्त्राँ में शानदार हिन्दुस्तानी 'करी' के अलावा ग्राहकों को हुक़्क़ा भी पेश किया जाता था। डीन मोहमट ने इंग्लैण्डवासियों को हिन्दुस्तानी मालिश और ख़ुशबूदार उबटन वग़ैरह से भी परिचित कराया था।

अपना निजी कारोबार शुरू करने से पहले डीन मोहमट नवाब बसिल कोचरेनी (Basil Cochrane) के साथ काम करते थे। नवाब या नोवाब कोचरेनी उन्नीसवीं शताब्दी के एक बहुत बड़े धनाढ्य थे जिन्होंने हिन्दुस्तान में करोड़ों रुपया कमाया था और लन्दन में एक नवाब की तरह रहते थे।

डीन मोहमट को लोग विक्टोरिया युग में कुछ भूलने लगे थे लेकिन बीसवीं शताब्दी में उनकी याद फिर ताज़ा की जा रही है। उन पर कई किताबें छपी हैं जिनमें माइकल एच. फिशर की किताब "द फर्स्ट इण्डियन ऑथर इन इंग्लिश : डीन मोहमट इन इण्डिया, आयरलैण्ड एण्ड इंग्लैण्ड" (1996) महत्त्वपूर्ण मानी जाती है। सिटी ऑफ वेस्टमिनिस्टर ने 'हिन्दुस्तानी कॉफ़ी हाउस' के संबंध में जॉर्ज स्ट्रीट पर एक स्मृति-पट भी लगवाया है।

~ ~ ~

मिर्ज़ा अबू तालिब ने सफ़रनामा बहुत विस्तार से लिखा है। लगता है कि उन्होंने

रोजनामचा तैयार किया था और फिर उसके आधार पर सफ़रनामा तरतीब दिया। उनका बयान बहुत रोचक है। उनका 'आबज़रवेशन' भी अच्छा है। अबू तालिब चूँकि स्वयं फिरंगियों के प्रशंसक थे इसलिए उन्होंने फिरंगी व्यवस्था का गहराई से अध्ययन करके उनके समाज की ख़ूबियों को सामने रखा है। हाँ, उन्होंने जहाँ-जहाँ ज़रूरी था वहाँ फिरंगी समाज और रस्मो-रिवाज़ की कड़ी आलोचना भी की है। उनके सफ़रनामे में बहुत कुछ ऐसा है जो उनके समय में बहुत नया, रोचक और महत्त्वपूर्ण रहा होगा लेकिन आज नहीं है। जैसे उन्होंने हैण्डपम्प, सुइयाँ बनाने वाली मशीन, तार बनाने वाली मशीन आदि की विस्तार से चर्चा की है। इसी तरह और प्रसंग हैं जो उस समय प्रासंगिक थे लेकिन अब उनका केवल ऐतिहासिक महत्त्व ही बचा है। इस तरह के प्रसंगों को बताने की मेरे ख़याल से ज़रूरत नहीं है। दूसरे ये कि मिर्ज़ा अबू तालिब ने संभ्रांत फिरंगियों की पार्टियों का ज़िक्र बार-बार किया है जो लगभग एक-सा है। मैं ऐसे प्रसंगों को यथासंभव इस तरह प्रस्तुत करने की कोशिश करूँगा कि मिर्ज़ा साहब की आत्मा स्वर्ग में बेचैन न हो और पाठकों को पूरी जानकारी के साथ पूरा आनंद मिले। कहीं-कहीं मैं उर्दू और अंग्रेज़ी अनुवाद के आधार पर सफ़रनामे का मूल पाठ इस तरह सामने रखूँगा कि बहुत कठिन फ़ारसी शब्दों की जगह उर्दू के सरल शब्दों का प्रयोग करूँ। लेकिन यह सोच कर कि पाठ की आत्मा बनी रहे। मेरा उद्देश्य पूरे सफ़रनामे का अनुवाद नहीं बल्कि उसका रसास्वादन है। जहाँ कठिन फ़ारसी शब्द रखने ज़रूरी लगे हैं वहाँ उनके अर्थ दे दिए हैं, नहीं तो दसियों शब्दकोश हैं—

"जुमेरात यकुम माहे रमज़ानुल मुबारक 1213 हिजरी बमुताबिक़ सात फरवरी 1799 ई. को कलकत्ता के दोस्तों से रुख़सत होकर उस किश्ती पर सवार हुआ जो कप्तान डैविड थामस रिचर्डसन ने किराये पर हासिल की थी। इस पर सवार होकर खजरी की तरफ़ रवाना हुआ जहाँ जहाज़ लंगर डाले था। दो दिन रास्ते में गुज़रे, तीसरे दिन जहाज़ पर पहुँचा और अपने कमरे (कैबिन) में क़याम किया। ये जहाज़ बनावट के एतबार से बहुत खराब था। और उसकी इंतिजामी हालत भी अच्छी न थी। उसके कारकुन अक्सर बंगाली थे। निहायत काहेल और कामचोर। जहाज़ के केबिन बहुत छोटे, तारीक और बदबूदार थे। खासतौर पर मेरा केबिन जिसकी हालत नाक़ाबिले बयान थी। उसकी वजह यह थी कि रिचर्डसन के दोस्त कप्तान विल्यमसन ने कप्तान रिपन के वास्ते इस जहाज़ की किसी ख़िदमत के बदले धोखे से कुछ केबिन बहुत मामूली किराये पर हासिल कर लिए थे और मुझको और दूसरे लोगों को मुसीबत में डाल दिया था। चूँकि जहाज़ का किराया कलकत्ता में पेशगी दे दिया गया था इसलिए उसको वापस लेना मुमकिन न था। मरते क्या न करते इसी पर

सफ़र करना पड़ा। यह बात भी तय पाई गयी थी कि खाने-पीने के काफ़ी सामान का इंतिजाम जहाज़ पर कर लिया जायेगा ताकि रास्ते में उसके लिए कहीं ठहरने की ज़रूरत न पड़े और सीधे रास्ते जल्दी से जल्दी इंग्लिस्तान पहुँच जायें। इसकी वजह से दिल को किसी क़द्र इत्मिनान हासिल था कि सफ़र में कम वक़्त लगेगा और वहाँ से रवाना होने में भी देर न होगी।

''मेरे केबिन के बराबर वाले केबिन में एक बहुत नाज़ुक मिज़ाज़ आदमी था। उसका नाम ग्राण्ड था। और दूसरी तरफ़ कप्तान रिचर्डसन का केबिन था जिसमें वे बाल-बच्चों समेत रुके थे। उनकी एक दो बरस की लड़की थी जो दिन-रात रोया करती थी। उसका रोना जहाज़ की तमाम दूसरी तकलीफ़ों से ज़्यादा तकलीफ़ देता था। कप्तान विल्यमसन और कप्तान रिपन के केबिन ख़ूब हवादार थे। उनकी खिड़कियाँ समन्दर की तरफ़ खुलती थीं इसलिए वे बहुत आरामदेह थे।

''इस जहाज़ पर जो तकलीफ़ें और परेशानियाँ उठानी पड़ीं वे तक़दीर में लिखी थीं। लेकिन जल्दी सफ़र पूरा होने की जो उम्मीद थी वह भी पूरी न हो सकी और सफ़र में इतनी देर लगी कि केप हबश (केप टाउन, दक्षिणी अफ्रीक़ा) तक साढ़े चार महीने लग गये। यानी इंग्लिस्तान का आधा रास्ता तय हुआ।

''इतनी देर लगने की एक वजह तो यह थी कि जहाज़ के कप्तान ने हमसे जो वायदा किया था, वह पूरा नहीं किया। हम सबको जहाज़ पर सवार कराके ख़ुद अपने कुछ मामले तय करने के लिए कलकत्ता में ठहर गया। पन्द्रह दिन तो उसके इंतिज़ार में गुज़र गये। इस देरी की वजह से बहुत-सी खराबियाँ पैदा हो गयीं जिसका जिक्र आगे किया जायेगा। क़िस्सा मुख़्तसर यह कि रमजान शरीफ़ की सोलह तारीख को दिन के आखरी हिस्से में कप्तान आया और रातोंरात जहाज़ की रवानगी का इंतिज़ाम किया।

''यह कप्तान बहुत घमण्डी और बदमामला आदमी था। वह अमरीका का रहने वाला था। बदतमीज़ और लोगों को तकलीफ़ पहुँचाने वाला था। जहाज़ पर काम करने वाले नौकर बहुत कमीने और बात करने क़ाबिल न थे। जहाज़ चलाने वाले बुजुर्ग के अलावा किसी को जहाज़ चलाने का तजरुबा न था।

''14 फरवरी, 1799 को जुमेरात के दिन जहाज़ लंगरगाह खिजरी से रवाना होकर कलकत्ता के समन्दर के मुँह तक पहुँचा। रास्ते की खतरनाक जगहों से बच कर निकल आये क्योंकि जहाज़ कम-से-कम साढ़े चार गज़ गहरे पानी में चल रहा था और रास्ते में कुछ जगहें ऐसी मिलीं कि अगर चार अंगुल पानी कम होता तो जहाज़ जमीन में धँस जाता। चूँकि ज्वार-भाटे में चार घण्टे बाकी थे, इसलिए बचने की कोई उम्मीद न थी बल्कि उस वक़्त जहाज़ पूरे तौर पर रेत में धँस जाता।

इस जगह ठहर कर दूसरे दिन रवानगी की तैयारी कर रहे थे कि पॉयलेट यानी रास्ता दिखाने वाले जहाज़ ने वहाँ पहुँच कर ख़बर दी कि फ्रांस के एक जंगी जहाज़ ने समन्दर के मुँह पर पहुँच कर चंद जहाज़ों को गिरफ़्तार कर लिया है। जब तक उसका क़िस्सा तय न हो उस जगह से गुज़रना मुश्किल है। मजबूरी में हम सब इरादे के बावजूद आगे नहीं बढ़े। चूँकि बंदरगाह की तरफ़ जाना भी ख़तरनाक था इसलिए इसी जगह जहाज़ ने लंगर डाल दिया। जहाज़ में खाने-पीने की चीज़ें हर मंज़िल पर जो खजूरी में रहने वालों की मदद से मिल जाती थीं वे भी बंद हो गयीं। अब खाने में सबको जहाज़ पर पकी हुई रोटी और नमकीन मक्खन मिलने लगा। इस जगह मक्खियाँ इतनी थीं कि नाक और कान में घुस जाती थीं। बग़ैर मुँह पर हाथ रखे बात करना मुश्किल था। इन हालात में बीस दिन गुज़र गये। उन्हीं दिनों में एक दिन बहुत-सी तोपों के दगने की आवाज़ें कानों में पड़ीं। हमें ये लगा कि शायद कम्पनी के उस जहाज़ ने कोई कारनामा कर दिया है जो मद्रास से फ्रांस के जहाज़ को हटाने के लिए भेजा गया था। कुछ दिन बाद तीन चार जहाज़ आते दिखाई दिए जिनको देख कर हमें खुशी हुई लेकिन थोड़ी देर में मालूम हुआ कि ये कम्पनी के तिजारती जहाज़ हैं जो चीन से कलकत्ता आ रहे थे, इनका फ्रांस के जंगी जहाज़ से मुकाबला हो गया। लड़ाई के बाद एक जहाज़ तो गिरफ़्तार हो गया। बाकी भाग कर यहाँ आ गये हैं। इसी ज़माने में कम्पनी के एक तिजारती जहाज़ में आग लग गयी जो बंगाल से कहीं और माल लेकर जा रहा था। इस जहाज का जलना हमारे जहाज़ के परेशान लोगों के लिए एक खेल तमाशा बन गया। जलते जहाज़ के लोग पानी में कूद कर इधर-उधर बिखर गये और जहाज़ डूब गया।

"हमारे जहाज़ का कप्तान अपने मुल्क वापस जा रहा था और कम्पनी की पूछताछ का उसे कोई डर न था। वह कई दिन तक लगातार उस जले हुए जहाज पर जा-जा कर अधजले कपड़ों की गांठें किश्तियों पर लाद कर अपने जहाज़ में लाता रहा। और इस हरकत के नतीजे में गिरफ़्तार हो गया। उसका ज़िक्र आगे किया जायेगा।

"एक दिन कुछ जहाज़ समन्दर के मुँह की तरफ़ से आते दिखाई पड़े उनमें से एक जहाज़ पर नीचे फ्रांस का झण्डा था और उसके ऊपर इंग्लिस्तान का। इसको देख कर ख़याल हुआ कि शायद फ्रांस का जहाज़ गिरफ़्तार हुआ है। लेकिन बाद में पता चला कि फ्रांस के तबाह हो गये जहाज़ों के कैदियों को मसक़त के एक जहाज़ पर सवार करा के इस तरह भेजा है और बाकी पॉयलेट जहाज़ हैं। रमज़ान महीने की आखरी तारीख़ को मालूम हुआ कि कम्पनी के जहाज़ ने मद्रास से आकर फ्रांस के जहाज़ को लड़ाई के बाद गिरफ़्तार कर लिया है। इस लड़ाई के बाद ही

कप्तान कुक (फ्रांसीसी जहाज़ का) जो बहुत ज़ख्मी हो गया था कलकत्ता भेजा गया और दो तीन दिन के अंदर ज़ख्मों की तकलीफ़ से मर गया।

"मार्च की चौथी या पाँचवीं तारीख को 'शिबल' नाम का जंगी जहाज़ अपने जख़्मियों का इलाज कराने के लिए खजरी रवाना हुआ और उसने हमारे जहाज़ के करीब लंगर डाला। इस जहाज़ ने फ्रांस के टूटे हुए जहाज़ को जो चल न सकता था, रस्सियों से अपने जहाज़ के साथ बाँध रखा था। फ्रांस का जहाज़ 'शिबल' से बहुत बड़ा था और उस पर पाँच सौ फ़ौजी सिपाही सवार थे और 'शिबल' में सिर्फ़ ढाई सौ सिपाही थे। इस लड़ाई में भी पच्चीस (अंग्रेज़) सिपाहियों से ज़्यादा क़त्ल और ज़ख्मी नहीं हुए थे जबकि फ्रांस के दो सौ सिपाही क़त्ल और ज़ख्मी हुए थे जिनमें कप्तान भी शामिल था। अगले दिन पन्द्रह फ़ौजी किश्तियाँ आयीं और फ्रांस के जहाज़ और क़ैदियों को कलकत्ता ले गयीं। देखने वालों को यह देख कर अफ़सोस और दुःख हो रहा था लेकिन क्या कर सकते थे।

"जुमेरात के दिन पॉयलेट हमारे जहाज़ को बंगाल की खाड़ी में उस जगह पहुँचा कर चले गये जहाँ से हिन्द महासागर शुरू होता है। कई दिनों तक हम चलते रहे। हवा बहुत गर्म हो गयी। एक दिन पता चला कि जहाज़ दक्षिण के बजाय दक्षिण पूर्व की तरफ़ जा रहा है। इस तरह दो हफ्ते की देर और हो गयी। इसकी वजह यह पता चली कि दो हफ़्ते के इंतिज़ार की वजह से पानी का भण्डार ख़त्म हो गया है। इसलिए अब निकोबार जज़ीरे में जाकर पानी हासिल किया जायेगा। ये छोटे बड़े सब मिला कर सत्तरह जज़ीरे हैं। इनमें से एक बड़े जज़ीरे की तरफ़ जहाज़ रवाना हुआ जहाँ सब ज़रूरी सामान मिल सकता था। मगर जहाज़ वहाँ से हट गया। फिर दूसरे जज़ीरे की तरफ़ बढ़ गया मगर वहाँ भी न ठहरा और तीसरे जज़ीरे के करीब तीन पहर रात गुजरने के बाद लंगर डाला।... तीनों जज़ीरों के आदमी हमारे जहाज़ पर आते-जाते थे और निहायत उम्दा नारियल और अनन्नास और कई किस्म के केले, तर और मज़ेदार नींबू के अलावा काज़, मोटे-ताज़े मुर्ग़, और शोरबा रोटी बेचते थे। और ये चीज़ें कपड़ों और दीगर चीज़ों के बदले देते थे। रुपया बहुत कम लेते थे क्योंकि उनके यहाँ रुपये का बहुत कम काम था। इसके अलावा लोहे की बनी चीज़ें बदला करते थे। चुरट तम्बाकू के पत्तों से बनता है जिसे बंगाल के लोग पीते हैं। इस जज़ीरे पर यह नहीं मिलता। इस जज़ीरे में नारियल की इफ़रात है। एक चुरट के बदले दस बहुत बड़े-बड़े ताज़ा नारियल देते हैं जो बंगाल में पैसे के बीस मिलते हैं। इन जज़ीरों में दो फसलें रबी और खरीफ की होती हैं। यहाँ बरसात का मौसम शुरू हो गया था। यहाँ के बाशिन्दों की सूरत चीनियों से मिलती-जुलती है। रंग गंदुमी और क़द लम्बा और जिस्म मज़बूत होता है, दाढ़ी के बाल

बहुत कम होते हैं। कपड़ों में एक लँगोटी के अलावा और कुछ नहीं पहनते। शिकार के सिलसिले में मुझे इनकी आबादियों के अंदर से गुज़रने का मौक़ा मिला तो इनके लड़के और लड़कियाँ सब ख़ूबसूरत नज़र आये। इनके मकानात गोल और फूस के होते हैं जिनकी शकल की ग़ल्ला रखने की कोठियाँ होती हैं। दौलतमन्द लोगों के मकानात तीन-तीन मंज़िला होते हैं। हर मंज़िल की छत बाँस से बनाते हैं। नीचे की मंज़िल में भेड़, बकरियाँ, काज़ और मुर्ग़ वग़ैरह रखते हैं। दूसरी मंज़िल मर्दों के रहने के लिए और तीसरी औरतों के लिए होती है। यहाँ के बाशिन्दों का मजहब इस्लाम है। औरतें पर्दे में रहती हैं। ग़ैर मर्दों से बातचीत नहीं करतीं। यहाँ समन्दर में बंगाल की पनवी की तरह छोटी-छोटी किश्तियाँ और फिरंगी ढंग के जहाज़ भी नज़र आये। वहाँ की अच्छी आबो-हवा है। साफ़-सुथरी नहरें, सुन्दर बाग़ और लोगों की आज़ादी और खुशहाली देख कर बेइख़्तियार जी चाहा कि इसी सरज़मीन पर रहने लगूँ।

"उन्नीस तारीख़ को जुमेरात के दिन साढ़े तीन महीने के लिए पानी, सूखे और ताज़ा फल जमा कर लिए गये और जहाज़ वहाँ से चलने वाला था कि अजीब हादसा पेश आया। हमारे जहाज़ के सौ ख़लासी जो कि बहुत भरोसेमंद थे और जहाज़ का सारा कामकाज इन्हीं के कंधों पर था, भाग कर इस जज़ीरे के जंगलों में छिप गये। जो बचे थे वे भी कप्तान की गाली-गलौज और मारपीट से तंग थे और रात के अँधेरे में भागने का इरादा कर रहे थे। इस हादसे की वजह से जहाज़ का एक क़दम भी आगे बढ़ना मुश्किल नज़र आता था। और सफ़र जारी रखने की उम्मीद ख़त्म हो गयी थी। लेकिन इस दौरान जज़ीरे के कुछ लोग जहाज़ पर आये तो उनको इस हादसे का इल्म हुआ। उन्होंने अपनी बदनामी के डर से वायदा किया कि वे भाग गये लोगों को वापस ले आयेंगे। कप्तान ने भी नाउम्मीदी की हालत में उनसे वायदा कर लिया कि उनको अधजले कपड़े के थानों में से कुछ हिस्सा देगा जिनको वह कम्पनी के जहाज़ से उठा लाया था। वे लोग भागने वालों की तलाश में चले गये। चूँकि वे पहाड़ों और जंगलों के हालात के अच्छे जानकार थे इसलिए अभी रात ज़्यादा नहीं गुज़री थी कि उन सब ख़ल्लासियों को पकड़ लाये और जहाज़ के चालबाज कप्तान ने उनके (स्थानीय लोगों के) साथ दग़ाबाज़ी से काम लिया। उनको धोखा देने के लिए कह दिया कि रात का वक़्त है सुबह होने पर उनको वायदे के मुताबिक थान देगा। लेकिन दूसरे दिन 18 अप्रैल 1799 को उन लोगों के जहाज़ पर आने से पहले ही जहाज़ का लंगर उठा दिया और दक्षिण दिशा में चल दिया। तीसरे दिन हम सूरज के बिल्कुल नीचे आ गये, सात डिग्री उत्तरी दर्ज़े में दाख़िल हो गये। हवा बहुत गर्म थी। दो हफ़्ते तक बहुत तेज़ बारिश

होती रही। हवा इतनी कम थी कि जहाज़ इस दौरान पाँच-छ: कोस से आगे नहीं बढ़ा। कहा जाता है कि भू-मध्य रेखा (Equinotical Line) पर सूरज की गर्मी की वजह से हवा कम होती है।... हमारा जहाज़ तूफानी समन्दर में पहुँचा। समन्दर का जोशो-ख़रोश बढ़ता गया। मौजें जहाज़ की ऊँचाई के बराबर उठती थीं। रोशनदानों, पाख़ानों और कभी-कभी केबिन तक में आकर गिरती थीं और पानी के ज़ोर से जहाज़ पर चलना और केबिन में सोना मुश्किल हो जाता था... पानी बहुत ठण्डा था...सफ़र के शुरू से ही अंग्रेज़ों और फ्रांसीसियों की जंग की वजह से गिरफ़्तारी का डर और मॉरीशस ले जाये जाने का ख़तरा रहता था। जो जहाज़ भी दूरबीन से नज़र आता था ये ख़याल करके कि कहीं फ्रांसीसी न हो तबीयत घबरा जाती थी। और उस जहाज़ से बच कर हमारा जहाज़ निकलता था। इन चन्द मंज़िलों में मॉरीशस के करीब होने से यह डर और बढ़ जाता था और रात भर क़त्ल-ओ-ग़ारतगरी का धड़का बना रहता था। लेकिन यह वक़्त ख़ैरियत से गुज़र गया और किसी से मुठभेड़ नहीं हुई। मुख़ालिफ हवा इतनी तेज़ थी कि खाना-पीना और तमाम काम बंद हो गये। समन्दर की मौजें पहाड़ की तरह उठ कर जहाज़ पर गिरती थीं और उनके गिरने से जहाज़ पर खड़ा आदमी गिर पड़ता था और बैठे हुए आदमी का सिर दीवार से टकरा जाता था। मेरे हमसाया मिस्टर ग्राण्ड और मेरे केबिन के बीच सिर्फ़ एक टाट का पर्दा पड़ा था। वे मुटापे की वजह से जहाज़ के तेज़ी से हिलने-डुलने के कारण मेरे ऊपर लुढ़क पड़ते थे और अपना सारा बोझ मेरे सीने पर डाल देते थे। इतना तंग करने के बावजूद अगर मेरे केबिन में बर्तन भी खड़कता था तो शोर मचाते थे कि तुम हमको सोने नहीं देते। जैसा बर्ताव अंग्रेज़ों का आम हिन्दुस्तानियों के साथ होता है, यह उसका नमूना था। इस दौरान सबने अपने-अपने केबिनों में खाने-पीने का इंतिज़ाम कर लिया था। क्योंकि सीढ़ियाँ चढ़ कर खाने की मेज़ पर जाकर बैठना बहुत मुश्किल था। जहाज़ की तरफ़ से दो हफ़्ते से ज़्यादा वक़्त तक नाप-तौल कर पानी मिलता रहा। रोज़-ब-रोज़ पानी के कोटे में कमी होती रहती थी। मुसीबतें इतनी थीं कि हम उनके मुक़ाबले पानी में डूब जाना ज़्यादा पसंद करते।...चाँद रात तक समन्दर का जोश और हवा की तेज़ी इतनी ज़्यादा रही कि उससे पहले की मुसीबतें भूल गये। जहाज़ के तमाम झरोखे दस दिन तक बन्द रहे। न दिन को सूरज नज़र आता था और न रात को तारे। हवा, बारिश और बिजली की कड़क और बादलों की गरज बहुत तेज़ थी। बिजली लगातार जहाज़ के इधर-उधर गिरती थी। दिन में इतना अँधेरा हो जाता था कि रात लगती थी। रात-दिन मोमबत्तियाँ जला करती थीं। जहाज़ के ऊपरी हिस्से में कुछ रोशनी थी। लेकिन वहाँ चलना नामुमकिन था। हवा के ज़ोर से समन्दर में गिर जाने का डर था और

जहाज़ के हिचकोलों से हाथ पैर टूट जाने का ख़तरा था। इसलिए कोई अपनी जगह से हिलता भी न था। समन्दर का पानी जहाज़ के अन्दर आ जाता था और सर्दी के मौसम में तर-बतर कर देता था। इसलिए सब मुर्दों की तरह छोटे और अँधेरे कब्र जैसे केबिनों में लेटे रहते थे। सामान और तख़्तों के आपस में टकराने से तरह-तरह की आवाज़ें कान में पड़ती थीं। पाख़ानों की नालियों से पानी फव्वारे की तरह जोर मारता था। कभी तो इस क़दर ज़्यादा आता था कि पाख़ानों में भर जाता था और वहाँ से केबिनों में चला आता था। ऐसी ख़तरनाक हालत थी कि जहाज़ के डूब जाने के डर की वजह से खाने-पीने को दिल न चाहता था। वैसे भी अगर खाना खा लेते तो पाख़ाने की ज़रूरत पड़ती और पाख़ानों की हालत ये थी कि लोगों के जिस्म गंदगी में लिथड़ जाते थे...

''4 जून को दोबारा ज़मीन दिखाई पड़ी और केप टाउन के करीब होने के आसार नज़र आये। इस वक़्त ये मालूम हुआ कि जहाज़ में पानी के पीपों की खराबी और लापरवाही की वजह से पानी ख़त्म हो गया है और अब थोड़ा ही पानी बचा है। इसलिए पहले से तय प्रोग्राम के ख़िलाफ़ कप्तान की राय केप टाउन में रुकने की हुई। कुछ मुसाफ़िर जिनके पास कम पैसे थे, इसके मुख़ालिफ़ थे क्योंकि ऐसा करने से उनका खर्च बढ़ रहा था। मगर पानी ख़त्म हो जाने की वजह से बग़ैर ठहरे चारा न था। अब यह तय पाया कि दिन ख़त्म हो रहा है और रात के अँधेरे में ज़्यादा चट्टानें होने की वजह से केप की तरफ़ जाना खतरनाक होगा। इसलिए रात को समन्दर में ही चक्कर लगाना चाहिए और सुबह सवेरे केप में दाख़िल होंगे। इस रात हवा बहुत ही साज़गार थी। अगर चलते तो सुबह तक बेखटके केप पहुँच जाते लेकिन बदक़िस्मती से जिसकी जहाज़ चलाने की डियूटी थी वह अपनी बारी में सो गया और जहाज़ का रुख़ किसी ने न मोड़ा। सुबह तक जहाज़ दक्खिन में इतनी दूर चला गया था कि जब केप की तरफ़ लौटाया गया तो दिन भर चलने के बाद भी अपनी मंज़िल पर न पहुँचा। इसलिए रात से दूसरे दिन तक चक्कर लगाते रहे। आखिरकार जिस दिन केप में दाख़िल होने का इरादा था उस दिन इतना तेज़ तूफान आया कि जहाज़ पर सवार तमाम सवारियाँ अपनी ज़िन्दगी से नाउम्मीद हो गयीं और जहाज़ करीब तीन सौ मील दूर दक्खिन की तरफ़ चला गया। जहाज़ पर बिजली गिरी और दो आदमी उसी वक़्त मर गये। एक हफ़्ते बाद तीन और आदमी बिजली से जल मरे। लेकिन जहाज़ के निचले हिस्से को कोई नुकसान नहीं पहुँचा। इस मौके पर यह मुनासिब मालूम होता है कि अपनी चंद मुसीबतों का ज़िक्र करूँ जो मुझ पर गुज़री हैं ताकि दूसरे लोग उसे जानें और सीखें। मुसाफ़िरों को चाहिए कि अंग्रेज़ी जहाज़ के अलावा और किसी दूसरे जहाज़ पर सफ़र न करें। और सफ़र

का सामान अच्छी तरह रखें। अगर माली हालत अच्छी न हो तो ऐसे सफ़र का इरादा हरगिज़ न करें। सफ़र की दूसरी तकलीफ़ों के अलावा इस जहाज़ पर चार मुसीबतें थीं। एक तो इस जहाज़ पर रोटी, नमकीन मक्खन, मेवों का न मिलना है जो हर जहाज़ पर होना ज़रूरी है और बदमज़ा पानी; हाथ मुँह धोने के लिए खारे पानी का मिलना। इसके अलावा जहाज़ की रवानगी का इंतिज़ार। एक ही जगह मुद्दतों पड़े रहना और वो मुसीबतें जो तूफान के सिलसिले में बयान की गयी हैं। इसी के साथ जहाज़ में सुअरों और कुत्तों की नजासत (अपवित्रता) और बदबू, पाख़ाना आने-जाने की मुसीबत जो हम लोगों के लिए है। दूसरे, केबिनों का छोटा और खराब हालत में होना जिसकी वजह से हवा और रोशनी नहीं पहुँचती थी। पड़ोसियों की ज़्यादती। चुनांचे मेरे हमसफ़रों में से जो शख़्स अपने आराम की फिक्र करता था वह मेरे लिए तकलीफ़ की वजह बनती थी।

''तीसरी मुसीबत खासतौर पर उन लोगों के लिए थी जो योरोपियन नहीं थे। मसलन नाख़ून अपने हाथ से काटना, हजामत बनवाने की मुश्किल, ग़ुसलख़ानों का न होना। हाथ न धो सकने की वजह से छुरी काँटे से खाना खाना। इस्तेन्ज़ा (पेशाब करने के बाद पानी से धोना) न कर सकना। क्योंकि पानी भरने का वक़्त जहाज़ में सुबह का है। अंग्रेज़ इस वक़्त अपना हाथ-मुँह और बावर्चीख़ाना वग़ैरह के बर्तन धोकर फारिग़ हो जाते हैं। फिर उनको दूसरे वक़्त के लिए पानी की ज़रूरत नहीं होती। मुझको पानी की ज़्यादा ज़रूरत रहती थी। कई लोटों की जहाज़ के हिलने-डुलने और मौजों के ज़ोर से रस्सियाँ टूट जाती थीं और वे समन्दर में गिर जाते थे, इसलिए मजबूर होकर मैंने पेशाब करने के बाद तहारत (पानी डालना) छोड़ दिया। और तूफान के वक़्त जब पाख़ाने में लोटा ले जाता तो आबदस्त (धोना) बड़ा दुश्वार था। एक-एक हफ्ते तक पाख़ाने की तहारत भी कपड़े और कागज़ से करता था जिसकी वजह से नमाज़ छोड़नी पड़ी। और मैं जहाज़ के अंदर कुछ मर्ज़ों में मुब्तिला रहा।

''चौथी मुसीबत : अंग्रेज़ी जहाज़ों के सिवा इस जहाज़ पर और दूसरे जहाज़ों पर जो होती है इनमें कुलियों का शोर-गुल और लंगर गिराने और उठाने के वक़्त जिहालत की हरकतें हैं। नमी की वजह से सामान का खराब होना, कीड़े-मकोड़ों की ज़्यादती, चीज़ों के इधर-उधर पड़े रहने से हवा में बदबू, मछली, अण्डों के भण्डार और चलने-फिरने के रास्ते में पानी बहना। इसमें खलासियों और मज़दूरों का नंगे पाँव फिसलते तख़्तों पर चलना-फिरना और रात के वक़्त उन्हीं पर बड़ा-सा गद्दा डाल कर सो रहना बहुत तकलीफ़देह होता है। जहाज़ की खराब बनावट की वजह से रहने की तकलीफ़, जहाज़ के अमले की बदइंतिजामी और कहना

न मानना, जहाज़ चलाने की कला को पूरी तरह न जानने की वजह से जहाज़ का ख़ुश्की और किनारे तक मुश्किल से पहुँचना है। अगर इन खराबियों को बयान किया जाये तो बहुत तूल हो जायेगा। ये सब मुसीबतें उठाते हुए मुझको अपने मेहरबान दोस्त मिस्टर विल्यम अगस्टन बरोक की बातें हमेशा याद आती रहीं। उन्होंने सफ़र शुरू करने से पहले, जब शार्लिट नामी जहाज़ जल गया था और मैंने इस जहाज़ से सफ़र का इरादा कर लिया था तो वे बोले थे, ''मुझको तुम्हारी तरफ़ से फिक्र है क्योंकि जो भी शख़्स अंग्रेज़ी जहाज़ के अलावा किसी और जहाज़ में सफ़र पर गया उसने बहुत ज़्यादा तकलीफें उठायी हैं।'' इसके अलावा उन्होंने ताकीद की थी कि सूखा खाने का सामान और जाड़ों के कपड़े ज़रूर साथ ले जाऊँ। मगर मैंने अपनी नादानी की वजह से जाड़े के उन कपड़ों को जो मेरे पास थे और वतन में मैं उनको ज़्यादा इस्तेमाल न करता था, काफ़ी ख़याल किया था। इस मेहरबान दोस्त ने मेरी ग़फ़लत का हाल मालूम होने पर बीस सेर उम्दा बिस्कुट यानी कुलचे जो केप टाउन तक खराब न हो सकें और चंद जोड़े बनाती कपड़ों और रेशमी जुर्राबों के मेरे साथ कर दिए थे। अब मेरा गुज़ारा ज़्यादातर उन्हीं चीज़ों पर है क्योंकि जिस वक़्त जहाज़ के खाने से दिल उक्ता जाता है, वही बिस्कुट पनीर के साथ खाता हूँ। जाड़ा इतना तेज़ है कि मेरे तमाम कपड़े मय उन तोहफ़ों में मिले कपड़ों के सर्दी का मुक़ाबला नहीं कर सकते और अगर ये न होते तो ना मालूम मुझ पर क्या गुज़रती। ये उस हमदर्द दोस्त की मेहरबानी थी जिसने पूरे रास्ते मेरी मदद की।...
24 जुलाई, 1799 को जहाज़ केप टाउन की बंदरगाह पहुँचा। तमाम साथी जहाज़ से उतर कर शहर में जा ठहरे। मैं ख़र्च बढ़ जाने और पैसे की कमी की वजह से इसी गंदे जहाज़ पर ठहरा रहा। हाँ, शहर पास होने की वजह से खाने-पीने की तकलीफ़ ख़त्म हो गयी। कुछ दिनों के बाद मालूम हुआ कि जहाज़ के मुसाफ़िरों ने कप्तान नाटलमैन की बदसुलूकी और केप टाउन पहुँचने से पहले तक उसके खराब बर्ताव और झगड़ों की वजह से, जहाज़ की बुरी हालत वग़ैरह के मद्देनज़र यह फ़ैसला कर लिया है कि दोबारा इस जहाज़ पर सवार न होंगे और दूसरा जहाज़ आने तक केप टाउन में ठहरेंगे। इसलिए मैं भी जहाज़ से उतर कर उसी मकान में जा ठहरा जहाँ और मुसाफ़िर ठहरे हुए थे। पाँच रुपये रोज़ किराये मय खाने और नाश्ते के तय पाया। मकान का मालिक बहुत खुशइख़लाक़ था। उसका नाम मिस्टर बारनेट था। उसका बयान था कि वह दरअसल स्काटलैण्ड का है। हालैण्ड के लोगों के बीच पला-बढ़ा है और उन्हीं की लड़की से शादी की है। इस मकान के खिदमतगार ज़्यादातर चुस्त और चालाक औरतें थीं।... कुछ दिन मिस्टर बारनेट के यहाँ गुज़ारने के बाद ये लगने लगा कि मिसिज़ बारनेट हर रोज़ खाने वग़ैरह

में कमी कर रही हैं और हिन्दुस्तानी भटयारिनों की तरह जेब कतरने की घातें कर रही हैं। उसने मुझे एक कमरे से दूसरे में पहुँचा दिया। दूसरे से तीसरे में। पहले यह बहाना किया कि यह कमरा मेरे शिरकतदार का है और मुझे उसके आने का कोई गुमान न था इसलिए तुम्हें ठहरा दिया था। जब मैं दूसरे कमरे में अपना सामान ले गया तो उसका शौहर आया और उसने कहा यह कमरा बड़ा है और दूसरे चार मुसाफ़िर आये हैं वे यहाँ ठहरेंगे तुम दूसरे कमरे में जाओ। अभी वहाँ गये थोड़ी देर हुई थी कि वह आकर कहने लगा कि आज की रात तुम अपने साथियों में से फलाँ के कमरे में जाकर सो रहो। वह केप टाउन गया हुआ है। कल तुम्हारे लिए किसी और कमरे का बन्दोबस्त किया जायेगा। मुझे उसकी यह हरकत बहुत बुरी लगी। मैंने कहा कि जब मैं कमरे का किराया देता हूँ तो क्यों दूसरे के कमरे में जाऊँ? अब इस उखाड़-पछाड़ के बाद मैं हरगिज़ दूसरे कमरे में न जाऊँगा। कहने लगा कि इस सूरत में कल से तुम्हें दुगुना किराया देना होगा। इस तरह उसने एक दिन का दुगुना किराया लिया। जिस दिन मैं केप टाउन जाने लगा उस दिन सूरज निकलने और खाना खाने से पहले कमरा छोड़ दिया था। लेकिन उसने और दिनों की तरह उस दिन के खाने का ख़र्च और किराया वसूल कर लिया। इसके अलावा नाई और धोबी के पैसे, गाड़ी का किराया, नौकर की ख़ुराक के पैसे और जिसने भी उसके कहने पर कुछ किया था उसके पैसे वहाँ के हिसाब से तीन गुना ज़्यादा लिखे। उसकी औरत भी बेगाना हो गयी। हालाँकि मैंने वहाँ पहुँचने के बाद बंगाल के बहुत बढ़िया एक मन चावल उसे पेश किए थे।... केप टाउन में मिस्टर क्लार्क नामी हालैण्ड के बाशिन्दे के मकान पर क़याम किया। ये शख़्स बहुत नेकनाम था और इसका मकान शहर के बेहतरीन मकानों में गिना जाता था। मेरे दूसरे साथी भी यहाँ ठहरे हुए थे। इस शहर के दोनों तरफ़ पहाड़ी सिलसिला है। बहुत से पहाड़ रंग-बिरंगे फूलों से और तरह-तरह के पेड़ों से लदे पड़े हैं। जानवरों की चरागाहें, शहर वालों के बाग़ात, पानी के चश्मे, झरने और हवा चक्कियाँ बहुत ज़्यादा हैं...शहर करीब छः मील में फैला है। तमाम मकानात पक्के और पत्थर के बने हैं। सड़कें चौड़ी और सीधी हैं। पानी की नालियाँ सड़कों के किनारे पत्थर से बनाई गयी हैं। कुछ सड़कों और नहरों के किनारे दोनों तरफ़ दरख़्तों की क़तारें हैं जिनका साया मकानों पर पड़ता है।...इस शहर की ख़ूबसूरती देखी तो कलकत्ता नज़र से गिर गया जो हिन्दुस्तान के शहरों में सबसे अच्छा शहर माना जाता है। इसके बाद लंदन तक हर दूसरे शहर को देख कर पहले को भूल जाने का सिलसिला जारी रहा, क्योंकि जब आयरलैण्ड और वहाँ के शहर कार्क की सैर की तो शहरे केप की कोई बात याद न रही। और जब आयरलैण्ड के दारुल सल्तनत (राजधानी) डबलिन को देखा

तो कार्क नज़र से गिर गया और जब लंदन पहुँचा तो डबलिन की कोई हैसियत दिल में न रही...।

"केप टाउन में हालैण्ड की औरतें जो विलायती हैं अक्सर बेनमक, बदइख़्लाक और बेसलीक़ा हैं। लेकिन जिन औरतों की पैदाइश केप में हुई है, उनमें फिरंगी हुस्न नज़र आता है। उनके जिस्म भी ख़ूबसूरत हैं। इनमें से बहुत-सी रुपया कमाने के लिए जिस्मफ़रोशी का पेशा इख़्तियार किए हुए हैं। जो पाकबाज़ हैं उनमें भी शर्म की कमी है। इस शहर की इज़्ज़तदार औरतों में हर एक का किसी न किसी अंग्रेज़ अफ़सर से ताल्लुक़ था। जब कोई अफ़सर इनके घर आता है तो मालिक मकान अपनी बीवी उसके सुपुर्द करके ख़ुद बाहर चला जाता है। जो कुछ रक़म अंग्रेज़ अफ़सर के पास होती है वह औरत उससे ऐंठ लेती है।... इस क़ौम के मर्द बहुत सख़्तदिल और बेमुरव्वत हैं। किसी क़िस्म की बदनामी से नहीं डरते। अपने ग़ुलामों से इतना काम कराते हैं कि किसी और मुल्क में इसका दसवाँ हिस्सा भी नहीं कराया जाता। इन ग़ुलामों में अगर कोई हुनर सीख लेता है तो उससे महारते-फन (कला में दक्षता) के हिसाब से एक से लेकर चार डॉलर तक वसूल कर लेते हैं। उनकी लड़कियों में जो हसीन होती हैं उनको अपने इस्तेमाल में ले आते हैं और बदसूरत को बेच देते हैं या उसके बाप की तरह उससे भी हर हफ़्ते कुछ रक़म वसूल करते हैं। अगर इत्तिफ़ाक़ से कोई गुलाम अपनी दस्तकारी की बदौलत मालदार हो जाता है और अपने को आज़ाद कराना चाहता है तो उससे बहुत ज़्यादा क़ीमत वसूल करते हैं।

"मैंने वहाँ एक दर्ज़ी देखा जिसके चार बच्चे थे। अपनी आधी उम्र से ज़्यादा मज़दूरी करके उसने जो रक़म जमा की थी उसे देकर अपने को और अपनी बीवी को मालिक से आज़ाद करा लिया था। लेकिन उसके बच्चे उसी तरह मालिक की ग़ुलामी में थे। एक लड़का बिक कर किसी और शहर चला गया था और एक जवान बेटी मालिक की ख़िदमत में रहती थी। दो छोटे बच्चे अगरचे माँ-बाप के साथ रहते थे मगर उनके अलग हो जाने का डर हर वक़्त लगा रहता था।

"... उनकी छोकरियाँ मुसाफ़िरों की ख़िदमत करती थीं और उनसे ताल्लुक़ पैदा करके जो रुपया कमाती थीं वह अपने मालिक को देती थीं। इन लोगों के सण्डास में एक बहुत बड़ा बर्तन रखा रहता है। नजासत गंदगी उसमें डाली जाती है। अपनी तबीअत की गन्दगी की वजह से जब तक वह बर्तन पूरा भर नहीं जाता उसको साफ़ नहीं कराते। इस बदतमीज़ी से मुझे इस शहर में बहुत तकलीफ़ पहुँची। पाख़ाने जाना क़ब्र में जाने से ज़्यादा बदतर मालूम होता था। बहुत गर्मी होने के बावजूद वहाँ हम्माम और ग़ुसलख़ाने का नाम भी नहीं है। बल्कि वे जानते ही नहीं कि नहाना

किसको कहते हैं। अक्सर नाच के जलसों में अनजान औरतें जिनकी ज़ुबान भी मैं नहीं जानता था, मेरे साथ इस क़दर लगावट दिखाने वाली हरकतें करने लगती थीं कि मैं किसी फ़ितने टंटे के ख़ौफ़ से उठ कर दूसरी तरफ़ चला जाता था। एक दिन कई लड़कियाँ मुझे घेरे हुए थीं। इनमें से एक ने जो बहुत हसीन और चंचल थी, मेरे हाथ से रूमाल छीनकर दूसरी सहेलियों को देना चाहा। मगर रूमाल को कोई लेता न था। रूमाल का एक कोना मेरे हाथ में था। मैं न छोड़ता था। इस्तम्बूल में रूमाल लेना और देना औरत और मर्द के बीच रिश्ता क़ुबूल कर लेने का इशारा है। और मैं ऐसी हसीनाओं को रूमाल देने में हिचकिचा रहा था। इस शोख़ हसीन लड़की ने वजह पूछी तो मैंने कहा—''ये तेरी हमजोलियाँ मुझे अच्छी नहीं लगतीं इसलिए उनको रूमाल नहीं दे रहा हूँ। ये सिर्फ़ तुम्हारे लिए खासतौर पर रख छोड़ा है। अगर क़ुबूल करो तो हाज़िर है।'' यह सुन कर वे सब हँसने लगीं। और वह लड़की शरमाकर एक तरफ़ भाग गयी।

''करीब तेरह दिन इस घर में रहा।...फिर वहाँ के मुसलमानों की मदद से एक और मकान में चला गया। मकान छोड़ते वक़्त मिस्टर क्लार्क ने हिसाब में बड़ी बेईमानी की। मैंने अपने साथियों से इल्तिजा की कि इस हिसाब में मेरी मदद करें लेकिन किसी ने मेरी मदद नहीं की। ख़ुद कप्तान विल्यमसन इस घर की एक लड़की पर मर मिटा था।''

~ ~ ~

मिर्ज़ा अबू तालिब ने केप टाउन के मौसम का बहुत विस्तार से वर्णन किया है। वे वहाँ बहार के मौसम में थे। उन्होंने केप के फूलों, पेड़ों, बाग़ों को बेहद पसंद किया। खासतौर पर वहाँ के गुलाब के फूलों और तरह-तरह के नये फूलों का विवरण दिया है। उन्होंने लिखा है कि हर मकान में चश्मों का पानी आता है और उतना अच्छा पानी उन्होंने ज़िन्दगी में कभी नहीं पिया। केप के अंगूर भी उन्हें बहुत पसंद आये थे। तरकारियों की नयी-नयी किस्मों ने भी उन्हें आकर्षित किया था। केप टाउन की बिल्लियों और दूसरे जानवरों पर भी उनकी दिलचस्प टिप्पणियाँ हैं। केप में उनके कई दोस्त बन गये थे। वहाँ के प्रमुख अंग्रेज़ों ने उन्हें बार-बार दावतों में बुलाया और बड़ी खातिर-तवाज़ो की। उन्होंने लेडी बारनेट के बारे में लिखा है—''वह केप की शहज़ादी कहलाती है। हर जुमे की रात को उसके यहाँ चार-पाँच सौ आदमियों की महफिल होती है। जिसमें नाच-गाना और जुआ होता है और हर चाँदनी रात नाच और गाने की महफिलें सजती हैं। मुझको भी इन महफिलों में बुलाया गया था...इस शहर में इतना काम मेरा भी हो गया कि मेरे साथ जो हब्शी

ग़ुलाम आया था वह जहाज़ के बदमाश लोगों की सोहबत में बिगड़ कर आवारा हो गया था। उसको हटाने की ज़रूरत थी। मैंने उसे पाँच सौ डॉलर में बेच दिया और एक क़लमी किताब सौ डॉलर भी हदिया (बेच) कर दी। कुछ कपड़े के थान सौ डॉलर में बेच दिए। इस तरह कुल सात सौ डॉलर मिल गये जो हिन्दुस्तान के चौदह सौ रुपयों के बराबर थे।... 29 सितम्बर को बरतानिया नामी जहाज़ पर लंदन जाने के लिए सवार हुआ। उसका किराया तीन गिन्नी यानी तीन सौ रुपये था। अस्सी रुपये दीगर खर्च के वास्ते लिये गये। रास्ते के कुछ शहरों में रुकने के बाद 7 नवम्बर को बरतानिया जहाज़ ब्रिटिश चैनल के पास पहुँचा। यहाँ पूर्वी हवा चलने लगी और जहाज़ ब्रिटिश चैनल के अंदर नहीं जा सका और दो-तीन दिन इधर-उधर भटकता रहा। हवा का रुख बदलने की कोई सूरत न देखकर और फ्रांसीसी जहाज़ों के डर की वजह से कप्तान ने फ़ैसला किया कि ये वक़्त आयरलैण्ड में गुज़ारा जाये। रास्ते में एक डूबे हुए जहाज़ से 'बरतानिया' के कप्तान क्लार्क ने अपने ग़ोताख़ोरों के ज़रिए कुछ बक्से निकलवाये जिनमें से एक में बड़ी कीमती शराबें और दूसरे में फल भरे हुए थे। इनका मज़ा लेते और मुसाफ़िरों के साथ आइरिश चैनल से गुज़रते कोव ऑफ कार्क पहुँचे।''

इस शहर का बहुत विस्तार से वर्णन करने के बाद मिर्ज़ा अबू तालिब ने कप्तान क्लार्क के घर का नक्शा खींचा है जिसके 'किचन' में गोश्त और मसाला कूटने, पीसने का काम मशीनों से किया जाता था। यहीं मिर्ज़ा अबू तालिब दीन मुहम्मद से भी मिले थे जिसका ज़िक्र पहले किया जा चुका है। आयरलैण्ड के दूसरे शहर क्लिकेनी का विवरण देने के बाद उन्होंने आयरलैण्ड के हालात पर जो रोशनी डाली है वह उन्हीं के शब्दों में कुछ ऐसी है—''दिसम्बर की आठ तारीख़ को हम डबलिन रवाना हुए। तीन दिन के सफ़र में सारा रास्ता पहाड़ी और ऊबड़-खाबड़ था। पहाड़ों के बीच कहीं-कहीं मैदान भी हैं। इस मुल्क के गाँव हिन्दुस्तानी देहातों की तरह घास-फूस के बने हुए हैं। एक जगह दस-बारह घरों से ज़्यादा आबाद नहीं है। इन गाँवों में रहने वाले इस क़दर गरीब हैं कि उनके मुक़ाबले में हिन्दुस्तान के देहाती खुशहाल मालूम होते हैं। यहाँ की सड़कें चौड़ी हैं और पत्थरों की चट्टानों से बनाई जाती हैं लेकिन कीचड़ यहाँ के रास्तों में ज़रूर होता है। जिसकी वजह से बेचारे ज़्यादा चलने-फिरने वाले लोग नंगे पाँव बसर करते हैं। और उनके हाथ-पाँव तमाम दिन भीगे रहने की वजह से लाल रंग के हो जाते हैं। जैसे हिन्दू औरतों के पैर महावर लगे हुए होते हैं। यह बहुत गरीबी की वजह से है जिसमें वे मुब्तिला रहते हैं। उसकी वजह ये है कि यहाँ हमेशा महँगाई रहती है और दूसरी वजह ज़्यादा बच्चे हैं। जाड़े की वजह से ज़्यादा कपड़ों की भी ज़रूरत पड़ती है। सुना है यहाँ बहुत से लोगों

को ज़िन्दगी भर गोश्त खाने को नहीं मिलता। सिर्फ़ आलू पर गुज़ारा करते हैं। गाँव के खुशहाल लोगों के घरों में बकरियाँ, कुत्ते, सुअर, मुर्ग़ियाँ और आदमी सब एक जगह रहते हैं। रास्ते में बच्चे और बूढ़े रोटी के एक टुकड़े के लिए गाड़ी के साथ एक-एक कोस तक दौड़ते हैं...डब्लिन में मिसेज़ बॉल के घर रुके। यह मकान इंग्लिश स्ट्रीट पर कॉलिज के पास था। यह औरत ख़ुशमिज़ाज़ थी और कई लड़के-लड़कियों की माँ थी। मकान का किराया माहवार के बजाय हफ़्तावार था। मेरे कमरे का किराया एक गिन्नी हफ़्ता तय हुआ। ये भी कप्तान रिचर्डसन देते थे। हम नाश्ता इसी घर में करते थे। घर का नौकर हमारे लिए बहुत अच्छी फ्रांसीसी रोटी, चाय और मक्खन खरीद लाता था। रोज़ाना दोपहर का खाना एक रस्टोरेंट में मिलकर खाते थे। वहाँ के ख़ास कबाबों का लुत्फ़ उठाते थे। नाश्ते और दिन के खाने में एक आदमी के खाने पर दो रुपये खर्च आता था। जब शहर के बड़े लोगों को मेरे आने की ख़बर हुई तो इस क़दर दावतनामे आने लगे कि मैं हैरान रह गया। यह तय करना मुश्किल हो गया कि किससे मिलूँ और किससे न मिलूँ।''

~ ~ ~

मिर्ज़ा अबू तालिब अपनी लेखकीय ज़िम्मेदारियों और अपने युगीन पाठकों की जिज्ञासा के प्रति बहुत संवेदनशील थे। उन्होंने डब्लिन शहर का बहुत दृश्यात्मक विवरण दिया है। ऐसा लगता है वे अपने पाठक को एक-एक कोना दिखा देना चाहते हैं। शहर को पूरी तरह घुमाने के बाद मिर्ज़ा साहब अपने पाठकों को घरों के अंदर ले जाते हैं। बहुत गहराई और विस्तार से बताते हैं कि घर कैसे हैं। कमरों में क्या फ़र्नीचर है। पर्दों और उनके रंगों तक के बारे में बताते हैं। दीवारों पर लगे वॉल पेपर का विवरण देते हैं। सजावट की चीज़ों के बारे में, आतिशदान की साज-सज्जा और दीवार पर लगी तस्वीरों के बारे में बहुत विस्तार से बातें करते हैं।

डब्लिन शहर के बाज़ारों, दुकानों और रोशनियों से मिर्ज़ा साहब बहुत प्रभावित होते हैं। शहर के लोगों की गतिविधियों को भी उन्होंने बहुत ध्यान से देखा था— ''...इस भीड़-भाड़ में भी कोई एक दूसरे को धक्का नहीं देता। कमसिन लड़कियाँ अपने कामों पर से घर के लिए निकलती हैं। ठण्डी हवा का मज़ा लेती इठला-इठला कर चलती लड़कियों का जिस्म शायद ही किसी दूसरे से रगड़ खाता हो।''

मिर्ज़ा अबू तालिब ने डब्लिन और लंदन में गाड़ियों (घोड़ा गाड़ियों) की भरमार का बहुत ज़िक्र किया है। चौराहों के बीच में बने पार्कों और उनकी सजावट का पूरा हाल बताया है। डब्लिन की नहरों और बड़ी इमारतों के बारे में बहुत तफ़सील से लिखा है। कॉलिज की इमारत, पार्लियामेंट, कस्टम हाउस और उस पर लगी

हवा घड़ी, लाइट हाउस, कचहरी और अदालत की इमारतें और उनकी सजावट का पूरा विवरण दिया है। शहर के खेल तमाशों में उन्होंने गहरी दिलचस्पी ली है। स्टेज पर होने वाले तरह-तरह के प्रदर्शन देखकर उनका हाल कलमबंद किया है। नुमायश हॉल यानी एक्ज़ीबीशन हॉल के बारे में सविस्तार लिखा है। मिर्ज़ा अबू तालिब के दोस्त रिचर्डसन डब्लिन से जल्दी ही लंदन जाना चाहते थे—"...लेकिन मैं इतनी जल्दी डब्लिन से जाना न चाहता था। अभी मेरा दिल भरा न था। कप्तान के साथ मैं हमेशा हिन्दी में बातचीत करता था इसलिए मुझे अंग्रेज़ी सीखने में रुकावट पड़ती थी। इसलिए मैंने डब्लिन में ही क़याम किया। इसका मुझे फ़ायदा हुआ। डब्लिनवालों ने मुझे तन्हा और बेयारो मददगार देख कर पहले से ज़्यादा मेरी मदद की। चुनांचे ये थोड़ा-सा वक़्त ज़्यादा आराम-ओ-फ़राग़त से गुज़रा। सब छोटे-बड़े हर जगह मेरी मदद करते। जब मैं घर से बाहर निकलता तो मेरे चारों तरफ़ भीड़ जमा हो जाती और हर आदमी मेरे बारे में कुछ न कुछ कहता। कोई कहता ये वही रूसी जरनैल है जिसके आने का हमें इंतिज़ार था। दूसरा कहता ये कोई जर्मन अमीर है। कुछ लोग मुझे स्पेन का रहनेवाला समझते और ज़्यादातर ईरान का शहज़ादा कहते थे।"

मिर्ज़ा अबू तालिब स्थानों, घटनाओं और प्रकृति का आँखों देखा वर्णन ही नहीं करते बल्कि मानव स्वभाव, जातिगत विशेषताओं और मानव संबंधों की विशद व्याख्या भी करते हैं। आयरलैण्ड, इंग्लैण्ड और स्काटलैण्ड के लोगों की स्वभावगत विशेषताओं और उनकी तुलना करते हुए उन्होंने अपनी पैनी दृष्टि और गहरी सूझ-बूझ का परिचय दिया है। उनके अनुसार, "...आयरलैण्ड के बाशिन्दों में अंग्रेज़ों जैसी धार्मिक कट्टरता, बेएतिदाली (असंतुलन) नहीं है। वे ग़ैरतमंद, बहादुर, मेहमाननवाज़ और खुले दिल के हैं। उनमें ख़ूबियाँ इंग्लैण्ड और स्काटलैण्डवासियों के मुकाबले ज़्यादा हैं। उनके अन्दर अंग्रेज़ों जैसी गंभीरता तो नहीं है लेकिन समझ-बूझ ज़्यादा है। जिस मकान में मैं ठहरा था उसकी मालकिन मिसेज़ बॉल और उसके बच्चे मेरी ज़रूरत को इशारे से ही समझ लेते थे। एक दो हफ़्ते बाद जब मुझे टूटी-फूटी अंग्रेज़ी आ गयी तो मैं अपने फ़ारसी अश्आर का तरजुमा इनके सामने करने लगा। ग़लत ज़ुबान बोलने के बावजूद भी वे लोग फ़ारसी कलाम की खूबियों और बारीकियों का थोड़ा बहुत अंदाज़ा कर लेते थे।... आयरलैण्ड के लोग कम दौलतमंद हैं। क्योंकि वे आज़ाद तबिअत और मेहमानों की ख़ातिर में हाथ खोल कर खर्च करते हैं। इसलिए दौलत नहीं जमा कर पाते। अंग्रेज़ों की तरह उनमें घमण्ड नहीं है और न स्काटलैण्डवालों की तरह धन-दौलत कमाने के शौक़ीन हैं। इनमें इल्म की कमी है और ऊँचे ओहदों पर नहीं पहुँच पाते। अपनी अच्छाइयों के बावजूद

शराब ज़्यादा पीते हैं और विस्की नाम की एक बहुत ही तेज़ शराब इस्तेमाल करते हैं जो खासतौर पर इसी मुल्क में बनती है। एक रात मैं एक ऐसी महफिल में था जिसमें मेज़बान ने खाने के साथ शराब का दौर भी चला दिया। तरह-तरह के तरीक़ों से मुझे जामे-शराब पेश किए। जब उन्होंने देखा कि मैं पीने में कमी कर रहा हूँ तो पानी पीने के गिलास में शराब भर कर रख दी और बड़ी मिन्नत से पीने की दरख़्वास्त की। खाना ख़त्म होने के बाद भी कभी बादशाह के नाम पर, कभी मलिका के नाम पर जाम भर-भर कर पिये गये और कभी उन हसीन लड़कियों के नाम पर जिनसे मैं मुहब्बत करता था। इस हालत में आठ घण्टे गुज़र गये। उस वक़्त मेज़बान ने दूसरी तरह की शराब मँगवाई और नये गिलास चुने गये। चूँकि मैं बहुत मस्ती में लड़खड़ाने लगा था इसलिए जल्दी से उठा और जाने की इजाज़त माँगी। मगर मेज़बान ने कहा आपके जाने से मुझे बड़ा दुःख होगा। कुछ देर और बैठते तो शराब के और दौर चलते। मैंने अंग्रेज़ों से सुना था कि आइरिश खाने की मेज़ पर मस्त होकर आपस में मारपीट शुरू कर देते हैं और एक दूसरे को क़त्ल तक कर डालते हैं। लेकिन मैंने अपने क़याम के दौरान वहाँ ऐसा कुछ नहीं देखा।

"...कलकत्ता से रवाना होने के पाँच दिन कम एक साल बाद शहर लंदन में दाखिल हुआ।"

मिर्ज़ा अबू तालिब अपने पीछे एक यह भी रहस्य छोड़ गये हैं कि उनके लंदन जाने की वजह क्या थी। अपने यात्रा-संस्मरण की भूमिका में उन्होंने जो लिखा है उससे तो पता चलता है कि निराशा के चरम क्षणों में उन्होंने यह फ़ैसला किया था। लेकिन मिर्ज़ा अबू तालिब के सफ़रनामे के उर्दू अनुवादक डॉ. सरवत अली ने अपनी भूमिका में यात्रा के कुछ दूसरे उद्देश्य बताये हैं और उन पर चर्चा की है। उन्होंने एक हवाले से लिखा है कि मिर्ज़ा अबू तालिब कोई राजनयिक पद प्राप्त करने लंदन गये थे (अब्दुल्ला यूसुफ अली, कल्चरल हिस्ट्री ऑफ इण्डिया)। एक दूसरे हवाले से यह पता चलता है कि मिर्ज़ा साहब एक सिफ़ारिशी ख़त लेकर लंदन गये थे जिसमें यह सिफ़ारिश की गयी थी कि उन्हें लंदन म्यूज़ियम के पूर्वी सेक्शन का इंचार्ज बनाया जाये। इस ख़त में यह भी लिखा है कि अबू तालिब अपने बेटे को तालीम दिलाने इंग्लैण्ड जा रहे हैं। यह बात बड़ी अजीब है क्योंकि अबू तालिब ने अपने पूरे सफ़रनामे में कहीं भी अपने बेटे का उल्लेख नहीं किया है। अगर मिर्ज़ा अबू तालिब लंदन में नौकरी ही करना चाहते थे तो उन्हें ऑक्सफोर्ड यूनीवर्सिटी में फ़ारसी के प्रोफ़ेसर का पद दिया जा रहा था जिसे उन्होंने स्वीकार नहीं किया था। जहाँ तक उनके लड़के मिर्ज़ा हसन अली का सवाल है, वह फोर्ट विल्यम में नौकर था और उसने 1812 में डॉ. विल्सन के साथ मिलकर अपने पिता मिर्ज़ा अबू

तालिब का सफ़रनामा सम्पादित करके छपवाया था।

लंदन में अबू तालिब का जो मान-सम्मान हुआ और जो महत्त्व दिया गया वह हिन्दुस्तान से लंदन गये कम ही लोगों को मिला है। मिर्ज़ा साहब को इंग्लैण्ड के सम्राट और महारानी से मिलने और बातचीत करने का मौक़ा मिला था। यह भी हैरत की बात है कि अबू तालिब जो छोटी-छोटी घटनाओं पर विस्तार से लिखते हैं, सम्राट और महारानी से अपनी मुलाक़ात के दौरान हुई बातचीत के बारे में लगभग ख़ामोश हैं। उन्होंने इस ऐतिहासिक घटना को कुछ पंक्तियों में ही निपटा दिया है। सम्राट और हिन्दुस्तानी मामलों के मंत्री से मिलने के बाद अबू तालिब लंदन की हाई सोसाइटी में पूरी तरह रच-बस गये थे। अपने सवा दो साल लंदन आवास के दौरान उन्हें अंग्रेज़ों और अंग्रेज़ी समाज को देखने और समझने का पूरा मौक़ा मिला था। उन्हें लगा था कि उनके और अंग्रेज़ों के स्वभाव में एक तरह की समानता है जिसका उन्होंने उल्लेख किया है, "...ये अजब बात है कि लंदन की हर महफिल में लोग मेरे लतीफ़ों और चुटकुलों को बहुत पसंद किया करते थे। इस मुल्क़ की आबो-हवा मेरे मिज़ाज़ के मुताबिक़ है, बेफ़िक्री के अलावा लंदन की हसीनाओं और लड़कियों का होश उड़ा देने वाला संगीत दिल में ऐसा जोश और उमंग पैदा करता था और फ़ारसी की शायरी की नाज़ुकख़यालियों का अंग्रेज़ी ज़ुबान में तरजुमा करके पेश करता था जिसे सब पसंद करते थे..."

"मिस्टर चार्ल्स कैरेल जो ग़मख़्वार भाइयों की तरह हर वक़्त मेरी ख़ुशनूदी (खुशी) का ख़याल रखता था और मेरे लंदन के ख़र्च के लिए रुपया पेश करता था और इस बात पर इसरार करता था कि मैं ले लूँ, उसने मुझे दिन के खाने पर बुलाया। मैं उस खाने में शरीक हुआ जो तरह-तरह की नेमतों और परी चेहरा हसीनाओं से सजा हुआ था।... उसका मकान अमीराना साज़ो-सामान से सजा है और बहुत बेफ़िक्री और ऐश के साथ ज़िन्दगी बसर करता है जो अंग्रेज़ों को हिन्दुस्तान में भी नहीं मिलती। वह हमेशा लंदन के अमीरों और वज़ीरों की दावत में शरीक रहता है। उसने बादशाह की सालगिरह की हर रात एक जश्न करने का इंतिज़ाम किया है। इस पर दस हज़ार रुपये से ज़्यादा खर्च आता है। मेरे लंदन से लौटने के दो रोज़ पहले जो जश्न हुआ था उसमें मैं शामिल था। नाच और गाने की महफिल के बाद दस्तरख़ान, सपर यानी आधी रात के खाने पर सात सौ बड़े-बड़े लोग थे। दस्तरख़ान पर हलुवे, शराब, आइसक्रीम और मेवे मौजूद थे। मौसम न होने के बावजूद बहुत से ताज़ा फल मौजूद थे जो बड़ी तरकीब से हॉट हाउस में पैदा किए जाते हैं और बहुत कीमती होते हैं। कैरेल के मुलाज़िम गर्म शोरबा, मुर्ग़ और कबाब सबके सामने पेश कर रहे थे...कैरेल के भाई की लड़की एन कैरेल बहुत हसीनो-

जमील है। उसका क़दो-क़ायद बहुत खुशगवार है। वह लंदन की हसीनाओं में गिनी जाती है। मैंने उसके होठों, दाँतों, काली आँखों और लम्बे बालों की तारीफ़ में एक ग़ज़ल लिखी थी... मिस्टर कैरेल अपनी जायदाद के कामों से फ़ारिग़ होकर मुझे बाथ, कैम्ब्रिज और हेम्पाश्यर वग़ैरह दिखाना चाहता था लेकिन एक लंदनी 'गुले ग़द्दार' (ग़द्दार फूल, प्रेमिका) की मुहब्बत का काँटा दिल को बेचैन कर रहा था अब और ज़्यादा सब्र मुमकिन न था। इसलिए लंदन लौट आया... लंदन पहुँचकर उस परी चेहरा से मुलाकात हुई और उस परीवश की तारीफ़ में एक ग़ज़ल लिखी... इसलिए हुस्नो जमाल का तमाशा और गाने-बजाने का लुत्फ सबसे ज़्यादा मुझे इसी मकान (मिसेज़ प्लूडन) में हासिल हुआ। अलावा और ख़वातीन (महिलाओं) के जिन्होंने मेरे दिल पर क़ब्जा किया एक मिसेज़ हेड भी हैं जिसकी तारीफ़ में मैंने एक ग़ज़ल भी लिखी...दूसरी ख़ातून जिसने मेरे ऊपर जादू किया वह मिसेज़ इनस्टेर्ज़ा थी। उसका हाल भी एक ग़ज़ल में बयान किया है...उनमें से एक मिस मैरेन है जिसके हुस्नो-जमाल को देखकर ख़यालों का गुलशन भी शरमा जाये। उसके क़द की ख़ूबसूरती के आगे बाग़ का सरो (सुन्दर वृक्ष) पशेमान (शर्मिन्दा) हो जाये। जिस दिन से उस चाँद जैसे चेहरे वाली को देखा है उसकी खूबसूरती आँखों से ओझल ही नहीं होती। उसके दिलरुबा नाज़ो-अंदाज़ अब तक दिल में बसे हैं। उसकी तारीफ़ में एक ग़ज़ल भी लिखी...''

मिर्ज़ा अबू तालिब बहुत आला दर्ज़े के हुस्नपरस्त और आशिक़ मिज़ाज़ थे। अपनी इस खूबी या ख़ामी को उन्होंने सफ़रनामे में छिपाया नहीं है। लंदन प्रवास के दौरान वे बीसियों महिलाओं की सुन्दरता से अभिभूत हुए थे और दसियों को अपना दिल दे बैठे थे। लंदन की हसीनाएँ उन्हें उन रात-रात भर चलने वाली भव्य पार्टियों में मिलती थीं जहाँ नाच-गाने और हँसी-मज़ाक़ से इंग्लैण्ड का ऊँचा समाज अपना मनोरंजन किया करता था। मिर्ज़ा साहब ने बाक़ायदा नम्बरवार हसीनाओं के नाम लिखे हैं जिन्होंने उन्हें प्रभावित किया था। इसके साथ अपने पुरुष मित्रों और उनके कारनामों का भी खूब विस्तार से जिक्र किया है।

हुस्नपरस्ती और आशिक़ मिज़ाज़ी के बावजूद मिर्ज़ा अबू तालिब ने इंग्लैण्ड की संस्थाओं, वैज्ञानिकों और तकनीकी उपलब्धियों, शिक्षा संस्थाओं, शासन पद्धति, मंत्री मण्डल, सरकार, चर्च, ईस्ट इण्डिया कम्पनी, पार्लियामेंट, हाउस ऑफ लॉर्ड्स, बैंक और अन्य वित्तीय संस्थाओं आदि पर भी बहुत विस्तार से लिखा है। उन्होंने उस समय के अंग्रेज़ी समाज के सामाजिक जीवन के छोटे-छोटे पक्षों पर न सिर्फ़ लिखा है बल्कि टिप्पणियाँ भी की हैं। अंग्रेज़ी समाज में सोने और जागने का समय, खाना और खाना खाने का तरीक़ा, वहाँ के मौसम, औरतों और मर्दों की ज़िम्मेदारियाँ,

बच्चों का लालन-पालन, दुकानदारों और खरीदारों के संबंध, सामाजिक और राजनीतिक आज़ादी, समाज के गुण और दोष आदि के बारे में पाठक को सविस्तार जानकारी दी है। उन्होंने अंग्रेज़ी समाज की खूबियों में पहली खूबी ख़ुद्दारी (स्वाभिमान) और इज़्ज़त-आबरू की हिफ़ाज़त बताई है। दूसरी विशेषता है कि वे प्रतिभा का सम्मान करते हैं, तीसरी यह कि क़ानून के ख़िलाफ़ काम करने से डरते हैं। वे नये के प्रति आकर्षित होते हैं और अपने काम को आसान बनाने के लिए टेक्नॉलोजी की मदद लेते हैं। सादा मिज़ाज़ हैं और गंभीरता से अपनी बात और काम पर क़ायम रहते हैं। दौलत और मान-सम्मान के साथ-साथ इल्म भी हासिल करते हैं। दोस्तों का ख़याल रखना और ताल्लुक़ात निभाना भी उनकी बड़ी खूबी है।

मिर्ज़ा अबू तालिब अंग्रेज़ी समाज की बुराइयों और कमियों का भी सिलसिलेवार ज़िक्र करते हैं। मिर्ज़ा साहब के अनुसार सबसे बड़ी बुराई यह है कि अंग्रेज़ी समाज धर्म और मृत्योपरांत जीवन पर कम विश्वास करता है। दूसरी बुराई घमण्ड है, अहंकार और अपने को श्रेष्ठ समझना है। तीसरी यह कि सांसारिकता के प्रति उनमें अधिक आकर्षण है। चौथी बुराई इनकी आरामतलबी है और असहनशीलता है। अपनी मर्ज़ी के ख़िलाफ़ बात या काम बर्दाश्त नहीं कर सकते। एक और खराबी यह है कि अंग्रेज़ कपड़े बहुत ज़्यादा पहनते हैं जिसे पहनने और उतारने में काफ़ी वक़्त बर्बाद होता है। इसके अलावा एक बुराई यह है कि वे बहुत अधिक औपचारिकताओं पर विश्वास करते हैं और ज़्यादा सामान जमा करते हैं। एक और खराब आदत यह है कि दूसरी भाषाओं और दूसरे देशों के ज्ञान का अपने को बड़ा विद्वान समझते हैं। अपनी इस बात के प्रमाणस्वरूप मिर्ज़ा अबू तालिब ने लिखा है—"... मेरी इस बात का सुबूत सर विल्यम जोन्स की लिखी फ़ारसी की क़वायद (ग्रामर) है जो उस फरिश्ता ख़सलत (फरिश्तों जैसे) बुज़ुर्ग ने हिन्दुस्तान आकर फ़ारसी सीखने से पहले, इसी तरह की किताबें देखकर लिखी थी। फ़ारसी सीखने के बाद चूँकि उसको इल्मनहाँ की कोई किताब नहीं मिल सकी और दूसरी हिन्दुस्तानी ज़ुबानें सीखने की वजह से उनको इसका मौक़ा न मिल सका कि अपनी पहले की लिखी ग्रामर की किताब को दुरुस्त कर सकें। लिहाज़ा इस ग़लत किताब को पढ़ने वाला जो शख़्स फ़ारसी ज़ुबान सीखने मेरे पास आया, मैंने उसे सही बताने की बहुत कोशिश की लेकिन कुछ फ़ायदा न हुआ।"

अंग्रेज़ी समाज की एक बड़ी बुराई मिर्ज़ा अबू तालिब ने ख़ुदगर्ज़ी यानी स्वार्थ साधना बताई है। अपने थोड़े से फ़ायदे के लिए अंग्रेज़ दूसरे के बड़े से बड़े नुकसान की परवाह नहीं करते। अपना काम निकल जाने के बाद आँखें फेर लेते हैं। इस सिलसिले में मिर्ज़ा साहब ने अंग्रेज़ों के साथ अपने अनुभवों का उल्लेख किया है।

एक बुराई यह बतायी है, लड़कियाँ लड़कों के साथ शादी से पहले ही शारीरिक संबंध बना लेती हैं। इसके अलावा भी समाज में औरत-मर्द के अनैतिक संबंधों की उन्होंने चर्चा की है। मिर्ज़ा अबू तालिब लिखते हैं—"मैं लंदन के क़याम में अंग्रेज़ों की आदतों से अच्छी तरह वाक़िफ़ होने के बाद अपने यहाँ के तौर-तरीक़े और उनकी खूबियाँ अंग्रेज़ों को किसी दलील से नहीं समझाता था क्योंकि वे उस वक़्त तक बात मानने पर तैयार न होते थे जब तक उनकी रस्मों और आदतों के मुक़ाबले अपनी रस्मों और आदतों की खूबियाँ न ज़ाहिर की जायें।... वे मुझसे कुछ इस्लामी कामों जैसे हज, तवाफ़ (काबे के चारों तरफ़ चक्कर लगाना) के बारे में मज़ाक उड़ाने वाले अंदाज़ में पूछते थे तो उसका मैं उन्हें जवाब देता था कि उसका वही मक़सद है जो तुम्हारे यहाँ बच्चों के बपतिस्मा दिलाने का है। यानी तुम्हारा अक़ीदा है कि जब तक बच्चे को गिरजाघर में 'कलर्जी मैन' के सामने न ले जायें तब तक वह ईसाई नहीं हो सकता... एक अंग्रेज़ ने इस बात पर बड़ी नफ़रत का इज़हार किया कि मुसलमान हाथ से खाना खाते हैं। मैंने जवाब दिया कि दूसरे फ़ायदों के अलावा एक बड़ा फ़ायदा हाथ से खाना खाने का यह है कि खाना गरम मिलता है और हड्डियों में लगा हुआ लज़ीज़ गोश्त आसानी से छुड़ाया जा सकता है। अपने ज़ाती काम के लिए आदमी का हाथ तुम्हारे नानबाई के पैरों से ज़्यादा गंदा और नापाक तो नहीं होता जिनसे वो ख़मीर (आटा) गूँधता है।"

मिर्ज़ा साहब ने इंग्लैण्ड की अदालतों और क़ानून को समाज की एक बड़ी खराबी बताया है। न्याय व्यवस्था के बारे में जानकारी लेने वे अदालतों में गये और पूरी कार्यवाही को ध्यान से देखा। उन्होंने लिखा है—"अदालतों के दूसरे कारकुन मुलाज़िम मुद्दई और मुद्दालय का माल अपने लिए हलाल समझते हैं और हर बहाने से उन्हें लूटते हैं। ये मुलाज़िम बेरहम और रिश्वतख़ोर होते हैं और हर तरह की दग़ाबाज़ी से काम लेते हैं। वे अपनी कारोबारी महारत से काम लेकर जवाब दावा और गवाहों के बयानों की तहरीर में मर्ज़ी के मुताबिक़ रद्दोबदल करके जज की राय हक़ से नाहक़ की तरफ़ फेर देते हैं।... मैंने लंदन में क़याम के दौरान एक दर्ज़ी को अपना कोट सिलने को दिया और उसकी सिलाई दो गवाहों के सामने दस शिलिंग लिखी गयी। जब वह कोट सी कर लाया तो उसने बीस शिलिंग माँगे। मैंने वही दस शिलिंग दिए जो पहले तय हो चुके थे। उसने कहा मैं अदालत में तुम्हारे खिलाफ़ कार्यवाही करूँगा। उसके बाद बाकी पैसा और अदालत का खर्च भी देना पड़ेगा। चूँकि मेरे पास इक़रारनामा और गवाह मौजूद थे, मैंने उसकी धमकी की कोई परवाह न की। उस बदमाश ने अदालत से मेरी तलबी का सम्मन हासिल कर लिया और अपने पास रख लिया; मुझ तक न पहुँचाया। कुछ अर्से बाद अदालत

में जाकर खुफ़िया बयान दिया कि मैंने सम्मन पहुँचा दिया था लेकिन मुद्दालय हाज़िर नहीं हुआ। उसके बाद उसने हुक्मे क़तयी (फ़ैसला, आदेश) हासिल कर लिया जिसके बाद मुद्दालय की कोई बात नहीं सुनी जाती। वह हुक्म ज़ारी कराके मेरे पास लाया कि वह रक़म अदालत के खर्च छः शिलिंग के साथ उसे दे दूँ। मैंने एक दोस्त से मशविरा किया जो अदालत का अहलकार था और उसको बताया कि मुद्दई ने पहला हुक्मनामा मुझ तक नहीं पहुँचाया था और दूसरा हुक्म धोखा देकर ले आया है। उसने कहा अब फौरन रुपया अदा कर देना ज़रूरी है। बाद में हुक्मे अव्वल (पहला आदेश) न मिलने का दावा कर सकते हो। मैंने झगड़े में पड़ना नापसंद किया और हुक्मनामे के मुताबिक़ रक़म अदा कर दी।''

मिर्ज़ा अबू तालिब इंग्लैण्ड से फ्रांस गये। पैरिस का उन्होंने आँखों देखा हाल कलमबंद किया। पैरिस में नेपोलियन उनसे मिलना चाहता था लेकिन पता नहीं क्यों अबू तालिब ने उसे गंभीरता से नहीं लिया। शायद वे अंग्रेज़ सरकार को नाराज़ नहीं करना चाहते थे या किसी द्वंद्व में नहीं डालना चाहते थे। पैरिस के चायख़ानों और शराबख़ानों, इमारतों, फ्रेंच जुबान की खूबसूरती, फ्रांस के दोस्तों का ज़िक्र उन्होंने खूब किया है।

आख़िरकार मिर्ज़ा अबू तालिब कलकत्ता लौट आये। इतने लम्बे सफ़र और इतने ज़्यादा तजुर्बों के बाद कलकत्ता में उनका बड़ा स्वागत हुआ। कम्पनी की सरकार ने उन्हें 1806 में बांदा (बुन्देलखण्ड) के मटूंध इलाक़े का आमिल बना दिया। उनके आने की ख़बर लखनऊ तक पहुँच गयी थी। उन्हें अपने वालिद के अज़ीज़ दोस्त सैयद ज़ैनुलआब्दीन के बेटे बाक़र अली ख़ाँ का ख़त भी मिला था जो कम्पनी की तरफ़ से फतेहपुर के तहसीलदार मुक़र्रर थे। लोगों ने लंदन उनके नाम के साथ जोड़ दिया था। वे मिर्ज़ा तालिब इहस्फहानी लंदनी हो गये थे।

~ ~ ~

ए सप्लीमेंट टु द गज़ेटियर, ले. एफ.एस. ग्राउसी, इलाहाबाद, 1887 के अनुसार कोड़ा (फतेहपुर) में नवाब आसिफ़ुद्दौला के ज़माने में एक कायस्थ परिवार रहा करता था जो अपनी परम्परा के अनुसार पढ़ा-लिखा था। ये दो भाई थे। एक का नाम मन्नालाल था और दूसरे का नाम मुन्नालाल था। मन्नालाल मुसलमान हो गया था जिसे नवाब ने हैदर बख़्श और नसीरुल मुल्क के ख़िताब दिए थे। बहुत शानदार बारहदरी बनवा कर दी थी जो आज भी हैं। इसके अलावा दूसरे इनामात भी दिए थे। इस घटना पर केन्द्रित मौखिक इतिहास यह है कि मन्नालाल के कोई संतान न थी। उसने दरबार के एक प्रमुख मियाँ अल्मास अली को एक पत्र लिखा था कि

वह मुसलमान होना चाहता है लेकिन शर्त यह है कि वह उनके हाथों ही मुसलमान होगा। मियाँ अल्मास यह जानकर बहुत खुश हुए थे। वे जिनका विस्तार से ज़िक्र पीछे आ चुका है चूँकि ख़ुद नौमुस्लिम थे इसलिए किसी दूसरे को मुशर्रफ़-ब-इस्लाम करना उनके लिए बहुत सम्मान की बात थी। वे यह भी जानते थे कि किसी को मुसलमान बनाने से बड़ा सबाब मिलता है। यह इतना बड़ा पुण्य है कि उसके बदले में जन्नत के दरवाज़े खुल जाते हैं। और सबसे बड़ी बात यह थी कि मन्नालाल अपनी मर्ज़ी से, बहोशो-हवास इस्लाम क़ुबूल करना चाहते थे। मियाँ अल्मास ने खुशी-खुशी मन्नालाल को मुसलमान किया था। उन्हें हुसैन बख़्श नाम दिया था। मुसलमान होने के बाद मन्नालाल ने हाथ जोड़कर मियाँ अल्मास से कहा था, ''हुजूर, मुसलमान हो जाने के बाद मेरी बिरादरी वाले तो मुझे पूछेंगे नहीं। बिरादरी बाहर हो गया हूँ। बाइज़्ज़त मुसलमान मुझे पास न बिठायेंगे कि मेरे पास फूटी कौड़ी भी नहीं है।'' मन्नालाल की बात वाजिब थी। मियाँ अल्मास के पास न पैसे की कमी थी न दिल की। उन्होंने नवाब से कहकर ख़िताब तो दिलवा ही दिए लेकिन ख़िताब मन्नालाल का पेट तो न भर सकते थे, उन्हें ऊँचे दर्ज़े के मुसलमानों का दर्ज़ा तो न दे सकते थे, इसलिए मियाँ अल्मास ने मन्नालाल के लिए कोई पचास बीघा के एक रक़बे में शानदार बारहदरी बनवाई। तीन मंज़िला बारहदरी इतनी भव्य थी कि उसकी टक्कर की इमारत कोड़े के आसपास क्या दूर-दूर तक न थी। इसके अलावा फतेहपुर, हसवा, गाज़ीपुर गुटौर और अया साह के परगने दिए थे। मन्नालाल उर्फ़ हुसैन बख़्श के मरने के बाद पूरी संपत्ति उसके भतीजों को मिल गयी थी।

~ ~ ~

कम्पनी बहादुर ने इलाहाबाद और कानपुर के बिखरे परगनों को जोड़कर 1826 ई. में फतेहपुर ज़िला बना दिया था। पहले ज़िले का मुख़्यालय गंगा किनारे स्थित मिटौरा था लेकिन बाद में फतेहपुर शहर को मुख़्यालय का दर्ज़ा मिल गया था।

बाक़र अली ख़ाँ का मुख़्यालय कोड़ा ही था। मन्नालाल और 'धर्मान्तरण के बाद इमामबख़्श' का निवास भी कोड़े में ही था। बहुत बड़ी संपत्ति मिल जाने के कारण इमाम बख़्श का रुतबा इतना ऊँचा हो गया था कि बाक़र अली ख़ाँ को उससे अलग और बचकर रहना ही मुनासिब लगा। एक मियान में दो तलवारें कैसे रह सकती हैं?

इलाक़े में इधर-उधर नज़रें दौड़ाने पर उन्हें यह पता लग गया कि ज़िला बन जाने के बाद फतेहपुर कस्बा उनके लिए मुनासिब जगह है। उनको यह भी मालूम था कि फतेहपुर कस्बे से कुछ दूर एक क़िला है जहाँ लगान वसूली के दिनों में

आमिल और उसके कारिन्दे ठहरा करते हैं।

वे अपने परिवार के साथ कोड़ा से फतेहपुर आ गये जहाँ शहर से कुछ दूर जंगल और तालाबों से घिरे एक मिट्टी के क़िले को उन्होंने अपनी रिहायशगाह बनाया। उनके साथ उनकी माँ मिसरी बेगम भी इस बीहड़ इलाके में आ गयी थीं जो अपने वक़्त के एक बहुत बड़े नवाब शुजाउल मुल्क हाशिमुद्दौला मीर जाफ़र अली ख़ाँ बहादुर नवाब बंगाल, बिहार और उड़ीसा की बेटी थीं और मुर्शिदाबाद के हीरा महल में पली बढ़ी थीं। वे अब एक ऐसे क़िले में थीं जिसके चारों तरफ़ मिट्टी की मोटी दीवारें थीं। दीवारें बनाने के सिलसिले में जो मिट्टी खोदी गयी थी उसकी वजह से क़िले के तीन तरफ़ गहरी खाइयाँ बन गयी थीं जिनमें बरसात का पानी जमा हो जाता था और साल भर भरा रहता था। क़िले के दरवाज़े ज़रूर ककई ईंटों के खंभों पर लगाये गये थे। अन्दर एक मस्जिद थी जिसके बराबर दरबार हॉल था जो ककई ईंटों और पत्थर के खंभों का बना था। इर्द-गिर्द कमरे थे। पीछे ज़नानख़ाना था जो एक के बाद एक दालानों और इर्द-गिर्द कोठरियों से घिरा था। फूस के छप्पर और खपरैल की छतें दालानों के सामने पड़ी थीं। मिसरी बेगम को यह जगह बहुत पसन्द तो नहीं आयी थी लेकिन और कोई रास्ता भी न था।

नवाब बाक़र अली ख़ाँ के संबंध में फतेहपुर डिस्ट्रिक्ट गज़ेटियर में पृ. 120 पर लिखा है, ''आज यह कहानी लग सकती है लेकिन ऐसी तरक़ीबें की जाती थीं कि ज़मींदार अपना लगान समय पर नहीं जमा कर पाते थे और नतीजे में उनकी ज़ायदाद बेची जाती थी और जाली ख़रीद हुआ करती थी। इस बदमाशी की कल्पना इस तथ्य से की जा सकती है कि आठ साल में नवाब बाक़र अली ख़ाँ और उनके परिवार के पास 182 ज़मींदारियाँ आ गयी थीं जिनका प्रति वर्ष राजस्व रुपये 2,56,287/- था।''

कहा जाता है कि बाक़र अली ख़ाँ बहुत सख़्तदिल और बेरहम किस्म के इंसान थे। दौलत और ज़ायदाद जमा करने को पागल रहते थे। उन्होंने अपनी निजी फौज तक बना रखी थी जिसमें दो-तीन हाथी, पचास-साठ घुड़सवार सिपाही और दो-ढाई सौ पैदल सिपाही हुआ करते थे। लगान न चुका पाने वाले ज़मींदारों पर यह फौज हमला करके उन्हें लूट लेती थी और उनकी ज़मींदारी नीलाम की जाती थी जिसे बाक़र अली ख़ाँ खुद या उनका कोई रिश्तेदार ले लेता था। मतलब बोली लगाने वाले और छुड़ाने वाले वही थे। बाक़र अली ख़ाँ ने ईस्ट इण्डिया कम्पनी के अफ़सरान को भी 'खुश' कर रखा था। यही वजह है कि उनकी तहसीलदारी बढ़ती चली जाती थी। बाक़र अली ख़ाँ की कोई औलाद न थी। उन्होंने अपने छोटे भाई सैयद मुहम्मद ख़ाँ को गोद लिया था। वही उनके उत्तराधिकारी थे।

मिसरी बेगम ज़िन्दगी के आखरी सालों में बहुत धार्मिक हो गयी थीं। नमाज़, रोज़े, खुम्स, ज़क़ात के अलावा चालीस दिन का मोहर्रम किया करती थीं। उन्होंने शहर की बड़ी सड़क के किनारे एक मस्जिद भी बनवाई थी। मस्जिद के सामने एक क़ब्रिस्तान की जगह छोड़ी गयी जहाँ ख़ानदान के दूसरे लोगों के अलावा मिसरी बेगम भी दफ़न हैं। मुर्शिदाबाद के मोती महल से जो सफ़र शुरू हुआ था वह यहाँ आकर तमाम हुआ।

~ ~ ~

बाक़र अली ख़ाँ को अपने नाम से बस्तियाँ बसाने का शौक़ था। उन्होंने कोड़े में भी अपने नाम से एक मोहल्ला बसाया था। फतेहपुर में क़िले के चारों तरफ़ फैले जंगल को भी उन्होंने बाक़र गंज नाम दिया था। बाक़र गंज का नाम ही नाम था। कोई आबादी न थी। क़िले के अलावा वहाँ कुछ न था। क़िले तक आने का रास्ता बड़ी सड़क से उत्तर की तरफ़ मुड़ता था जो सीधे मिटौरा तक जाता था। मिटौरा वाले रास्ते के शुरू होते ही बायीं तरफ़ एक रास्ता जंगल के बीच से गुज़रता हुआ क़िले तक आता था। बहुत कोशिशों के बावजूद यहाँ बसावट न हो सकी थी। जंगल में आकर कोई रहने को तैयार न था। कस्बे की आबादी दूर थी। बड़ी सड़क पर कोई आधा कोस दूर पुरानी आबू नगर की आबादी थी। बड़ी सड़क से डाक गाड़ियाँ गुज़रा करती थीं तो मिसरी बेगम की मस्जिदवाले बाग़ में रुकती थीं। यहीं आसपास कुछ बस्ती थी। चौक में कुछ दुकानें और बनियों के घर थे। उसके दाहिनी तरफ़ पठानों के पुराने मोहल्ले थे। मुहल्लों में रहने वाले बाक़र गंज में न बसना चाहते थे क्योंकि वहाँ कुछ न था। बाक़र अली ख़ाँ पूरी ज़िन्दगी कोशिश करते रहे कि बाक़र गंज बस जाय क्योंकि उन्हें अंदाज़ा था कि सिर्फ़ सैयदों से मोहल्ला नहीं बसेगा।

फतेहपुर डिस्ट्रिक्ट गज़ेटियर (1906) के अनुसार 1801 में पूरे ज़िले से 12,56,102 रुपये वसूली होती थी। इसके बाद 1812 में वसूली 13,62,736 रुपये हो गयी थी। इस दौरान लगान वसूल करने वालों ने छोटे ज़मींदारों की क़ीमत पर बड़ी सम्पत्तियाँ खड़ी कर ली थीं। 1840 के बाद रेगूलेशन IX 1833 के अंतर्गत ज़िले की ज़मींदारियों, लगान आदि की व्यवस्था संबंधी जाँच और सर्वेक्षण किए गये। बहुत से ऐसे मामले सामने आये जिनमें जाँचकर्ताओं ने यह पाया कि मालिक को अपनी ज़मींदारी बेचने पर मजबूर किया गया है या नीलामी कायदे-कानून के अनुसार नहीं की गयी थी। इस जाँच के बाद नवाब बाक़र अली ख़ाँ और उनके संबंधियों द्वारा खरीदी गयीं ज़मींदारियाँ मूल मालिकों को लौटा दी गयीं। इस वक़्त

तक बाक़र अली ख़ाँ मर चुके थे। उनके सबसे छोटे भाई और उत्तराधिकारी मुहम्मद ख़ाँ को यह झटका सहन करना पड़ा था। अब परिवार की आमदनी का ज़रिया केवल मौरुसी ज़ागीर ही बची थी। अब नवाब मुहम्मद ख़ाँ सिर्फ़ बिन्दौर के जागीरदार थे। उन्होंने सारा काम मुंशियों, कारिन्दों, सिपाहियों पर छोड़ दिया था जो लगान वसूली और दूसरे मुताल्लिक काम करते थे। मुहम्मद ख़ाँ का मिज़ाज़ और तबियत अपने बड़े भाई से बिल्कुल मुख़्तलिफ़ थी। उन्हें शोर-शराबे हंगामे से वहशत होती थी। क़िले के दीवानख़ाने की बराबर वाली सहनची में मुहम्मद ख़ाँ नमाज़, तिलावत और एक-दो मुसाहिबों की सोहबत में दिन गुज़ार देते थे।

क़िले के चारों तरफ़ मिट्टी के पीछे की मोटी फसील के पीछे की ढलान पर चिलवर, शीशम, बबूल, नीम, खजूर के खुरदुरे पेड़ों और किस्म-किस्म की झाड़ियों का जंगल स्याही, खरगोशों, साँपों और तरह-तरह के छोटे-मोटे जानवरों का ठिकाना तो था ही, घने पेड़ों के ऊपर हज़ारों की तादाद में तोते और दूसरे परिन्दे बसेरा लेते थे तो शाम के वक़्त चारों तरफ़ सिर्फ़ चहचहाहट सुनाई देती थी। रातों में और खासतौर से बरसात की रातों में झींगुरों, मेंढकों की लगातार आवाज़ें आती थीं जिनके बीच कभी-कभी साँपों की किरकिराहट भी सुनाई देती थी। मिट्टी की तूदेनुमा दीवार पर चढ़कर साँप तो अक्सर अन्दर आ जाया करते थे जिनको फौरन लाठियों से पीट-पीट कर मार दिया जाता था। चारों तरफ़ के घुप अँधेरे में क़िले के बड़े फाटक के बाहर चर्बी वाली मशालें जला करती थीं जिनकी रोशनी में हज़ारों पतिंगे अपनी जान की बाज़ी लगाते रहते थे। अंदर के सहन में दीवानख़ाने की दीवार पर भी चार मशालें रौशन रहती थीं लेकिन ये चर्बी की नहीं बल्कि तेल की मशालें होती थीं।

दीवानख़ाने की ताक़ों में काफ़ूरी श्म्अएँ जलाई जाती थीं। नवाब मुहम्मद ख़ाँ की सहेनची के बायीं तरफ़ वाली ताक़ में भी रात भर एक श्म्अ जलती रहती थी। ज़नानख़ाने में रौशनी का इंतिज़ाम कुछ ज़्यादा रहता था। सूरज डूबने से पहले ही खाना खाकर सब सो जाते थे। क़िले के सदर दरवाज़े में लगा छोटा दरवाज़ा लोहे की मोटी सांकलों से बंद कर दिया जाता था। दरवाज़े के दायें-बायें बनी कोठरियों में पहरेदारों के खानदान रहते थे। सामने वाले मैदान के बायीं तरफ़ भी सिपाहियों, मुंशियों और नौकरों वग़ैरह के हस्बे हैसियत घर थे जिन पर छप्पर या खपरैलों की छतें थीं।

आने-जाने वाले इतने तय थे कि सालों कोई नया चेहरा न दिखाई पड़ता था। हर चीज़ अपने बँधे-बँधाये ढर्रे पर चला करती थी। ऐसा लगता था जैसे सुबह होते ही तयशुदा ज़िन्दगी शुरू हो गयी है जो शाम तक जारी रहेगी।

~ ~ ~

दीवानख़ाने में नवाब मुहम्मद ख़ाँ नाश्ता करने के बाद आते थे। उनके अपने मुलाज़िमों के अलावा शहर से तीन-चार लोग बराबर आते थे। ये लोग क़िले में आने से पहले कम्पनी बाग़ में डाक मुंशी से मिलकर आते थे और कभी-कभी उनके पास कुछ महीनों पुरानी नयी खबरें हुआ करती थीं। इन्हीं लोगों के ज़रिये ये खबर मिली थी कि मुलतान में दो अंग्रेज़ों के सिर काट डाले गये और कम्पनी बहादुर सिखों से जंग कर रही है। मीर इनायत अली आबू नगर से आते थे। उनके रिश्तेदार ज़िले के अतराफ़ में फैले हुए थे। वे बताते थे कि गाँव में जुलाहे भूखे मर रहे हैं। अब विलायती कपड़े के आगे कोई उनका कपड़ा नहीं खरीदता। जुलाहे न तो खेती कर सकते हैं और न मज़दूरी करके पेट पाल सकते हैं। गाँव के बड़े ज़मींदार और किसान अज़-राहे हमदर्दी उन्हें कुछ दे देते हैं लेकिन उससे क्या काम चलता है। और फिर सबकी हालत खस्ता है। लगान इतना है कि दिया नहीं जाता। जुलाहों के अलावा मदरसे के मौलवी और मस्जिद के इमाम भी परेशान हैं क्योंकि अवध की सरकार से उन्हें जो तनख्वाहें मिलती थीं कम्पनी राज में बंद हो गयी हैं। वो भी गाँव के ज़मींदारों के सिर पड़ गये हैं। मदरसे तो चल रहे हैं लेकिन मौलवी दाने-दाने को मोहताज़ हैं।

दोपहर के खाने तक मुहम्मद ख़ाँ के सामने हालाते हाज़रा पर बातचीत होती थी। नवाब साहब कम बोलते थे। बस रह-रह कर ठण्डी साँसें भरते जाते थे। वली ख़ाँ शहर के मशहूर पठान ख़ानदान से ताल्लुक रखते थे। बिलन्दा में उनकी जायदाद थी जिससे काम-धाम चल जाता था। ख़ाँ साहब फिरंगियों के बड़े सख़्त दुश्मन थे लेकिन नवाब साहब के सामने दबी जुबान से बातें करते थे क्योंकि जानते थे कि नवाब साहब साल में एक दो बार फिरंगी कलक्टर से मिलने जाते हैं और फिरंगियों से किसी किस्म का इख़्तिलाफ़ पसंद नहीं करते।

~ ~ ~

आजकल यह ख़बर उड़ी हुई है, बल्कि इसमें सच्चाई है कि फिरंगी मुल्क को लोहे की मोटी-मोटी सलाखों से बाँध रहे हैं। कुछ लोग कहते हैं फिरंगी ज़मीन घसीटकर कहीं ले जायेंगे, जबकि फिरंगी कहते हैं कि इस पर भापगाड़ी चलेगी वैसे ही जैसे गंगा में भाप से बड़ी-बड़ी नावें चलती हैं। अब अगर लोहे की गाड़ी चलेगी तो हुज़ूर उसकी आवाज़ कितनी होगी। तोप जैसी ? क्या तोप से ज़्यादा होगी ? ये भी कहते हैं कि उससे ज़मीन बंजर हो जायेगी और मुर्ग़ियाँ अण्डा देना बंद कर देंगी। औरतों के पेट से बच्चे गिर जायेंगे। वैसे हुज़ूर दो फिरंगी यहाँ इसी काम के लिए आये हुए हैं। दिन-दिन भर सिर पर मोटा-सा टोप लगाये धूप में सराबोर लोहे की

सलाखें बँधवाया करते हैं। उनको तो हुज़ूर मज़दूर भी बड़ी मुश्किल से मिलते हैं।

मुहम्मद ख़ाँ भी अपने भाई बाक़र अली ख़ाँ की तरह ही बाक़र गंज बसाना चाहते थे। उन्होंने यह कोशिश भी की थी कि उनकी ज़ागीर से कुछ काश्तकार यहाँ आ जायें। लेकिन जंगल में काश्तकार क्या करते? बीहड़ को साफ़ करना आसान न था। जंगली पेड़ इतने बड़े थे और झाड़-झंखाड़ इतना ज़्यादा था कि वहाँ आदमी का गुज़र ही मुश्किल था। किसी सूरत से उन्होंने क़िले तक आने वाले रास्ते को चौड़ा कराया था। इससे ज़्यादा वे कुछ न कर सके थे। क़िले के दीवानख़ाने की दूसरी मंज़िल से जब वे चारों तरफ़ फैले जंगल को देखते थे तो उनके दिल में ख़्वाहिश पैदा होती थी कि काश! यहाँ एक छोटा-सा बाक़र गंज होता। कुछ कच्चे घर या छप्पर ही नज़र आते। एक-दो खपरैल की छतें दिखाई पड़तीं। किसी आदमी की आवाज़ कानों में पड़ जाती। कभी रात में ढोल बजने की आवाज़ आती। लेकिन रात को सियार की आवाज़ों के सिवा और कुछ न सुनाई पड़ता था। क़िले के अंदर हालात बहुत सामान्य थे। बाहर की हलचल से कोई फ़र्क़ न पड़ता था। अफ़वाहों पर वे वैसे भी यक़ीन न करते थे। फिर भी रोज़ नयी-नयी बातें सुनने में आती थीं।

एक दिन मिर्ज़ा ये ख़बर लेकर आये कि फिरंगी अपने मदरसे खोलने वाले हैं। इन मदरसों में सब पढ़ेंगे। मियाँ, सबका मतलब क्या? यानी शेख, सैयद, पठान, ब्रहमन, राजपूत, बनिये, कोरी-कहार, नाई, धोबी, चमार, पासी सब पढ़ेंगे। लाहौलविला कुव्वत। हुज़ूर ये भी कोई मक़तब होगा? और सरकार ये सब बराबर बैठेंगे। ग़ज़ब हो जायेगा सरकार। पूरा निज़ाम दरहम-बरहम हो जायेगा। शरीफ़ और रज़ील के बीच का फ़र्क़ ही मिट जायेगा। मियाँ, इतनी छोटी-सी बात ये फिरंगी नहीं समझ सकते। इन्हें बेकार में अक़्ल का पुतला कहा जाता है।

मीर साहब ने ही बताया कि जनाब आजकल ज़िले में जज के ओहदे पर जो टकर साहब तशरीफ़ लाये हैं उन्होंने आबू नगर के आगे सड़क के किनारे चार बड़े-बड़े खंभों पर ईसाई मज़हब के दस्तूर ख़ुदवाकर लगा दिए हैं। हर राह चलता उनको देखता है। कहते हैं टकर साहब बहुत पक्के ख्रिस्तान हैं और कई मुजरिमों को इस शर्त पर रिहा कर देते हैं कि ईसाई मजहब कुबूल कर लें। पता नहीं हुज़ूर एक दिन हिन्दुस्तान ख्रिस्तान न हो जाये। हुज़ूर फ़ारसी पढ़े रोटियों को मोहताज हैं। अब उनकी क़द्र ही नहीं है। कहते हैं अंग्रेज़ी का शुद-बुद भी कोई जानता है तो उसे आँखों पर बिठाया जाता है। कोई उनके मुक़ाबिल नहीं है, जो चाहें सो करें।

नवाब मुहम्मद ख़ाँ के इकलौते बेटे अहमद हुसैन को शिकार का शौक है। कभी-कभी सूरज निकलने से पहले ही अपने साथियों के साथ शिकार पर निकल जाते हैं। उनके साथ सिपाही, खानसामा, भिश्ती और ख़िदमतगार जाते हैं। गंगा की

तराई में उन्हें बहुत अच्छा शिकार मिल जाता है। वहीं ख़ेमे लगाये जाते हैं। कबाब सेंके जाते हैं। खाना पकता है और चोरी छिपे कानपुर से किसी गाने वाली का इंतिज़ाम किया जाता है ताकि पूरी महफिल सज सके। अहमद हुसैन अपने वालिद से बिलकुल उलट मिज़ाज़ के आदमी हैं। उन्हें हर उस चीज़ का शौक है जिसका रईसों को होता है। उन्हें अच्छे असलहा रखने का भी शौक है। लखनऊ से वो अच्छी से अच्छी इनफील्ड राइफ़िलें मँगवाते हैं।

~ ~ ~

जाड़ों की एक दोपहर थी। नवाब मुहम्मद ख़ाँ अपने मुसाहिबों के साथ बैठे दोपहर का खाना खा रहे थे। मीर साहब हाल ही में ख़्रिस्तान हुए दो लोगों का क़िस्सा सुना रहे थे कि मीर मुंशी सामने आकर खड़े हो गये। मुहम्मद ख़ाँ ने उनकी तरफ़ देखा और उन्हें ताज्जुब हुआ। खाने के दौरान मीर मुंशी के आने का दस्तूर तो न था। लेकिन मीर मुंशी के चेहरे पर डर, खौफ़ और हैबत का जो तास्सुर था वह उनकी निगाहों से पोशीदा न रह सका—"कहो क्या बात है ?" मीर मुंशी ने काँपती आवाज़ में कहा—"हुज़ूर... बादशाहे अवध को फिरंगियों ने गिरफ़्तार कर लिया है।" सबने मीर मुंशी की तरफ़ देखा और सब रुक गये। खाना नहीं खाया गया। नवाब साहब अपने हुजरे में चले गये और बाक़ी सबके चेहरे धीरे-धीरे तमतमाने लगे।

तीन दिन मुहम्मद ख़ाँ अपनी सहेनची से बाहर नहीं आये। न किसी से मिले, न बातचीत की। उनका खास ख़िदमतगार खाना ले जाता था तो खा लेते थे। उन्होंने मना कर दिया था कि कोई उनके पास न आये। हद ये है कि बेटे अहमद हुसैन को भी अंदर आने की इज़ाज़त न थी। पता नहीं अकेले बंद कमरे में वे क्या सोचते थे। क्या करते थे। लेकिन अक्सर उन्हें सिज्दे में ही देखा जाता था। इतनी नमाज़ें पढ़कर पता नहीं वे किसके लिए क्या दुआ करते थे।

खबरों का ताँता-सा लग गया था। फिरंगी फ़ौज लखनऊ शहर के अंदर आ गयी थी। चौराहों और सड़कों पर कवायद कर रही थी। जाने आलम की सवारी बाहर निकली तो उसके पीछे सैकड़ों लोग चलने लगे। रोते-बिलखते और आहो-ज़ारी करते लोग लखनऊ की सरहद तक गये। वहाँ से उन्हें वापस कर दिया गया। फिरंगी फौज अब लखनऊ से तो बाहर हो गयी है लेकिन छावनी में कई कम्पनियाँ पड़ी हैं। किसी भी वक़्त शहर में आ सकती हैं।

उसके बाद सुनने में आया कि जाने आलम वाजिद अली शाह 'अख़्तर' ने कम्पनी का वज़ीफा लेने से इनकार कर दिया है और वह लंदन जाकर मलिका विक्टोरिया और कम्पनी बहादुर से मुलाकात करके नाइंसाफी के खिलाफ़ अपील

करना चाहते हैं। ये कैसे हो सकता है कि किसी का मुल्क कोई हड़प ले। फिर ये बात फैली कि जाने आलम ख़ुद नहीं जा रहे हैं क्योंकि कम्पनी ने उन्हें कलकत्ता में नज़रबंद कर दिया है। अब वे अपनी जगह अपनी वालिदा जनाबे आलिया ताज आरा बेगम और उनके दो बेटों को अपना वकील बना कर लंदन भेज रहे हैं। जाने आलम के छोटे भाई मिर्ज़ा सिकन्दर हशमत बहादुर भी जा रहे हैं। बहरहाल जितने मुँह थे उतनी बातें थीं। यह ख़बर भी फैली कि रूस का ज़ार अफ़ग़ानिस्तान के रास्ते हिन्दुस्तान पर हमला करने वाला है और वह कम्पनी बहादुर के छक्के छुड़ा देगा।

सबसे गर्म और तेज़ी से फैलने वाली खबर ये थी कि कम्पनी ने अपनी फौज के सिपाहियों को जो नये कारतूस दिए हैं उन्हें दाँत से काटकर खोलना पड़ता है। उन पर सुअर और गाय की चर्बी लगी होती है। ये खबर गाँव-गाँव फैल गयी थी और जिन घरों से लोग कम्पनी की फौज में नौकरी करते थे वे बहुत परेशान हो गये थे। पहले तो यही जानलेवा हुकुम था कि सिपाहियों को पानी के जहाज़ पर बैठकर समन्दर पार जाना पड़ेगा। फिरंगी धरम और अधरम का भेद मिटा रहे हैं ताकि सब ख्रिस्तान हो जायें।

अचानक कुछ महीने बाद ख़बर आई कि कलकत्ता में कम्पनी की फौज से हथियार रखवा लिए गये हैं और बाग़ी सिपाहियों को फाँसी पर लटका दिया गया है। चारों तरफ़ फ़ौज में बदअमनी फैल रही है। मस्जिदों में चुपके-चुपके लोगों को क़समें दी जा रही हैं। क़ुरान पर हाथ रखकर क़समें खिलवाई जा रही हैं। पता नहीं क्या होगा?

गर्मियाँ आते-आते माहौल और गरम हो गया। एक दिन ख़बर आई कि मेरठ के फौजियों ने दिल्ली पर कब्ज़ा कर लिया है। फिरंगियों का क़त्लेआम किया है। गिरजाघर और गोरों के कब्रिस्तान तोड़ डाले हैं। गोरों की दुकानें लूट ली गयी हैं। बहादुरशाह ज़फ़र को हिन्दुस्तान का बादशाह बना दिया है। जामा मस्जिद में उनके नाम का खुत्बा पढ़ा गया है। बारूदख़ाने को फिरंगियों ने उड़ा दिया है। और दिल्ली फिरंगियों से खाली हो गयी है। बैंक और ख़ज़ाने लूट लिए गये हैं। क़ैदख़ाने के दरवाज़े खोल दिए गये हैं और क़ैदी सिपाहियों के साथ मिल गये हैं।

ख़बरों की तलाश में लोग कम्पनी बाग़ के चक्कर लगाया करते थे। एक दिन ख़बर आई कि कानपुर में भी बग़ावत हो गयी। बड़ा क़त्लो-खून हुआ है। फिर ख़बर आई कि इलाहाबाद में भी मौलवी लियाक़त अली ने हुकूमत अपने हाथ में ले ली है। थाना जला दिया गया है। इस ख़बर के बाद डाक गाड़ियों का आना-जाना भी बन्द हो गया। लेकिन ख़बरें आती रहीं। ख़बर मिली कि खागा की तहसील

जला दी गयी है। ख़ज़ाना लूट लिया गया है। वहाँ से सैकड़ों लोग फतेहपुर की तरफ़ रवाना हो गये हैं। इसी शाम फतेहपुर में कम्पनी के सिपाही भाग खड़े हुए लेकिन रात में कोई घटना नहीं घटी। सुबह शहर में ख़ज़ाने पर हमला किया गया लेकिन कोई कामयाबी नहीं मिली। जेलख़ाना तोड़ने की कोशिश भी नाकाम हो गयी। शहर वापस आकर बाग़ियों ने मिशन कम्पाउण्ड में लूटमार करके आग लगा दी और गिरजाघर तोड़ डाला। डाक बंगला भी जला दिया। इसी दौरान इलाहाबाद से बाग़ियों की एक बड़ी तादाद यहाँ पहुँच गयी। उन्होंने कम्पनी के ठिकाने लूटने और जलाने का काम और तेज़ी से शुरू कर दिया।

~ ~ ~

फतेहपुर में उस वक़्त कलक्टर और डिस्ट्रिक्ट मजिस्ट्रेट एडमोन्स्टन थे। ज़िला जज टी.एच. टकर थे, डिप्टी कलक्टर टी.जे. मेक्टाफ थे। एक अंग्रेज अफीम कोठी का मैनेजर था और दूसरा नमक टैक्स का काम देखता था। इनके अलावा एक अंग्रेज़ डॉक्टर था और तीन-चार ईस्ट इण्डिया रेलवे के इंजीनियर थे जो रेल की पटरियाँ डालने का काम करा रहे थे। हिन्दुस्तानी अफ़सरों में डिप्टी हिकमतउल्ला ख़ाँ एक स्थानीय पठान थे।

दिल्ली फिरंगियों के हाथ से निकल गयी थी। लखनऊ आज़ाद हो गया था। कानपुर में नाना साहब की हुकूमत थी। इलाहाबाद में मौलाना शौकत अली ने कमान अपने हाथ में ले ली थी। चारों तरफ़ से फिरंगियों के क़त्लेआम की खबरें आ रही थीं।

कलक्टर एडमोन्स्टन के बँगले की छत पर ज़िले के सभी अंग्रेज़ फतेहपुर शहर से उठते धुएँ को देख रहे थे और आवाज़ों को सुन रहे थे। कलक्टर के बँगले के चारों तरफ़ ऊँची दीवार थी और यह अन्य अंग्रेज़ अफ़सरों के बँगले के मुकाबले ज़्यादा महफूज़ था। इन्होंने दूर से कुछ घुड़सवारों को अपनी तरफ़ आते देखा। सबने बंदूकें उठा लीं। घुड़सवार जब पास आये तो पता चला कि ये डिप्टी कलक्टर हिकमतउल्ला ख़ाँ हैं। हिकमतउल्ला ने बज़ाहिर तो ये कहा कि वे अपनी वफ़ादारी साबित करने आये हैं लेकिन दरअसल वे टोह लेने आये थे कि दुश्मन के पास क्या है।

सूरज डूबते-डूबते ये ख़बर मिली कि जेल पर तैनात सिपाही भी बाग़ियों के साथ मिल गये हैं। अब कोई रास्ता न था और सिर्फ़ रात थी। मतलब सुबह का सूरज देखने के लिए रात ही रात कुछ किया जा सकता था। कलक्टर ने कहा कि "उन सबको बाँदा निकल जाना चाहिए जो अब भी सुरक्षित हैं।" इसके अलावा कोई रास्ता न था। सब तैयार हो गये। लेकिन जज टकर स्टेशन छोड़ने पर तैयार न थे। उन्होंने कहा कि यह उनका फर्ज़ है कि वे अपने काम को अंजाम देते रहें

और वे ऐसा ही करेंगे। कलक्टर और दूसरे लोगों ने उन्हें समझाया कि सैकड़ों और हज़ारों विद्रोहियों का सामना करने का कोई तरीक़ा ही नहीं है। शहर में अब उनका वफ़ादार एक सिपाही भी नहीं है। यहाँ रहने का मतलब आत्महत्या करने जैसा है। हालात ठीक हो जायेंगे तो हम फिर वापस आयेंगे। ये सब तर्क कुछ काम न आये। टकर यही कहते रहे कि उनकी अंतरात्मा की आवाज़ यह नहीं कहती कि वे अपना दायित्व, ज़िम्मेदारी छोड़ कर भाग जायें। वे भगोड़ों में अपने को शामिल नहीं करना चाहते। बहुत देर तक बहस होती रही। ये भी सब को पता था कि बाँदा जाने के लिए घाटमपुर तक जाना होगा। जहाँ से उन्हें जमुना पार करनी पड़ेगी। घाटमपुर तक वे अगर रातों-रात पहुँच गये तो बच सकते हैं। दिन का उजाला उनका दुश्मन है। इस बहस-मुबाहिसे में देर हो गयी तो उनका जाना न जाना बराबर हो जायेगा। टकर किसी सूरत तैयार न होते थे। उन्होंने धर्म का सहारा ले लिया। ईश्वरीय सत्ता पर अपना अटूट विश्वास जताया। वक़्त कम था। बाकी लोगों ने तय किया कि टकर अगर नहीं जाना चाहते तो वे न जायें। बाकी लोग चले जायेंगे।

टकर अपने बँगले चले गये। बाकी लोगों ने विलायती कपड़े उतार कर पठानों वाले कपड़े पहने। सिर पर साफे बाँधे पर अफ़सोस कि वे लाल-सफ़ेद रंग का कुछ न कर सकते थे। लेकिन रात उनका साथ दे रही थी।

बड़ी मुसीबत में छोटे लोग काम आते हैं। डिस्ट्रिक्ट मजिस्ट्रेट एडमोन्स्टन ने अपने अर्दली, ख़ानसामा, साइस को बुलाया और बताया कि वे सब बाँदा जाना चाहते हैं क्योंकि फतेहपुर का बन्दोबस्त बिगड़ गया है। वे सब साहब की मदद करने पर तैयार हो गये। लेकिन साहब को यह भी मालूम था कि अच्छे से अच्छे काम को पूरा करने में लालच की बड़ी भूमिका होती है। उन्होंने चाँदी के रुपयों के तोड़े खोल दिए। पूरी ज़िन्दगी ये में लोग जो कमाते उतना पैसा उन्हें देकर साहब ने कहा कि घाटमपुर पहुँच कर इतना ही और दिया जायेगा।

अब तय ये हुआ कि अर्दली, ख़ानसामा और साइस के खानदान के आठ जवानों में चार एक मील आगे चलेंगे। चार इन लोगों के साथ रहेंगे। आगे जाने वालों को कोई ख़तरा लगेगा तो उनमें से एक पीछे आकर बता देगा और अगर कोई सवाल-जवाब करेगा या पूछेगा या बात करेगा तो कोई साहब नहीं बोलेगा। यही लोग जवाब देंगे। कहेंगे कि नवाब बाँदा के रिश्तेदार हैं जो फतेहपुर के चौधरी समदयार ख़ाँ के घर से वापस जा रहे हैं। सुबह होते-होते यह छोटा-सा भयभीत कारवाँ जमुना किनारे पहुँच गया। वहाँ पता चला कि मुख्य घाट पर तो सैकड़ों विद्रोही हैं इसलिए कुछ मील उत्तर में जाकर इन्होंने जमुना पार की।

अगले दिन मिस्टर टकर की कोठी पर हमला हुआ। सैकड़ों लोगों ने कोठी

घेर ली। टकर छत पर चढ़ गये और वहाँ से फायरिंग करने लगे। ये सिलसिला लम्बा नहीं चल पाया क्योंकि हमला करने वालों ने, कहा जाता है जिनके नेता डिप्टी हिकमतउल्ला थे, कोठी में आग लगा दी।

मुहम्मद ख़ाँ शहर में होने वाली इन तब्दीलियों को देख रहे थे। उन्हें एक-एक लम्हे की खबरें मिल रही थीं। यह भी ख़बर मिल गयी थी कि डिप्टी हिकमतउल्ला ने अपने को ज़िले का चकलेदार घोषित कर दिया है और उन्हें नाना साहब पेशवा का परवाना भी मिल गया है। ज़िले पर अब उनका राज है। लेकिन मुहम्मद ख़ाँ के दिल में सैकड़ों सवाल थे जो वे अपने आपसे पूछते थे। कुछ सवाल अँधेरे में डूब जाते थे और कुछ चमकने लगते थे।

ज़िले में डिप्टी हिकमतउल्ला का राज था। उसी तरह जैसे पहले कम्पनी के नाम पर गोरे साहब राज करते थे वैसे ही नाना साहब पेशवा के नाम पर डिप्टी हिकमतउल्ला राज करने लगे थे। लोग खुश थे कि फिरंगियों के अत्याचार से मुक्त हो गये। लोग तो बस राहत चाहते थे इसके अलावा वे कुछ न चाहते थे और न जानते थे। यह ज़रूर जानते थे कि कोई राजा अच्छा होता है और कोई बुरा होता है। वे कम्पनी को, गोरों को खराब राजा मानते थे। उन्होंने खराब राजा की जगह अच्छा राजा बिठा दिया था। राजा मालिक होता है प्रजा उसके अधीन होती है। अब ज़िला डिप्टी हिकमतउल्ला के अधीन था। लोग वही करते थे जो राजा कहता था। उन्होंने कभी ये सोचा ही नहीं था कि कुछ अपने आप भी करना चाहिए। सिवाय इसके कि अपनी खेती, अपना कारोबार, अपना धंधा-यही उनके वश में था। बल्कि यह भी नहीं था क्योंकि यह हज़ारों साल से तयशुदा था। जो भी जो कुछ कर रहा है वह वही करता रहेगा। नहीं करेगा तो बिरादरी से निकाल दिया जायेगा और अकेला ज़िन्दा नहीं रह पायेगा।

~ ~ ~

अपना राज पुनः स्थापित करने के लिए कम्पनी की सेनाएँ चल चुकी थीं। मद्रास से जनरल नील की कमाण्ड में एक सेना कलकत्ता पहुँच चुकी थी जिसे जल्दी से जल्दी लखनऊ की तरफ़ भेजा जाना था। यह सेना कलकत्ता से रानीगंज तक ट्रेन से आई। कम्पनी ने रानीगंज से कोयला लाने के लिए जो रेलवे लाइन बनायी थी वह कोयला बचाने मतलब राज बचाने के काम आई। सौ मील से ज़्यादा फ़ासला ट्रेन से तय करके सेना आगे बढ़ी। जनरल नील ने बनारस में विद्रोहियों को कड़ी सजाएँ दीं और वहाँ से इलाहाबाद के लिए रवाना हो गया। इलाहाबाद का क़िला कम्पनी का दिल्ली के बाद दूसरा सबसे बड़ा शस्त्रागार था जिसमें बड़ी संख्या में

तोपें और दूसरे हथियार थे। क़िले में आसपास के ज़िलों से आया मालगुज़ारी का काफ़ी पैसा था। यह सब क़िले की सुरक्षा के लिए ख़तरा बन गया था। शहर पर मौलाना शौकत अली का कब्ज़ा था। उन्होंने खुसरो बाग़ को अपना सदर मुक़ाम बनाया था। इलाहाबाद के क़िले में कम्पनी के सभी सिपाही हिन्दुस्तानी थे। और यह डर बना हुआ था कि अगर ये सिपाही अपने देशवासियों के साथ हो गये तो क़िला विद्रोहियों के कब्ज़े में आ जायेगा और कम्पनी की फ़ौजों के लिए बड़ा संकट पैदा हो जायेगा। लेकिन क़िला अब तक सुरक्षित था क्योंकि चुनार के क़िले से कुछ गोरे सिपाही यहाँ आ गये थे।

जनरल नील ने इलाहाबाद आते ही उन दो हज़ार लोगों पर हमला कर दिया जो क़िले के पास मोर्चा लगाये थे। जनरल नील इलाहाबाद में विद्रोहियों को तहस-नहस करने के बाद कानपुर की तरफ़ बढ़ गया। इसके बाद उससे बड़ी जनरल हैवलॉक की सेना इलाहाबाद आई और फतेहपुर की तरफ़ बढ़ी। हैवलॉक को आदेश थे कि फतेहपुर के डिप्टी कलक्टर हिकमतउल्ला ख़ाँ और पठान समुदाय को विशेष रूप से दण्डित किया जाये।

~ ~ ~

नाना साहब पेशवा को गोरों की इस पेशक़दमी का पता लग गया था। उन्होंने ब्रिगेडियर ज्वाला प्रसाद के नेतृत्व में एक बड़ी सेना और बारह तोपें जनरल हैवलॉक को पराजित करने के लिए भेजी थीं। कुछ इतिहासकार ब्रिगेडियर ज्वाला प्रसाद पर यह टिप्पणी भी करते हैं कि उन्होंने जीवन में कभी कोई युद्ध ही नहीं लड़ा था। वे पहली बार एक बहुत अनुभवी, दसियों युद्धों, यहाँ तक कि ईरान में कम्पनी सेना की कमांड सँभालने वाले चौंसठ वर्षीय जनरल हैवलॉक से मोर्चा लेने भेजे गये थे।

~ ~ ~

अवध के चीफ कमिश्नर सर हेनरी लॉरेंस थे जो दीगर गोरों के साथ लखनऊ की रेजीडेंसी में विद्रोही सेना से घिरे हुए थे लेकिन उनके जासूस पूरे देश में घूम रहे थे। उनके समाचार दूसरों तक पहुँच रहे थे और उन्हें कम्पनी बहादुर की सेनाओं की गतिविधियों की जानकारी मिल रही थी। सर हेनरी लॉरेंस लखनऊ रेजीडेंसी की रक्षा करते हुए 2 जुलाई, 1857 को तोप के एक गोले से ज़ख़्मी हुए थे और दो दिन बाद उनकी मृत्यु हो गयी थी। मरने से पहले लॉरेंस ने कहा था कि, "मुझे वहीं दफ़न कर देना जहाँ मैं गिरा था और मेरे टूम्ब (कब्र) पर लिख देना कि यहाँ लॉरेंस दफ़न है जिसने अपना फर्ज़ निभाया।" लॉरेंस की कब्र पर तो आज तक

यह लिखा हुआ है लेकिन पता नहीं बहादुरशाह ज़फ़र की कब्र पर क्या लिखा होगा ?

~ ~ ~

हैवलॉक अपनी सेना को जिस रफ़्तार से आगे बढ़ा रहा था वह अपने ज़माने के लिहाज़ से बहुत ज़्यादा शायद तीन गुनी या चार गुनी रफ़्तार थी। जाड़ों का मौसम होता तो यह रफ़्तार शायद चल जाती लेकिन जून-जुलाई के झुलसा देने वाले महीनों में यह रफ़्तार बहुत ख़तरनाक थी। लू और धूप खासतौर से योरोपियन सिपाहियों पर घातक असर डाल रही थी। लू लगकर मरने वालों की तादाद लगातार बढ़ रही थी। लेकिन हैवलॉक अपनी रफ़्तार कम नहीं करना चाहता था क्योंकि उसे उम्मीद थी कि कानपुर जल्दी पहुँचकर शायद कुछ हमवतनों की जान बचाई जा सके। उसके बाद लखनऊ तो था ही सबसे बड़ा समर जहाँ सर हेनरी लॉरेंस के सत्रह सौ गोरों को कम-से-कम एक लाख लोग घेरे हुए थे और रेज़ीडेंसी पर लगातार गोलाबारी हो रही थी।

इलाहाबाद से फतेहपुर के रास्ते में जनरल हैवलॉक को सर हेनरी लॉरेंस के दो जासूस मिले और उन्होंने ब्रिगेडियर ज्वाला प्रसाद की सेना की पूरी ख़बरें उन्हें दे दीं। यह बताया कि "फतेहपुर से पहले बिलन्दा में नाना साहब पेशवा की सेनाएँ मोर्चा लगा रही हैं।" इस बीच जनरल हैवलॉक के साथ मेजर रेनाउड की एक टुकड़ी भी शामिल हो गयी थी। नाना साहब की सेना आ जाने की खबर सुनते ही हैवलॉक ने मेजर रेनाउड की टुकड़ी को आगे जाकर पता लगाने का आदेश दिया। मेजर रेनाउड की टुकड़ी देख कर ब्रिगेडियर ज्वाला प्रसाद यह समझे कि कम्पनी की पूरी सेना यही है। ज्वाला प्रसाद ने अपनी सेना को व्यवस्थित करने की कोशिश भी नहीं की क्योंकि उन्हें शत्रु बहुत कमज़ोर लगा। उन्होंने दुश्मन का पीछा करना शुरू कर दिया।

~ ~ ~

शाम का वक़्त था। हैवलॉक के सिपाही खाने की तैयारी कर रहे थे। दूसरी तरफ़ रेनाउड की टुकड़ी पलट रही थी। उसके पीछे ज्वाला प्रसाद की सेना थी। अचानक 48 पाउण्ड का एक गोला जनरल हैवलॉक से कोई सौ गज़ दूर आकर गिरा। सिपाहियों ने खाना छोड़ दिया। हैवलॉक ने सेना को सजा दिया। इस बीच रेनाउड की टुकड़ी आकर मुख्य सेना में मिल गयी। ज्वाला प्रसाद तेजी से आगे बढ़ते रहे। उन्होंने क़रीब आकर पाया कि यहाँ तो पाँच रेजीमेंट हैं और आठ तोपें बिलकुल सामने हैं। घुड़सवार सेना उसके पीछे पूरी तरह तैयार है। 64वीं रेजीमेंट इनफील्ड

राइफ़िलों से लैस तोपख़ाने की सुरक्षा कर रही है। अब ब्रिगेडियर ज्वाला प्रसाद के लिए वापस जाने या कोई कारगर रणनीति बनाने का समय नहीं था। जनरल हैवलॉक ने 'फुल एक्शन' का आदेश दे दिया। तोपें एक साथ गरज उठीं। ज्वाला प्रसाद की सेना को यह पता न था कि इनफील्ड राइफ़िलधारी सैनिक उनसे इतना नज़दीक हैं। बहुत पास से आती गोलियों की बौछार का मुकाबला कर पाना कठिन था। दूसरी तरफ़ कैप्टन माउडे के तोपख़ाने ने फिर आग उगलना शुरू कर दिया। यह संयोग ही था कि तोप के गोले सही जगह और सही वक़्त पर गिर रहे थे। घुड़सवार सेना ने और दबाव बनाया तो ज्वाला प्रसाद के सैनिकों को अपनी तीन तोपें छोड़ कर हटना पड़ा। दाहिने बाजू की कमांड मेजर रिनाल्ड के पास थी और वे भी आगे बढ़ रहे थे। 78वीं रेजीमेंट केन्द्र से अपना सम्पर्क बनाये हुए थी। केन्द्र के आदेश के अनुसार वह उस विंग को मदद देती जो कमज़ोर पड़ता दिखाई देता। 64वीं रेजीमेंट सेंटर को मदद दे रही थी। बायीं तरफ़ फिरोज़पुर की 84वीं रेजीमेंट दुश्मन पर हावी पड़ रही थी। हैवलॉक की सेना जैसे-जैसे आगे बढ़ती गयी उसे ज्वाला प्रसाद की सेना की तोपें मिलती गयीं। एक बार फिर ब्रिगेडियर ज्वाला प्रसाद के सैनिकों ने ज़ोर मारा। लेकिन तोपों और कर्नल हैमिल्टन के बंदूकधारी सैनिकों ने उन्हें आगे नहीं बढ़ने दिया। पीछे हटती सेना से हैवलॉक को आठ तोपें मिलीं।

हैवलॉक ने लिखा है कि, "लड़ाई का फ़ैसला दुश्मन की ग़लती की वजह से हमारे पक्ष में दस मिनट के अंदर ही हो गया था। उनकी सबसे बड़ी भूल ही हमारी विजय का कारण बनी।" हैवलॉक ने अपनी सेना के जवानों की क्षति के बारे में लिखा, "बारह गोरे सिपाही 'खेत रहे' लेकिन दुश्मन की गोली से नहीं बल्कि धूप, गर्मी और बीमारी से। इसके अलावा इस लड़ाई में और कोई सैनिक नहीं मरा। क्योंकि दुश्मन के गोला-बारूद ने तो हमें सिर्फ़ छुआ जबकि हम चार घण्टे तक लगातार उन पर गोलाबारी करते रहे।" अंत में हैवलॉक ने अपनी विजय के मुख्य बिन्दु पर रोशनी डाली है। उसने लिखा—"हमारी सूचनाएँ उनकी सूचनाओं के मुकाबले अधिक पक्की थीं।"

~ ~ ~

अब कोई शक नहीं था कि कम्पनी की सेनाएँ फतेहपुर में भयानक आतंक मचायेंगी। ज्वाला प्रसाद कानपुर की तरफ़ बढ़ गये थे। क़िले में मुहम्मद ख़ाँ कोई फ़ैसला लेना चाहते थे। वे जानते थे कि जुनून का कोई जवाब नहीं है। वे लाख समझायेंगे कि उनका परिवार हमेशा कम्पनी का वफ़ादार रहा है। लेकिन कौन सुनेगा? और फिर फौज को फतेहपुर में लूट-मार करने की पूरी छूट होगी।

मुहम्मद ख़ाँ सोच में डूबे थे। मीर मुंशी और दूसरे मुंतज़िम खड़े थे। सबके चेहरों पर डर और खौफ़ तारी था। मुहम्मद ख़ाँ ने सोचा मैं अगर न गया तो कुछ ही देर बाद यहाँ अकेला हो जाऊँगा। ये सब चले जायेंगे। उन्होंने फ़ैसला सुना दिया कि जल्दी से जल्दी हमें निकलना है। हम अपनी ज़ागीर के किसी ऐसे गाँव में चले जायेंगे जो बहुत दूरदराज़ हो। मीर मुंशी ने कहा—"हुज़ूर असली खेड़ा चलें। ये जमुना के कछारों में एक ऐसा गाँव है जहाँ परिन्दा भी पर नहीं मार सकता।" अब मसला यह था कि मस्जिद कैसे अकेली छोड़ी जा सकती है। मुहम्मद ख़ाँ ने मौलवी रज़ा अली को बुलाया, जो मस्जिद के मोअज़्ज़िन थे और कहा कि मस्जिद अकेली नहीं छोड़ी जा सकती। आपको यहीं रहना पड़ेगा। मौलाना के चेहरे पर कई अँधेरी रातें तारी हो गयीं। वह न 'हाँ' कह सकते थे और न 'ना कह सकते थे। उनके साथ उनकी बीवी थी। दो लड़के भी थे। उन सबके क़िले में रह जाने का मतलब था गोरे फ़ौजियों के हाथों क़त्ल हो जाना। मौलाना की दिक़्क़त को समझते हुए मीर मुंशी ने कहा—"हुज़ूर मस्जिद में अज़ान देने के लिए रहमत को छोड़ा जा सकता है।"

"ये रहमत कौन है?"

"हुज़ूर, एक ख़ादिम है जो अज़ान देना जानता है।"

रात ही रात क़िले से करीब पचास लोगों का कारवाँ निकल खड़ा हुआ। आगे-आगे सिपाही थे। उसके पीछे घोड़ों पर ख़ानदान के लोग थे। फिर पालकियाँ थीं। उसके पीछे नौकर और उनके पीछे दस बैलगाड़ियों में ज़रूरी सामान। तीन दिन पहले तेज़ बारिश हो चुकी थी। आसमान पर काले बादल छाये थे। बरसात की अँधेरी रात में यह कारवाँ धीरे-धीरे आगे बढ़ने लगा। कभी गाड़ियों के पहिये बोदे में धँस जाते थे तो ख़िदमतगार पहियों में हाथ डाल कर उन्हें निकालते थे। जानी-पहचानी बरसाती रात की आवाज़ों के सिवा बिल्कुल सन्नाटा था। न कोई रोशनी और न कोई चिराग़। लेकिन रास्ता जानने वाले आगे-आगे चल रहे थे और उन्हें यक़ीन था कि उनकी दिशा सही है। पूरी रात चलने के बाद कारवाँ जमुना के कछार में पहुँच गया। अब यहाँ कोई डर न था। गोरी फौज कल फतेहपुर से होती हुई सीधी सड़क से कानपुर की तरफ़ जायेगी। फ़ौज के सिपाही लूट-मार भी करेंगे तो सड़क के आसपास के गाँव ही बर्बाद होंगे।

~ ~ ~

सड़क के दोनों तरफ़ लगे विशाल पेड़ों पर अनगिनत लोगों को फाँसी के फंदों पर लटकाती, गाँवों, पुरवों को लूटती और जलाती हैवलॉक की सेना फतेहपुर पहुँची।

हुक्म के मुताबिक़ शहर फतेहपुर को दण्ड दिया गया। शहर में रहने वालों ने न ऐसा कभी देखा था न सुना था। उन्होंने युद्ध तो कई देखे थे। युद्ध राजाओं और राजाओं के बीच होते थे। युद्ध जीतने वाला शहर को लूटता तो था लेकिन भयानक निर्ममता से नरसंहार नहीं करता था। फतेहपुर के उन लोगों को, जो अपने पुराने अनुभवों के आधार पर शहर में रुक गये थे, यह देख कर आश्चर्य हो रहा था कि गोरी सेना बारह-बारह साल के पठान लड़कों को सूली पर चढ़ा रही है। शहर को घेर कर इस तरह आग लगा रही है कि कोई ज़िन्दा न बच सके। लोगों को लूटना तो समझ में आता था लेकिन लोगों को ज़िंदा जलाया जा रहा था। क्योंकि यह सेना प्रतिशोध की आग में जल रही थी। 'द ग्रेट अपराइज़िंग इन इण्डिया 1857-58 : अनटोल्ड स्टोरीज़, इण्डियन एंड ब्रिटिश' के लेखक रोर्ज़ लैवेलेन जोन्स के अनुसार फतेहपुर के डिप्टी कलेक्टर हिकमतउल्ला के सिर पर पाँच हज़ार का इनाम था। उनको डिप्टी कलक्टर नियुक्त करने वाले डब्ल्यू.जे. शेरर के पास जो उस समय फतेहपुर के डी.एम. और कलेक्टर थे, आगरा प्रांत के गवर्नर के सेक्रेटरी ने हिकमतउल्ला के संबंध में एक अनुशंसा पत्र लिखा था कि, "हिकमतउल्ला उस क्षेत्र (फतेहपुर) के बहुत परिचित लोगों में हैं, वे बुद्धिमान और परखे हुए आदमी हैं।" इस अनुशंसा के बाद हिकमतउल्ला की नियुक्ति हुई थी। लेकिन 1857 के फतेहपुर में हुए विद्रोह के वे नेता थे। हैवलॉक की सेना को स्पष्ट आदेश था कि डिप्टी हिकमतउल्ला को फाँसी पर चढ़ा दिया जाये। ऊपर उल्लेखित पुस्तक के अनुसार डिप्टी हिकमतउल्ला वेश बदल कर फतेहपुर में कहीं छिपे हुए थे। उन्हें 16 जुलाई, 1857 को गिरफ़्तार किया गया था और दो दिन बाद नीम के एक विशाल पेड़ से लटका कर फाँसी दे दी गयी थी।

~ ~ ~

तबाही और बर्बादी के क़िस्से किसी न किसी तरह मुहम्मद ख़ाँ तक पहुँचते थे। फिरंगी फ़ौज चुन-चुन कर मुसलमानों को मार रही थी। मुसलमानों का साथ देने वाली दूसरी क़ौमों के लोगों को भी फाँसी पर लटकाया जा रहा था। मुसलमानों को क़त्ल करने से पहले उन्हें ज़बर्दस्ती नापाक गोश्त खिलाया जाता था। उनके जिस्म पर नापाक चर्बी मली जाती थी। कभी-कभी नापाक जानवर की खालों में लपेटा जाता था और फिर फाँसी दे दी जाती थी। गोरों ने मस्जिदों को नापाक किया था। उन्हें हर गंदे काम के लिए इस्तेमाल करने के बाद उन्हें अस्तबल बना दिया था। मुसलमान मार दिये गये थे या जंगलों में जाकर छिप गये थे। गोरों के जासूस फ़ौज को खबर कर देते हैं कि वे कहाँ छिपे हैं। उनकी गिरफ़्तारियाँ होतीं और सूलियों

पर चढ़ा दिए जाते। लखनऊ और दिल्ली पर गोरों के कब्ज़े की ख़बरें भी वहीं मिली थीं। लखनऊ का क़त्लेआम और बड़े-बड़े लोगों को मिटा दिए जाने की ख़बरें बराबर आती थीं। हर ख़बर से लोग सहम जाते थे।

अगले साल जाड़ों में एक दिन मिर्ज़ा साहब ख़बर लाये कि आम माफ़ी का एलान हो गया है। इंग्लैण्ड की मलिका ने हिन्दुस्तान की हुकूमत अपने हाथ में ले ली है। कम्पनी बहादुर का राज ख़त्म हो गया है। एलान हो गया है कि सब अपने-अपने घरों को लौट आयें। अब बेगुनाह लोगों को कोई सज़ा न दी जायेगी। सबको अपने धर्म पर चलने की छूट होगी। काम-धंधों को बढ़ावा दिया जायेगा। वग़ैरह वग़ैरह।

अगले जाड़ों में आम माफ़ी के एलान के बाद मुहम्मद ख़ाँ ने असली खेड़ा छोड़ा। जाने से पहले उन्होंने गाँव के मुखिया से कहा कि अब कभी इस गाँव से लगान न लिया जायेगा। कई महीने तक मुहम्मद ख़ाँ और उनके खानदानवालों की सेवा करने का फल पूरे गाँव को मिला था।

~ ~ ~

फतेहपुर में मुहम्मद ख़ाँ का क़िला पूरी तरह तोड़ा जा चुका था। दीवानख़ाना और दीगर इमारतें बारूद से उड़ा दी गयी थीं। चारों तरफ़ मलबा ही मलबा था। सबसे पहले कुएँ की सफ़ाई कराई गयी। मस्जिद साफ़ की गयी। एक मिट्टी की दीवार पर छप्पर डाल कर औरतों और बच्चों के रहने का इंतिज़ाम किया गया। दीवानख़ाने की जगह एक खपरैल डाल दी गयी। सरकार का हुक्म था कि कोई इमारत नहीं बनाई जायेगी। इसलिए मजबूरी थी। दो-चार दिन के बाद नवाब मुहम्मद ख़ाँ फिरंगी सरकार के प्रति अपनी वफ़ादारी साबित करने फिरंगी कलक्टर से मिलने गये। उन्होंने फ़ारसी में एक दरख़ास्त भी लिखी थी जिसमें अपने और अपने ख़ानदान की वफ़ादारी साबित की थी।

पालकी में बैठ कर वे कलक्टर साहब की अदालत पहुँचे थे। वहाँ उन्हें बताया गया कि कलक्टर फ़ारसी की दरख़ास्तें नहीं लेते। दरख़ास्त का अंग्रेज़ी तरजुमा कराना ज़रूरी है। मुंशी रघुनन्दन सहाय ने दरख़ास्त का अंग्रेज़ी तरजुमा किया था।

~ ~ ~

कलक्टर से मिल कर जब नवाब मुहम्मद ख़ाँ लौटे तो सोच रहे थे, हुकूमत गयी, मज़हब गया और अब ज़ुबान भी गयी। लेकिन उन्होंने ये बात किसी से नहीं बताई। अब निजात का एक ही रास्ता था। वे सिजदे में चले गये। अगर कोई सुनने वाला है तो वही है।

अमन हो जाने के बाद भी बड़ी अफ़रा-तफरी का आलम था। मोहल्ले सुनसान पड़े थे। घर गिर रहे थे, कोई रहने वाला न था। खेती-बाड़ी और काम-धंधे चौपट हो गये थे। डर अब भी इतना था कि लोग घर से निकलना पसंद न करते थे। ऐसे हालात में बाक़र गंज बसाना नामुमकिन था। जब खाली घरों में ही कोई रहने वाला नहीं है तो नया घर कौन बनायेगा! क़िले के चारों तरफ़ फैला जंगल और घना हो गया था। बरसात में पानी इस क़दर भर जाता था कि रास्ते बंद हो जाते थे।

~ ~ ~

इम्पीरियल गज़ेटियर ऑफ इण्डिया के मुताबिक मुहम्मद ख़ाँ के बेटे नवाब अहमद हुसैन ख़ाँ का जन्म 1826 में हुआ था। अपने वालिद के इंतिक़ाल के बाद जागीर उन्हें मिली थी। अहमद हुसैन ख़ाँ ने बग़ैर सोचे-समझे पूरी ज़िन्दगी शिकार खेलने में गुज़ार दी। उन्हें न तो जायदाद से कोई मतलब था और न दुनिया जमाने से कोई सरोकार था। मुंशी, मुनीम, कारिन्दे, सिपाही जागीर का बंदोबस्त देखते थे। हाँ, लेकिन उनका हाथ खुला हुआ था। उन्हें यह फिक्र न थी कि पैसा कैसे आ रहा है, कहाँ से आ रहा है, क्या बेच कर या कितने ब्याज पर आ रहा है; उन्हें तो बस पैसा चाहिए था। जब वे मरे तो जायदाद पर अच्छा खासा कर्ज़ था।

~ ~ ~

इस बीच शहर में गवर्नमेण्ट स्कूल खुल गया था। एक अंग्रेज़ उसका हेडमास्टर बन कर आया था। स्कूल सभी के लिए था लेकिन मुसलमान बच्चे सरकारी स्कूल में न जाते थे क्योंकि वहाँ अंग्रेज़ी पढ़ाई जाती थी। मुसलमानों ने अपने पुराने मदरसों को जारी रखा था। अस्पताल खुल गया था जहाँ दूसरे लोग जाते थे लेकिन मुसलमान न जाते थे क्योंकि उन्हें डर था कि दवाओं के नाम पर उन्हें हराम चीज़ खिला या पिला दी जायेगी। औरतों के लिए मिशन अस्पताल खुला था लेकिन मुसलमान औरतें वहाँ न जाती थीं। डाकख़ाने और तार घर में भी मुसलमान कम ही जाते थे। रेलवे स्टेशन में रोज़ सुबह गाड़ी आती और जाती थी लेकिन रेलगाड़ी की सवारी भी मुसलमानों को पसंद न थी।

मुसलमानों ने अपनी एक अलग दुनिया बना ली थी। इस दुनिया का फिरंगियों की दुनिया से इतना ही रिश्ता था कि वह फिरंगियों की दुनिया के अंदर होते हुए भी उससे बाहर थी। मुस्लिम मोहल्ले खण्डहर हो गये थे लेकिन उन खण्डहरों के बीच रहना उन्हें ज़्यादा पसंद था क्योंकि कम से कम वहाँ मज़हब और तहज़ीब बरक़रार थी। बाक़र गंज के सैयदों की भी अलग दुनिया थी। अरबी, फ़ारसी और

हिसाब की पढ़ाई को काफ़ी माना जाता था। जागीर के कुछ गाँव बिक चुके थे। लेकिन इतने बचे थे कि कोई तकलीफ़ न थी क्योंकि बाक़र गंज के सैयदों की दुनिया में अब भी चारपाइयों, तख़्तों और पीढ़ियों की जगह मेज़-कुर्सियों ने नहीं ली थी। कोरमा, कबाब, क़लिया, कीमा, पसंदे, दाल गोश्त, बिरयानी, पुलाव, कबाब पराठे, खीर, हलुवे, ज़र्दा अपनी जगह क़ायम थे।

अहमद हुसैन ख़ाँ के बेटे अली हुसैन ख़ाँ का जन्म 1870 में हुआ था। अपने वालिद की लड़खड़ाती हुई जागीर उन्हें विरसे में मिली थी। हालात इतने खराब हो गये थे कि अली हुसैन लुटिया, डोर और सत्तू लेकर इलाक़े पर लगान वसूली के लिए अपने मरियल-से घोड़े पर निकलते थे। कई-कई हफ़्ते देहातों के चौरों में पड़े रहते थे। रात में देर तक चिराग़ की रोशनी में पटवारियों, मुंशियों का हिसाब-किताब देखते थे। सरकारी देनदारी अदा करने ख़ुद जाते थे। कोशिश करते थे कि किसान ज़्यादा से ज़्यादा ज़मीन जोतें। अपने और खानदान के खर्चों को भी उन्होंने बहुत कम कर दिया था। इस तरह धीरे-धीरे उन्होंने रेहन रखे कुछ गाँव छुड़ा लिए थे।

~ ~ ~

जागीर के कामों को एक ढर्रे पर बिठाने के बाद उन्होंने अपने परदादा बाक़र अली ख़ाँ के उस ख़्वाब को पूरा करने के लिए कमर कसी जो बाक़र गंज बसाने से ताल्लुक़ रखता था। क़िले के चारों तरफ़ अब भी जंगल था। जब तक जंगल साफ़ न होता तब तक आबादी नहीं हो सकती थी। उन्होंने बेलदारों के तीन-चार खानदानों को नौकर रखा। बेलदार क़िले के सामने वाले जंगल का वह हिस्सा साफ़ करने पर लगाये गये जो क़िले के नजदीक था। यह काम इतना लम्बा चला कि बेलदारों ने कुछ हट कर बाक़र गंज में ही अपने मकान बना लिए। यह बाक़र गंज की पहली आबादी थी। बेलदारों ने क़िले की चढ़ाई के दाहिने और बायें तरफ़ का जो जंगल साफ़ किया था वहाँ बसाने के लिए अली हुसैन ख़ाँ ने कुछ पठान ख़ानदानों को तैयार कर लिया। ये हर तरह से मुनासिब था। कभी कोई ख़तरा आ जाये तो लड़ने, मारने और मरने में बेजिगरे पठानों से ज़्यादा और कौन काम आ सकता था। दूसरी बात ये कि अली हुसैन ख़ाँ क़िले के फाटक के नीचे अच्छी नस्ल के लोगों को बसाना चाहते थे। पठानों के चार परिवार आये जिन्हें न सिर्फ़ नौकरियाँ दी गयीं बल्कि मकान बनाने के लिए लकड़ी भी मुहैया करायी गयी। कच्ची मिट्टी के लिए तालाबों की कमी नहीं थी। देखते-देखते क़िले के सामने वाले रास्ते के दोनों तरफ़ पठानों के घर बस गये।

बेलदारों और पठानों के घर फलने-फूलने लगे। अब ज़रूरत पड़ी कि किसी

बढ़ई को बसाया जाये। बढ़ई बहुत आसानी से मिल गया। रामदीन गाँव में परेशान था क्योंकि आबादी घट गयी थी और उसे हर घर से मिलने वाले अनाज में भारी कमी आ गयी थी। रामदीन को पच्चीस मन मोटे अनाज और दस मन गेहूँ देना तय हुआ। उसने बेलदारों के टोले के पास मकान बना लिया। इसके बाद धोबी, नाई, भड़भूँजा, कुम्हार, तेली आबाद हुए। पच्चीस साल के अंदर-अंदर नवाब बाक़र अली ख़ाँ का सपना पूरा हुआ। यह बात दूसरी है कि उसमें लगभग सत्तर साल लगे थे। इसके बाद दो टोले और बसे। एक टोला चमारों का था और दूसरा पासियों का था।

~ ~ ~

वैसे तो अली हुसैन ख़ाँ के यहाँ छ: औलादें पैदा हुई थीं लेकिन बचे दो लड़के ही थे। अत्तन मियाँ और बुद्धन मिर्या की अरबी, क़ुरान शरीफ़, फ़ारसी और हिसाब की तालीम घर पर हुई थी। जब दोनों की ये तालीम पूरी हो गयी तो अली हुसैन ख़ाँ ने उन्हें बुलाकर कहा था कि अब वे उन दोनों को सरकारी स्कूल में अंग्रेज़ी पढ़ने के लिए भेजना चाहते हैं। किसी को इस बात की सुन-गुन तक न थी। न सिर्फ़ अत्तन मियाँ और बुद्धन मियाँ चौंक गये थे बल्कि पूरा ख़ानदान घबरा गया था। इन दोनों को क़ुरान शरीफ पढ़ाने वाले मौलाना सिब्तुल हसन ने नवाब साहब को समझाने की कोशिश की थी कि अंग्रेज़ी तालीम शैतानी तालीम है। इसे हासिल करने वाले लामज़हब हो जाते हैं। उनमें से अक्सर ख़िस्तान हो जाते हैं। अंग्रेज़ी तालीम इस्लाम की दुश्मन है। उन्होंने कई मिसालें भी दी थीं कि फलाँ-फलाँ के साथ क्या हुआ। अंग्रेज़ी तालीम हासिल करने के बाद हराम गोश्त खाने लगे और शराब पीने लगे। दरअसल अंग्रेज़ों की सोहबत ही बहुत बुरी है। ये इस्लाम के पक्के दुश्मन हैं। चाहते हैं सारी दुनिया से इस्लाम को मिटा दें। और फिर स्कूलों में बाइबिल भी पढ़ाई जाती है। ईसाई इबादतें भी कराई जाती हैं। धीरे-धीरे बच्चे अपनी तहज़ीब भूल जाते हैं। खड़े होकर पेशाब करने लगते हैं और इस्तेन्जा नहीं करते। बुजुर्गों की इज़्ज़त नहीं करते। बड़े-बड़े आलिमों ने फतवे दिए हैं कि अंग्रेज़ी तालीम हराम है और वो सब जहन्नुम में जायेंगे जो अंग्रेज़ी तालीम हासिल करेंगे। अंग्रेज़ मेमें मुसलमान नौजवानों को अपने दामे-उल्फ़त में गिरफ़्तार कर लेती हैं। उन्हें ईसाई बना कर उनसे शादी कर लेती हैं। ख़ुदा के लिए नवाब साहब ऐसा न कीजिए। मैं आपके हाथ जोड़ता हूँ। पैरों पर पड़ता हूँ, ऐसा न कीजिएगा। आपके ख़ानदान में ऐसा कभी नहीं हुआ है। और फिर ख़ुदा के फ़ज़्ल से आपको कमी ही क्या है। अल्लाह का दिया सब कुछ है। आपको बच्चों से सरकारी नौकरी तो करवानी नहीं है। इतना है, ख़ुदा के फ़ज़्ल से

आपके पास कि कई पीढ़ियाँ बैठे-बैठे खा सकती हैं।

शहर के बड़े-बड़े लोग आये और उन्होंने नवाब साहब को समझाया। कहा कि मज़हब से बड़ी चीज़ मुसलमान के लिए और क्या हो सकती है। अंग्रेज़ी तालीम में वही चला जाता है। लानत है ऐसी तालीम पर जो मज़हब ही छीन ले। लखनऊ से अज़ीज़ों और दोस्तों के रुक़्के आये कि बच्चों को अंग्रेज़ी तालीम से दूर रखा जाये।

बहू बेगम यानी नवाब अली हुसैन ख़ाँ की बीवी और बच्चों की माँ ने कहा कि ये आप क्या कर रहे हैं। भला कोई अपनी औलाद खोता है ? आप अपनी औलादों को खोना चाहते हैं। कल ये ख़्रिस्तान होकर सात समन्दर पार निकल जायेंगे। हम और आप यहाँ किसके सहारे बुढ़ापा काटेंगे ? मैंने इन बच्चों को जना है, मेरा भी इन पर हक़ है। और उसी हक़ के नाते मैं कहना चाहती हूँ कि ख़ुदा के लिए इन्हें फिरंगी तालीम के लिए न भेजिए। अगर ये बच्चे ख़्रिस्तान तालीम के लिए गये तो मैं साँप के बिल में हाथ डाल कर लेट जाऊँगी या ज़हर खा लूँगी।

अत्तन मियाँ और बुद्धन मियाँ को लोगों ने समझाया कि वे फिरंगी तालीम हासिल करने से इनकार कर दें। इन दोनों ने कहा कि वालिद साहब का अगर हुक्म हो जायेगा तो उसे मानना हमारा फर्ज़ होगा।

यह सब हो रहा था लेकिन नवाब साहब ने अपने पेशकार मुंशी दयाराम को भेज कर स्कूल की किताबें और दो बस्ते मँगवा लिए थे। दोनों बस्ते उनकी बैठक में खूँटी पर टाँग दिए गये थे। बस्तों के आने से और खलबली मच गयी थी। शहर के मुअज़्ज़िन लोग जैसे हकीम क़मरुज़्ज़मा ख़ाँ, हाजी मुहम्मद अशरफ़, पठानों के सबसे सम्मानित वहीदउद्दीन ख़ाँ उर्फ़ वद्दू मियाँ लगातार नवाब साहब के पास आ-आकर उन्हें समझा रहे थे, "फिरंगी स्कूल, जहाँ का हेडमास्टर फिरंगी है और ज़्यादातर उस्ताद ईसाई हैं, वहाँ बच्चों को भेजना ठीक नहीं है।" नवाब साहब सबकी बातें सुनते थे लेकिन 'हाँ' या 'नहीं' में कोई जवाब नहीं देते थे। लगता था उन्होंने पक्का इरादा कर लिया है और पन्द्रह जुलाई को स्कूल खुलते ही अत्तन मियाँ और बुद्धन मियाँ का दाख़िला करा दिया जायेगा।

एक मश्विरा यह भी दिया गया था कि बच्चों को अगर अंग्रेज़ी ज़ुबान की तालीम ही देना चाहते हैं तो उसका इंतिज़ाम घर पर किया जा सकता है। किसी हिन्दू उस्ताद को रखा जा सकता है। उस्ताद अगर ख़्रिस्तान होगा तो शायद लड़कों को अपने मज़हब की तरफ़ राग़िब करने की कोशिश करे। लेकिन हिन्दू उस्ताद जैसे बाबू रामगोपाल सक्सेना के बड़े लड़के को इस काम पर लगाया जा सकता है।

पन्द्रह जुलाई करीब आ रही थी। अत्तन मियाँ और बुद्धन मियाँ बड़े पसो-पेश में थे कि देखें क्या होता है ? नवाब साहब को हर तरह से समझाकर देखा

जा चुका था लेकिन उन्होंने किसी से 'हाँ' न की थी। बहू बेगम ने कहला दिया था कि बच्चे स्कूल गये तो खाना-पीना छोड़ दूँगी।

पन्द्रह जुलाई को सुबह नवाब साहब ने अत्तन मियाँ और बुद्धन मियाँ को याद किया। दोनों सलाम करके उनके सामने खड़े हो गये। नवाब साहब ने अपने बेटों को देखा और बोले, "मैं तुम दोनों को स्कूल में दाख़िल कराना चाहता था। लेकिन अब इरादा बदल दिया है। तुम लोग जाओ। अपनी माँ को बता दो।"

दोनों बस्ते बैठक की खूँटी पर टँगे रहे। धूल खाते रहे। न वहाँ से हटाये गये न खोले गये। एक साल गुज़र गया। अगले साल जुलाई में नवाब साहब के पेशकार मुंशी दयाराम ने कहा—"हुज़ूर मेरे दो पोते स्कूल जाने वाले हैं। अगर हुक्म हो तो ये बस्ते उन्हें दे दिए जायें।" नवाब साहब ने एक उचटती-सी निगाह बस्तों पर डाली और बोले—"हाँ, ले जाओ।"

5 अक्तूबर, 1924 को शाम पाँच बजे नवाब अली हुसैन ख़ाँ ने आख़री साँसें लीं। उन्हें उसी रात क़िले की मस्जिद में दफ़न कर दिया गया। उनके खाते में बहुत कुछ लिखा है। उन्होंने पुश्तैनी जागीर के कुछ गाँव जो हाथ से निकल गये थे, फिर हासिल किए थे। जानवरों का एक बाज़ार लगवाया था। उन्हें अंग्रेज़ सरकार से बड़ी मान्यता मिली थी। न सिर्फ़ नवाब और ख़ान की पुश्तैनी पदवियों को सरकार ने जारी रखा था बल्कि उन्हें यूनाइटेड प्रॉविन्स के गवर्नर के दरबार में कुर्सी भी दी गयी थी। उन्हें ज़िले का ऑनरेरी स्पेशल मजिस्ट्रेट बनाया गया था। उन्होंने अंग्रेज़ी सरकार की इजाज़त से बाक़र गंज में ही अपने लिए अंग्रेज़ी ढंग की एक कचहरी बनवाई थी। एक बड़ा-सा हॉल था जिसमें एक तरफ़ कोई पाँच फीट ऊँचा हिस्सा था जिसके सामने बड़ी मेज़ के पीछे ऊँची कुर्सी पर बैठकर वे मुकदमे सुना करते थे। दोनों तरफ़ लकड़ी के कटहरे थे जिसमें मुल्जिमान और गवाह खड़े होते थे। हॉल में बड़ी मेज़ के ऊपर छत वाला पंखा चला करता था। अहलकार नीचे छोटी मेज़ पर बैठते थे।

नवाब अली हुसैन ख़ाँ के रोज़नामचे से पता चलता है कि उन्होंने ज़िन्दगी में एक लम्बा सफ़र किया था। वे 1911 में दिल्ली गये थे जहाँ उन्होंने दिल्ली दरबार में शिरकत की थी। उन्हें शहंशाहे इंग्लिस्तान के पास जाने का मौक़ा तो नहीं मिला था पर उन्होंने किंग जॉर्ज पंचम को सोलह हज़ार एक सौ सत्तर हीरों के ताज में दमकते हुए देखा था। दरबार में गायकवाड़ महाराजा बड़ौदा का शहंशाह की तरफ़ पीठ करके चले जाना भी उन्हें नज़र आया था जो बाद में महाराजा के लिए बड़ी मुसीबत बन गया था।

~ ~ ~

विज्ञान अब तक यह बताने में सफल नहीं हो सका है कि एक ही माँ-बाप की औलादें एक दूसरे से इतनी अलग कैसे हो जाती हैं। हो सकता है कि आगे चल कर विज्ञान यह बता सके कि नवाब अली हुसैन ख़ाँ और बहू बेगम की औलादें एक दूसरे से इतनी मुख़्तलिफ़ कैसे थीं। पुराने लोगों के बयान और रोज़नामचे यह बताते हैं कि नवाब अली हुसैन ख़ाँ के बड़े बेटे अत्तन मियाँ बहुत मस्तमौला किस्म के आदमी थे। दुनियादारी छू तक नहीं गयी थी। अमीर ग़रीब को एक नज़र से देखते थे। पैसा खर्च करने में उन्हें सबसे ज़्यादा मज़ा आता था। लेकिन पैसे का उपयोग अपने लिए नहीं करते थे। उनका पैसा उनके काम आता था जिस पर उनका नाम लिखा होता था।

एक रात उनके दिल में न जाने क्या आयी कि रुपयों (उस ज़माने में चाँदी के हुआ करते थे) का एक तोड़ा (एक लम्बा कपड़े का सिला थैला जिसमें रुपये के सिक्के भरे जाते थे) कमर में बाँधा और अपने घोड़े पर बैठ किले से बाहर निकल गये। रात ढल आयी थी। चाँद आसमान पर बादलों के साथ लुका-छिपी का खेल खेल रहा था। अत्तन मियाँ चलते-चलते गंगा जी के किनारे पहुँच गये। सामने अपार जल-राशि चाँदी में बदल गयी थी। प्रकृति प्रेमी न होने के बावजूद वे उसे देखते रहे। कुछ दृश्य ऐसे होते हैं जिनमें जादुई ताकत होती है। अत्तन मियाँ यह जादुई दृश्य देख ही रहे थे कि एक कर्कश आवाज़ आई—"रुक जाओ... कहाँ जाते हो?"

अत्तन मियाँ रुक गये। लेकिन उनकी त्योरियों पर बल पड़ गये। उन्होंने अपनी गरजदार आवाज़ में कहा—"कौन है?"

उनका यह कहना था कि चार-पाँच परछाइयाँ दौड़ती हुईं उनके पास आयीं और पैरों पर गिर पड़ीं। एक परछाईं ने कहा—"मालिक, आप हो?"

अत्तन मियाँ को समझते देर नहीं लगी। ये लुटेरे थे जो घाट पर मुसाफ़िरों को लूट लेते थे।

—"हुज़ूर गलती हो गयी। माफ़ी दी जाये।"

—"अच्छा हुआ तुम लोग मिल गये, सालों। इसे उठाओ। बड़ा भारी है।" अत्तन मियाँ ने चाँदी के रुपयों का तोड़ा उन्हें पकड़ा दिया।

पैसा खर्च करने के अलावा अत्तन मियाँ को पंजा लड़ाने का शौक था। आस-पास के दो, चार, छः ज़िलों में कोई ऐसा माई का लाल न था जो अत्तन मियाँ का पंजा मरोड़ सकने की ताक़त रखता हो। बल्कि लोग कहते थे—पंजा हो तो अत्तन मियाँ जैसा। उन्होंने लोहे का एक पंजा बनवाया था जिसके साथ वे ज़ोर आज़माई करते थे। उनके हाथों की उँगलियाँ पत्थर जैसी सख़्त हो गयी थीं। उनके पंजे को शेर का पंजा कहा जाता था। यह तय था कि ग़ुस्से में किसी को लपोटा मार देंगे

तो कम-से-कम बेहोश ज़रूर हो जायेगा।

अत्तन मियाँ एक बार किसी शादी में कानपुर गये हुए थे। वहाँ उनके आने की ख़बर पाकर शहर के सबसे नामवर पंजा लड़ाने वाले उनके पास पहुँचे। उस वक़्त अत्तन मियाँ ताश खेल रहे थे। पंजा लड़ाने वाले ने कहा कि वह उनका नाम सुन कर उनसे पंजा लड़ाने आया है। अत्तन मियाँ ने कहा, ''मैं तो अभी ताश खेल रहा हूँ।'' पंजा लड़ाने वाले ने कुछ अजीब ढंग से कहा—''हम तो समझकर आये थे कि आज हम भी आपके पंजे की ताकत आज़मा लेंगे।''

अत्तन मियाँ को यह बात बुरी लगी। लेकिन ताश की बाज़ी भी वे नहीं छोड़ सकते थे। आखिर उन्होंने अपना बायाँ हाथ आगे बढ़ा दिया। कानपुर के पंजेबाज़ ने अपने सीधे पंजे से ज़ोर आज़माई शुरू कर दी। काफ़ी देर तक अत्तन मियाँ के बायें पंजे को मरोड़ने की कोशिश करते रहे और अत्तन मियाँ ताश खेलते रहे। जब कानपुर के पंजेबाज़ ने हर तरक़ीब और पूरा ज़ोर आज़मा लिया, काफ़ी देर हो गयी तो अत्तन मियाँ उलझ गये। उन्होंने कानपुर के पंजेबाज़ से कहा—''जनाब, अब आप पंजा बाहर निकाल लें, क्योंकि अगर मैंने आपका पंजा मरोड़ा तो आपकी उँगलियाँ तीन जगह से टूटेंगी।'' यह सुन कर पंजेबाज़ ने फौरन पंजा लड़ाना बन्द कर दिया।

अत्तन मियाँ का तीसरा शौक घुड़सवारी था। वे आमतौर पर बिगड़े हुए, कटखने, सवार को गिरा देने वाले घोड़े पर बैठने के शौकीन थे। एक बार वे अपने अब्बा हुज़ूर के साथ राजा लखनपुर के यहाँ ठहरे हुए थे। लखनपुर अवध की पुरानी रियासतों में अपना अहम मुक़ाम रखती थी। राजा सैयद बरकत अली 'बर्क' पुरानी सदी के आदमी थे लेकिन उनकी नवाब अली हुसैन ख़ाँ से खूब पटती थी क्योंकि गवर्नर के दरबार में उनकी कुर्सियाँ पास-पास थीं और दोनों को तिब्बे यूनानी से बड़ी दिलचस्पी थी। ख़ैर, तो राजा लखनपुर के यहाँ अत्तन मियाँ ने घुड़सवारी करने की ख्वाहिश ज़ाहिर की। उन्हें अस्तबल में ले जाकर घोड़े दिखाये जाने लगे। देखते-देखते अत्तन मियाँ ने काली घोड़ी को पसंद किया। अस्तबल के मुलाज़िमों ने कहा—''हुज़ूर ये तो बड़ी खराब घोड़ी है। मुड़ कर घुड़सवार को काट लेती है। ज़ीन पर तो किसी को बैठने ही नहीं देती। अक्सर ज़मीन पर लोट जाती है तो घुड़सवार जख़्मी हो जाता है। लगाम कसने का तो उस पर कोई असर ही नहीं होता। आप इस खतरनाक घोड़ी की सवारी न करें। अच्छे-अच्छे सधे हुए घोड़े हैं, उन पर सवारी कीजिए।'' ये सब सुनने के बाद अत्तन मियाँ मुस्कुराये और बोले, ''नहीं, मैं इसी घोड़ी पर सवारी करूँगा।'' अब लोग परेशान हो गये। अत्तन मियाँ राजा साहब के अज़ीज़ दोस्त के बेटे थे। उनकी ख़्वाहिश सिर आँखों पर थी लेकिन ख़ुदा न खास्ता

कोई हादसा हो गया तो क्या होगा ? मुलाज़िम राजा साहब के पास गये। राजा साहब ने पूरी बात नवाब साहब को बताई। नवाब साहब मुस्कुराये और बोले—"अत्तन मानेगा नहीं। उसे यही शौक है और अल्लाह ने चाहा तो कुछ न होगा।"

बहरहाल बड़ी मुश्किल से घोड़ी पर ज़ीन कसी गयी। अत्तन मियाँ ने रकाब में पैर डाल कर चढ़ने की कोशिश की तो घोड़ी दो पैरों पर खड़ी हो गयी। ये दो तीन बार हुआ। उसके बाद अत्तन मियाँ जस्त लेकर घोड़ी की पीठ पर सवार हो गये और देखते ही देखते घोड़ी हवा हो गयी। अपनी आदत के मुताबिक घोड़ी ने मुँह पीछे करके अत्तन मियाँ को काटना चाहा तो उनके फौलादी घूँसे ने घोड़ी को बता दिया कि सवारी करने वाला कौन है। घोड़ी और तेज़ी से भागी। अत्तन मियाँ ने अपनी रानों और टाँगों को इतना ज़ोर से दबाया कि घोड़ी की ज़ुबान निकल पड़ी। पीछे-पीछे घोड़ों पर राजा साहब के मुलाज़िम बदहवास चले आ रहे थे। वे दूर से अत्तन मियाँ को घोड़ी की पीठ पर देख कर हैरान थे क्योंकि इतनी देर तक तो घोड़ी ने कभी किसी को अपनी पीठ पर बैठने न दिया था। घोड़ी रुकना चाहती थी ताकि ज़मीन पर लोट कर सवार को गिरा दे लेकिन अत्तन मियाँ ने ऐसी ऐड़ मारी कि घोड़ी बिलबिला गयी और गुस्से में और तेज़ दौड़ने लगी। अत्तन मियाँ जानते थे कि जब तक दस कोस का चक्कर न लग जायेगा तब तक घोड़ी का ग़ुरूर न टूटेगा। तीन घण्टे की सवारी के बाद घोड़ी उस तरह चलने लगी जिस तरह अत्तन मियाँ चलाना चाहते थे। अत्तन मियाँ वापस आये, घोड़ी पर से उतरे तो कुछ देर बाद घोड़ी ने खून का पेशाब किया और शाम होते-होते मर गयी।

वैसे अत्तन मियाँ ख़ुदा के बंदों पर तरस खाने वाले आदमी थे। नमाज़ पढ़ने के बाद फ़क़ीरों को ख़ैरात देते थे। उनकी नमाज़ की चौकी के सामने फ़कीरों की लाइन लग जाती थी और सामने इकन्नियों का ढेर रखा रहता। फ़क़ीर लाइन से आते जाते थे और अत्तन मियाँ एक-एक आना उनकी झोलियों में डालते जाते थे। इसके अलावा यतीमों, बेवाओं, अपाहिजों, बीमारों के लिए कुछ भी करने को तैयार रहते थे।

अत्तन मियाँ को जागीर के कामों से कोई दिलचस्पी न थी। उन्हें तो ये भी ना मालूम था कि जागीर में कितने गाँव हैं। क्या आमदनी होती है। क्या खर्च है। कौन से मुकद्दमे चल रहे हैं। अब्बा हुज़ूर कब अंग्रेज़ अफ़सरों से मिलते हैं और उन्हें कब आम की दावतों पर बुलाते हैं।

~ ~ ~

बड़े बेटे से निराश तो नहीं लेकिन कुछ उदासीन हो जाने के बाद नवाब अली हुसैन

ख़ाँ ने छोटे बेटे बुड्ढन मियाँ को जागीर और ज़मीन जायदाद के दूसरे कामों में शरीक कर लिया था। वे बुड्ढन मियाँ को अपने साथ सरकारी अफ़सरों के बँगलों पर ले जाते थे। कचहरी और अदालत के कामों को समझने और करने का मौक़ा देते थे। दुनियादारी के तौर-तरीके समझाते थे। उन्होंने बुड्ढन मियाँ को अफ़सरों वाले क्लब का मेम्बर भी बनवा दिया था जहाँ बुड्ढन मियाँ अंग्रेज़ अफ़सरों के साथ टेनिस खेलते थे और अपने ताल्लुकात बढ़ाते थे। बुड्ढन मियाँ को रुतबा, रोब, असर, प्रभाव और उससे होने वाले फ़ायदों और कमाई का पूरी तरह इल्म हो गया था। वे समझ गये थे कि ज़मींदारी और जायदाद, रोब और रुतबा अंग्रेज़ अफ़सरों की मदद के बग़ैर नहीं चल सकता। इन सब के चलते उनके अंदर एक बड़ा आत्मविश्वास और अहंकार पैदा हो गया था। ग़ुस्सा उनकी नाक पर बैठा रहता था। पूरी जागीर में उनका दबदबा था। कारिन्दे, मुंशी, मुनीम और सिपाही उनके सामने थरथर काँपते थे। अगर वे किसी से नाराज़ होकर उसकी पिटाई करने लगते थे तो उनका हाथ कोई पकड़ न सकता था। यहाँ तक कि उनके अब्बा हुज़ूर भी कहते थे, "भाई बुड्ढन मियाँ को ग़ुस्सा आ गया और वे मार रहे हैं तो उन्हें रोकने के लिए मौलाना इलाही बख़्श को बुलाकर लाओ।" बुड्ढन मियाँ के उस्ताद इलाही बख़्श के घर एक आदमी दौड़ाया जाता था। वे आते थे तो बुड्ढन मियाँ का हाथ पकड़ते थे। उन्हें समझा-बुझा और डाँट-डपट कर शांत करते थे।

बुड्ढन मियाँ जानते थे कि सत्ता में रहे बिना पैसा और सम्मान नहीं मिल सकता। वे बचपन से इसके आदी थे और सत्ता के जितने भी केन्द्र हो सकते हैं वहाँ वे पहुँचते थे। ज़िले की म्युनिस्पल कमेटी के वे मेम्बर थे। सरकारी स्कूल की गवर्निंग कमेटी के मेम्बर थे। ऑनरेरी मैजिस्ट्रेट थे। अपने अब्बा हुज़ूर के साथ एक बार किसी अंग्रेज़ कलक्टर से मिलने गये तो कलक्टर ने नवाब साहब से कहा था—"वेल नोबाब, आपका छोटा बेटा तो किसी रियासत का दीवान बनाने का माफ़िक़ है।" नवाब साहब ने अंग्रेज़ अफ़सर का शुक्रिया अदा किया था और बाद में बुड्ढन मियाँ से कहा था, "अंग्रेज़ तुम्हें किसी रियासत का दीवान बनवाना चाहता है। जाओगे?" बुड्ढन मियाँ किसी की नौकरी करने को हेय समझते थे। उन्होंने मना कर दिया था।

पद और अधिकार प्राप्त करने के कारण बुड्ढन मियाँ ने शहर में अपनी वह हैसियत बनाई थी कि इज़्ज़त उनके क़दम चूमती थी। फिटन पर जब वे शहर के बाज़ार से गुज़रते थे तो दोनों तरफ़ की दुकानों के दुकानदार उन्हें इतने सलाम करते थे कि जवाब में बुड्ढन मियाँ का हाथ उठा ही रहता था। दोस्तियाँ करने और निभाने में भी उनका जवाब न था। आम लोगों से लेकर खास लोगों तक उनकी दोस्ती का दायरा बहुत बड़ा था। सुबह जो लोग उनसे मिलने आते थे उन्हें दोपहर का

खाना खिलाये बग़ैर वे जाने न देते थे। खाना पकाने से पहले नौकर ये देख लेते थे कि आज मियाँ के पास कितने आदमी बैठे हैं। यह सूचना खाना पकाने वालियों को दे दी जाती थी और उसी हिसाब से खाना पकता था।

कांग्रेसियों से उनका जनम-जनम का बैर था। उनके इलाक़े में कांग्रेसियों ने जो आन्दोलन चलाये थे, उन्होंने उसे बड़ी बेदर्दी और हिंसक तरीके से ख़त्म कर दिया था। बंसीपुर के किसानों ने लगान देने से मना किया था। गाँव के कुछ लोग कांग्रेस के प्रभाव में थे। बुड्ढन मियाँ ने गाँव को सज़ा देने के लिए मेवातियों को बुलवाया था। मेवातियों के कुछ गाँव नवाब अली हुसैन ख़ाँ ने इसी मक़सद से बसाये थे कि वे लड़ाई-झगड़े, मारपीट, फ़ौजदारी, क़त्ल वग़ैरह में माहिर थे। जागीर में या उससे बाहर जब भी फ़ौजदारी की नौबत आती थी तो मेवातियों को बुलाया जाता था। काम हो जाने के बाद उन्हें अच्छा इनाम-इकराम मिलता था।

बुड्ढन मियाँ ने बंसीपुर को सज़ा देने के लिए मेवातियों को बुलवा लिया था जिन्होंने दिन-दहाड़े गाँव पर हमला किया था। मेवातियों ने गाँव में जो भी मिला था, उसे मारा था। घरों में आग लगा दी थी। औरतों के साथ बलात्कार किया था। जानवर खोल लिए थे। ऐसा आतंक मचाया था कि पूरा इलाक़ा डर गया था। यह गाँव प्रमुख रूप से कुर्मियों और अहीरों का गाँव था। ठाकुर आबादी यहाँ न थी इसलिए बुड्ढन मियाँ के विश्वस्त ठाकुर भी इस हिंसा पर ख़ामोश रहे थे। अलबत्ता शहर के कांग्रेसी नेता पंडित रामकिशोर मिश्रा ने यह मामला ज़िले के अंग्रेज़ कलक्टर के सामने रखा था। कलक्टर ने तहक़ीक़ात के बाद यह फ़ैसला दिया था कि गाँव में आपसी रंजिश के कारण हिंसा हुई थी। मिश्रा जी इस मुद्दे को लेकर लखनऊ गये थे। वहाँ पंडित गोविन्द वल्लभ पंत और रफी अहमद किदवई से मिले थे। यह ख़बर 'नेशनल हेरल्ड' और 'नवजीवन' में बड़ी प्रमुखता से छपी थी। पंडित गोविन्द वल्लभ पंत ने फतेहपुर आने का भी वायदा किया था। कई महीनों तक बंसीपुर काण्ड अखबारों की सुर्खियों में रहा था, लेकिन हुआ कुछ नहीं था।

~ ~ ~

बाक़र गंज बस गया था और उसके चारों तरफ़ एक न दिखाई देने वाली ऊँची और मज़बूत दीवार भी खड़ी हो गयी थी जो दिखाई तो किसी को न देती थी, लेकिन महसूस सब करते थे। यहाँ जो कुछ होता था उसकी ख़बर बाहर वालों को न हो पाती थी और बाहर जो होता था उसकी कोई ख़बर यहाँ न आ पाती थी। कभी-कभार बहुत समय बाद अपनी अजीब शकल में ख़बरें यहाँ आती थीं तो उन पर बहुत अलग किस्म की राय बनती थी और यह समझा जाता था कि यही सही राय है।

आज़ादी और हिन्दू-मुस्लिम फ़साद की ख़बरें भी बड़ी दीवार के पीछे पहुँचीं। सैयदों ने बाक़र गंज के सभी लोगों से, जिन्हें वे अपनी 'रिआया' कहते थे, कहा कि वे सब क़िले पर चले आयें। पठान, बेलदार, चमार, पासी और जो-जो बाक़र गंज में रहता था क़िले पर पहुँच गया। यहाँ कढ़ाव चढ़ गया। पूड़ियाँ छनने लगीं। चारों तरफ़ पहरा लग गया। सैयद बंदूकें लिये क़िले की छतों पर तैनात हो गये। यहाँ सवाल हिन्दू-मुसलमान का न था। सवाल यह था कि जिस किसी ने हमारे ऊपर हमला किया हम उसे मुँहतोड़ जवाब देंगे। सवाल अपनी सुरक्षा का था। खबरें आती रहीं कि कानपुर में भयानक फ़साद हो गये हैं। इलाहाबाद में भी मार-काट मची है। हर शहर फ़साद की आग में जल रहा है। तीन-चार दिन तक बाक़र गंज की पूरी आबादी सैयदों की मेहमान रही और फिर सब अपने-अपने घरों को लौट गये। इसके बाद तो बुरी ख़बरों के आने का ताँता-सा लग गया। पाकिस्तान बन गया। फतेहपुर में मुस्लिम लीग के बड़े लीडर लल्लू मियाँ को, जो बड़े ज़मींदारों में से थे, कलक्टर ने तलब किया और कहा कि वे पाकिस्तान चले जायें। अगर न गये तो उन्हें गिरफ़्तार कर लिया जायेगा। ये सरासर ज़्यादती थी लेकिन सरकारी हुक्म के आगे किसकी चलती है। रातों-रात लल्लू मियाँ पाकिस्तान के लिए रवाना हो गये थे। अगर उन्हें पहले से पता होता कि मुस्लिम लीग और पाकिस्तान को सपोर्ट करने का यह नतीजा निकलेगा कि अपना वतन छोड़ना पड़ेगा तो वे हरगिज़ वैसा न करते। कुछ और मुसलमान भी पाकिस्तान चले गये। फिर वही मारकाट की ख़बरें आने लगीं। महीनों तक हंगामा चलता रहा। बाक़र गंज के सैयदों से किसी ने कहा, "आप लोग पाकिस्तान चले जाइये। वहाँ आप लोगों की ज़मींदारी मिल जायेगी।" सैयदों ने पूछा—"कहाँ मिल जायेगी?" जवाब मिला, "सिंध में या पंजाब या बिलोचिस्तान में या कहीं और।" सैयदों ने कहा कि "हम लोग तो वहाँ की जुबानें भी नहीं जानते। हम वहाँ कैसे, क्या करेंगे? और यहाँ इसलिए कर पा रहे हैं कि पाँच पीढ़ियों से यह काम हमारा ख़ानदान यहाँ कर रहा है। हमारा ख़ानदान सन 1771 में यहाँ आया था। तब से हम यहीं हैं। हम यहाँ से न जायेंगे।"

ज़मींदारी यानी जीविका या रोज़ग़ार की वजह से सैयद पाकिस्तान नहीं गये। लेकिन जल्दी ही उनकी जीविका या रोज़ग़ार का आधार ज़मींदारी चली गयी। एक ऐसी आँधी थी जिसने बाक़र गंज के चारों तरफ़ उठी अदृश्य दीवार को ढहा दिया। एक ऐसा तूफान था जिसने बड़े-बड़े पेड़ों की जड़ें हिला दीं। एक ऐसा ज्वार-भाटा था जिसने ज़िन्दगी के जहाज़ को ख़ुश्की पर ला पटक दिया। जो आँखें मिलाने की हिम्मत न करते थे वे आँखें लड़ा रहे थे।

ज़माना बहुत तेज़ी से बदल गया था। पहले जो दो कौड़ी के समझे जाते थे

वो आज राजा बन बैठे थे। जो पहले राजा थे वो आज दो कौड़ी के हो गये थे। बुड्ढन मियाँ ने ख़्वाब में भी न सोचा था कि एक ज़माना ऐसा आयेगा जब वे दो कौड़ी के हो जायेंगे। वे देख रहे थे कि ज़िला कांग्रेस कमेटी के लोग और उसके सेक्रेटरी पंडित रामकिशोर मिश्रा के हाथों में कितनी ताक़त आ गयी है। मिश्रा कलक्टर को नाच नचवाता है क्योंकि अब उन्हीं की सरकार है, उन्हीं का बोलबाला है। उन्हें यह भी गहरा एहसास हो गया था कि आज के बदले हुए ज़माने में इज़्ज़त, दौलत और शोहरत हासिल करना है या बचाये रखना है तो उसका तरीक़ा यही है कि उन लोगों में शामिल हो लिया जाये जिनके पास ताक़त है। इसका सीधा मतलब था कांग्रेस में शामिल होना। ज़िन्दगी भर कांग्रेस की मुख़ालफत करने वाले बल्कि उससे नफ़रत और बैर रखने वाले बुड्ढन मियाँ के लिए यह सोचना भी तकलीफ़देह था कि वे कांग्रेस में शामिल हो जायेंगे। उन्हें लगता था कि अपनी आत्मा पर इतना बड़ा बोझ वे बर्दाश्त नहीं कर सकेंगे।

ज़मींदारी ख़त्म हो चुकी थी लेकिन बुड्ढन मियाँ ने अपने इलाक़े में पाँच सौ बीघा उम्दा ज़मीन का पट्टा अपने लोगों के नाम लिख दिया था। अब ये ज़मीन उन्हीं की थी। इसके अलावा आम का एक बड़ा बाग़ था। अमरूद का भी एक पुराना बाग़ था। शहर में ज़मीनें और ज़ायदाद थी। जानवरों का बाज़ार था और पक्के चमड़े की मण्डी थी। बुड्ढन मियाँ जानते थे कि ज़ायदाद काग़ज़ों पर नहीं रहती। ज़ायदाद पर कब्ज़ा होता है। कब्ज़ा होने के लिए पुलिस और सरकारी अहलकारों की मदद दरकार होती है। यह मदद उसी वक़्त मिलती है जब मालिक के पास ताक़त होती है, उसकी ऊपर तक पहुँच होती है। इसलिए ऐसा मुमकिन नहीं है कि बग़ैर हैसियत बनाये ज़ायदाद बरक़रार रह सके।

इस उधेड़-बुन में जब बुड्ढन मियाँ की समझ में कुछ न आया तो वे अपने बचपन के पक्के दोस्त गनेश रस्तोगी से मिलने गये। पूरी ज़िन्दगी जिन लोगों से बुड्ढन मियाँ की पक्की दोस्ती रही उनमें गनेश रस्तोगी का पहला नाम है। गनेश रस्तोगी ने इलायची लौंग से उनका स्वागत किया। दोनों दोस्तों के बीच पुरानी और पक्की दोस्ती होने के बावजूद खान-पान के संबंध नहीं थे। गनेश रस्तोगी जब बुड्ढन मियाँ से मिलने आते थे तो उनके सामने भी लौंग इलायची की तश्तरी रखी जाती थी। गनेश रस्तोगी बुड्ढन मियाँ से सहमत थे कि ज़माना तेज़ी से बदल गया है और कांग्रेसियों के पास हुकूमत की ताक़त आ गयी है। बुड्ढन मियाँ ने जब गनेश रस्तोगी से कांग्रेस में शामिल होने और कांग्रेस उम्मीदवार के तौर पर इलेक्शन लड़ने की बात की तो वे बहुत संजीदा हो गये। उन्होंने कहा ख़याल तो अच्छा है लेकिन पंडित रामकिशोर मिश्रा से बातचीत कैसे शुरू कराई जाये। आखिर यह तय पाया कि पंडित

जी के गहरे दोस्त और शहर के नामी वकील बाबू हृदय राम से बात की जाये। बुद्धन मियाँ ने यह ज़िम्मेदारी गनेश रस्तोगी पर डाल दी।

गनेश रस्तोगी ने बाबू हृदय राम से बात की। बाबू हृदय राम ने कांग्रेस के सेक्रेटरी पंडित रामकिशोर मिश्रा से बात की। बुद्धन मियाँ को बताया गया कि पंडित जी का कहना है कि नवाब साहब को जो बात करनी है वे ख़ुद आकर करें। पहले तो यह जवाब ही बुद्धन मियाँ को अपमानजनक लगा लेकिन अब कोई दूसरा रास्ता न था। बजरिया में दो दरों की दुकानों में कांग्रेस का ऑफ़िस था। ज़िन्दगी में पहली बार बुद्धन मियाँ की फिटन कांग्रेस के ऑफ़िस के सामने रुकी। सफ़ेद झलझलाती हुई शेरवानी और टोपी में, काली छड़ी हाथ में लिए नवाब उतरे। तीन सीढ़ियाँ चढ़ कर अंदर देखा तो एक मैली सी दरी पर फटी धोतियाँ और गंदे शलूके पहने कुछ ऐसे लोग बैठे थे जो नवाब साहब के सामने कभी ज़मीन पर भी बैठने की हिम्मत न करते थे। दरी के एक तरफ़ मैली-सी चाँदनी पर गंदे पैरों के निशान दिखाई दिए। उसी चादर पर गाव तकिये की टेक लगाये पंडित रामकिशोर मिश्रा बैठे थे। उन्होंने नवाब साहब को अंदर आते देखा लेकिन टस से मस न हुए। नवाब साहब ने जब उन्हें सलाम किया तो उन्होंने सिर्फ़ एक पैर समेटा और बोले—"आइये नवाब साहब, आइये।" उनके स्वर में गहरे व्यंग्य के पुट को बुद्धन मियाँ ने महसूस किया लेकिन उसे नज़रअंदाज़ करते हुए मैली चादर पर बैठ गये। इधर-उधर नज़रें दौड़ायीं तो देखा कुछ देहाती कोने में लेटे सो रहे थे। कुछ आपस में बातें कर रहे थे और कुछ उन्हें हैरत से देख रहे थे। कमरे में उमस और एक अजीब तरह की बदबू थी जिसे बर्दाश्त करना मुश्किल था। बुद्धन मियाँ उम्मीद कर रहे थे कि बातचीत करने के लिए पंडित जी उन्हें कहीं एकांत में ले जायेंगे या कम से कम कमरे की भीड़ को बाहर जाने के लिए कहेंगे। लेकिन ऐसा कुछ नहीं हुआ। पंडित जी सीधे-सीधे मूल बात पर आ गये। नवाब साहब ने उनसे कहा, "वे कांग्रेस ज्वाइन करना चाहते हैं और कांग्रेस के टिकट पर एम.एल.ए. का इलेक्शन लड़ना चाहते हैं।" पंडित के पास जैसे इसका जवाब तैयार था। उन्होंने कहा, "नवाब साहब, हमारी पार्टी का आदेश है कि ज़मींदारों को पार्टी का उम्मीदवार न बनाया जाये।"

नवाब साहब ने कहा—"अब ज़मींदार कहाँ रहे पंडित जी, ज़मींदारी तो खत्म हो गयी है।"

पंडित जी कुछ क्षण मुँह चलाते रहे फिर बोले—"ज़मींदारी का आतंक तो है। ज़मींदारों ने किसानों पर बड़े अत्याचार किए हैं।"

—"किसानों पर जुल्म तो पुलिस ने भी ढाये हैं। क्या आज़ादी के बाद पुलिस को बर्ख़ास्त कर दिया गया है?"

—"नहीं... लेकिन ज़मींदारों को पार्टी का उम्मीदवार नहीं बनाया जा सकता।"

बुड्ढन मियाँ ने सोचा, यह बात जो अब कही जा रही है, उनसे कहलवायी भी जा सकती थी। लेकिन उन्हें यहाँ बुलाकर कही जा रही है जिसका मतलब उन्हें सिर्फ़ ज़लील करना ही है। वे उठ गये। पंडित जी ने उनके सलाम का जवाब दिया और गाव तकिये से लगे बैठे रहे। बुड्ढन मियाँ का चेहरा गुस्से से लाल हो गया था। उनके कोचवान रामलखन ने देखते ही समझ लिया था कि नवाब साहब बहुत नाराज़ हैं।

~ ~ ~

कई दिन सोच-विचार में निकल गये। नवाब साहब के सलाहकारों की राय यह बनी कि कांग्रेस कोई अकेली पार्टी तो है नहीं। और फिर एम.एल.ए. चाहे जिस पार्टी का हो, उसका असर तो होगा ही। बुड्ढन मियाँ भी आसानी से हार मानने वाले न थे। अब तो उन्होंने तय कर लिया था कि एम.एल.ए. होकर दिखा देंगे। अलग-अलग पार्टियों से बातचीत शुरू की गयी। आखिरकार प्रजा सोशलिस्ट के नेता इस बात पर तैयार हो गये कि नवाब साहब को पार्टी मेम्बर बना कर उन्हें एम.एल.ए. का उम्मीदवार बनाया जा सकता है। नवाब साहब अपनी जागीर के इलाक़े से ही इलेक्शन लड़ना चाहते थे क्योंकि उनके हिसाब से वहीं उनका असर था। वे इलाक़े को अच्छी तरह से जानते थे। गाँव-गाँव से वाक़िफ थे। वहीं से उन्हें वर्कर मिल सकते थे। वहीं उनके पास ठहरने-रहने की जगहें थीं।

इलेक्शन लड़ने के लिए बुड्ढन मियाँ ने रामलाल रस्तोगी से ब्याज पर पैसा लिया। लखनऊ से दो सेकेण्डहैण्ड मोटरें खरीदी गयीं। दस इक्के खरीदे गये। बीस बैलगाड़ियों का इंतिज़ाम किया गया। बुड्ढन मियाँ के पुराने सिपाही, कारिन्दे, मुंशी, मुनीम, इलेक्शन में प्रचार करने के लिए आ गये। ये वही लोग थे जो ज़मींदारी के ज़माने में गाँव के गाँव लूट लिया करते थे। फ़र्ज़ी और जाली कागज़ बना कर किसानों से चार गुना लगान वसूल करते थे। खड़ी फसलें कटवा लिया करते थे। बहू-बेटियों की इज़्ज़त पर हाथ डालते थे। इनसे लोग डरते और काँपते थे। इन कार्यकर्ताओं के लिए लाल साफे और पगड़ियाँ खरीदी गयीं। लाल टोपियाँ बाँटी गयीं। पोस्टर और पर्चे छपवाये गये। बड़े गाँवों में ऑफ़िस बनाये गये जहाँ खाने-पीने और रहने का इंतिज़ाम किया गया। आने-जाने के लिए इन लोगों को साइकिलें दी गयीं। बड़े धूम से चुनाव प्रचार कराने के लिए नौटंकी कराई गयी जिसे सैकड़ों लोगों ने देखा। बुड्ढन मियाँ को रोज़ ये रिपोर्टें मिलती थीं कि बस वे जीते ही जीते हैं।

बुड्ढन मियाँ के सिपाही और कारिन्दे जिससे पूछते थे कि "वोट किसे दोगे ?"

वह नवाब साहब का नाम लेता था। जहाँ प्रचार के लिए जाते थे वहाँ सैकड़ों लोग जमा हो जाते थे। अगर इलेक्शन सिपाहियों और कारिन्दों के ज़रिये होता तो बुद्धन मियाँ से ज़्यादा वोट किसी को न मिलते। सिपाही और कारिन्दे बताते थे कि, "हुज़ूर ये आपकी रिआया है। कई पुश्तों से आप के खानदान को अन्नदाता मानती आ रही है। आपको माई-बाप कहती है। आपको अपने माँ-बाप से बढ़ कर समझती है।" बुद्धन मियाँ जब चुनाव क्षेत्र में कार से उतरते थे तो देर तक तालियाँ बजती थीं। उन्हें यकीन था कि इलेक्शन में उनकी जीत पक्की है। उन्हें कौन हरा सकता है।

इलेक्शन का नतीजा आया तो बुद्धन मियाँ बुरी तरह से हार गये। ज़िन्दगी में पहली हार थी। कांग्रेस का उम्मीदवार जीता था। हार ने उन्हें छोटा कर दिया था। कई दिन तक वे किसी से नहीं मिले। अब उन्हें यह एहसास हो गया था कि सचमुच सब-कुछ बदल गया है।

~ ~ ~

सोलहवीं शताब्दी में शुरू किया गया यह आख्यान अब समाप्त होने वाला है। बाक़र गंज के सैयदों की खोज कितनी हो पाई और कितनी नहीं हो पाई यह कहना मुश्किल है। इस कड़ी के अंतिम पात्र बुद्धन मियाँ इलेक्शन हारने के बाद काफ़ी अकेले हो गये थे। ऐसा नहीं कि उन्हें खाने-पीने, रहने-सहने की कोई तकलीफ़ थी। लेकिन हमेशा अपने को महत्त्वपूर्ण समझने वाले बुद्धन मियाँ समाज से कट गये थे या समाज उनसे कट गया था। उनके पास अब भी पूरे खानदान का पालन-पोषण करने लायक़ जायदाद थी। इलेक्शन में लिया गया कर्ज़ चुका दिया था क्योंकि उसकी किस्तें हर हफ़्ते अदा की जाती थीं। ज़मीनों से इतना अनाज आ जाता था कि अगली फसल तैयार होते-होते भी 'खो' में गेहूँ के कई बोरे भरे रहते थे। आम के बाग़ में देशी आम का पेड़ 'कलुवा' हर फसल पर पाँच बैलगाड़ी आम देता था। कलमी आमों और अमरूद का बाग़ भी मौजूद था। संतरे का तख़्ता भी था। फालसे और खिन्नी के मज़े से नयी पीढ़ियाँ भी परिचित थीं। सब कुछ एक अर्थ में सामान्य था और एक मायने में नया था क्योंकि बाक़र गंज के सैयदों के जवान लोग स्कूल जाने लगे थे। उनसे किसी ने कहा नहीं था। न कोई ज़ोर डाला था लेकिन फिर भी स्कूल जाने वालों की तादाद बढ़ रही थी। आम के पेड़ों पर अपना-अपना नाम लिखकर ये लोग स्कूल से आगे की पढ़ाई करने उन शहरों में जा रहे थे जो अनजान शहर थे। पर यह ज़रूर था कि शहरों में पढ़े बाक़र गंज के सैयद लौट नहीं रहे थे। वापस बाक़र गंज नहीं आ रहे थे। वैसे भी लौटता कौन है? सैयद इकरामउद्दीन वापस लौट कर ईरान नहीं गये। सैयद ज़ैनुलआब्दीन लौट कर मुर्शिदाबाद नहीं गये। जो

जहाँ से आ जाता है, वह कहाँ लौटता है!

लोग लौट कर वापस नहीं आते तो एक नया आख्यान शुरू होता है। यह आदमी जो पीला हेलमेट लगाये सऊदी अरब की राजधानी रियाद से बाइस किलोमीटर दूर तपते हुए रेगिस्तान में बनती एक टाउनशिप में ड्रिलिंग मशीन चला रहा है बाक़र गंज का सैयद है। इसकी लेबनानी पत्नी और इसका बेटा बाक़र गंज से बहुत दूर एक नयी दुनिया बसा चुके हैं। अब उनकी दुनिया का आख्यान शुरू होगा। लंदन के किंग जार्ज मेडिकल कॉलिज के वार्ड नम्बर सात में मरीज़ से बात करता डॉक्टर और कोई नहीं बाक़र गंज का सैयद है जो विशाल दुनिया के एक पुराने देश में अपनी जगह बना रहा है। मध्य योरोप के देश हंगरी की राजधानी बुदापेस्ट से बारह किलोमीटर दूर एर्ड फुर्रेद के एक वीकएण्ड हाउस में अंगूर की लताएँ छाँटता अधेड़ उम्र आदमी बाक़र गंज का सैयद है जो हंगेरियन भाषा का एक लोकगीत गा रहा है। हाँगकांग के उत्तर पश्चिमी इलाक़े में एक बहुमंज़िला इमारत के बीसवें माले के फ्लैट की बालकनी में सुखाने के लिए जो महिला कपड़े डाल रही है वह बाक़र गंज की सैदानी है।

बाक़र गंज वहीं है जहाँ था। लेकिन अब वह नहीं है जो था।

□□□

असग़र वजाहत की अन्य चर्चित पुस्तकें

सफ़ाई गंदा काम है

एक लेखक की दुनिया केवल कविता–कहानी या विधा के दायरे में कैद नहीं होती। लेखक अपने समय का सिपाही है तो समय को पहचानने के सारे उपाय उसे तलाशने होते हैं। असग़र वजाहत ऐसे लेखक हैं जो मानते हैं कि दुनिया को बेहतर बनाने के लिए साहित्य की भूमिका होती है। इसके लिए वे कहानी– उपन्यास और नाटक तक ही नहीं ठहर जाते। उनके निबन्ध गवाही देते हैं कि लेखक असल में संस्कृति का ऐसा पहरेदार है जो खतरों से आगाह ही नहीं करता बल्कि अपने ढंग से संस्कृति को सम्पन्न भी करता है। निबन्ध लिखना असग़र वजाहत के लिए भीतर की गहरी बेचैनी से लड़ना है। उनके निबन्धों की एक पुस्तक 'ताकि देश में नमक रहे' पूर्व में प्रकाशित है। वे रोज़मर्रा के जीवन में फैल रही अपसंस्कृति को इन निबन्धों में पहचानते हैं तो अपने समय और समाज की वास्तविक चिन्ताओं से भी दो चार होते हैं। इन निबन्धों में उनके सामने भारतीय मुस्लिम समाज के चुभते सवाल हैं तो कला–साहित्य से जुड़े प्रसंग भी। पाठकों को यहाँ संस्मरणों सी आत्मीयता मिलेगी तो विचारों की गहराई भी। कहना न होगा कि जिस ऊष्मा से इन निबन्धों की रचना हुई है वह सुदीर्घ रचना यात्रा से उपजी ऊष्मा है।

ISBN: 978-93-5064-371-6

असग़र वजाहत की अन्य चर्चित पुस्तकें

सबसे सस्ता गोश्त

सभी तरह की विधाओं में नाटक को सबसे रमणीय कहा गया है। भला ऐसी कौन–सी साहित्यिक विधा है जिसमें संगीत, कविता, अभिनय, और कथा का रस एक साथ मिलता हो? नुक्कड़ नाटक इसमें भी और अधिक जनधर्मी रास्ता है जो साहित्य व कला को सीधे जनता तक पहुँचाता है। असग़र वजाहत ऐसे लेखक हैं जो मानते हैं कि दुनिया को बेहतर बनाने के लिए साहित्य की भूमिका होती है। इसके लिए वे कहानी–उपन्यास और निबन्ध ही नहीं लिखते अपितु नाटक भी रचते हैं। *गोडसे @ गांधी.कॉम* और जिस लाहौर नईं वेख्या उनके प्रसिद्ध पूर्णकालिक नाटक हैं। उनके नुक्कड़ नाटक सभागारों के साथ–साथ गली–चौराहों पर भी खेले गए और खूब लोकप्रिय हुए। इस संग्रह में 'सबसे सस्ता गोश्त', 'वोट बटोरे अंधा' और 'पूरा प्यार' जैसे बहुचर्चित–लोकप्रिय नाटक हैं। असग़र वजाहत इस किताब में इन नाटकों के लिखे जाने की कहानी भी बताते हैं। भ्रष्टाचार और साम्प्रदायिकता जैसी समस्याएँ आज भी मौजूद हैं, ऐसी समस्याओं से टकरा रहे इन नाटकों का किताब में एक साथ आ जाना रंगमंच और साहित्य की दुनिया में नयी हलचल पैदा करेगा।

ISBN: 978-93-5064-372-3

सभी प्रमुख पुस्तक विक्रेताओं पर उपलब्ध या
इस वेबसाइट से मंगवाएं
www.rajpalpublishing.com

असग़र वजाहत की अन्य चर्चित पुस्तकें

मेरी प्रिय कहानियाँ

असग़र वजाहत हिन्दी कहानीकारों की भीड़ में शामिल एक दो पाया नहीं,बल्कि मुकम्मल शख़्सियत हैं। कहानी, उपन्यास, नाटक, सिनेमा, पेंटिंग तक अपने पंख फैलाये वह सिर्फ़ इन्सानी फितरत की बात सोचते है और उसे रचना में रूपांतरित करते रहते हैं। असग़र की इसी रचनात्मक बेचैनी से निकली हैं ये कहानियाँ। 'मेरी प्रिय कहानियाँ' के लिए असग़र ने इन्हें खुद चुना है और साथ में अपनी कथा यात्रा की एक विस्तृत भूमिका भी खुद कलमबंद की है।

ISBN: 978-93-5064-091-3

सभी प्रमुख पुस्तक विक्रेताओं पर उपलब्ध या
इस वेबसाइट से मंगवाएं
www.rajpalpublishing.com